Développer avec WebExpert 5

Collection « Guide pratique »

complétif

www.completif.qc.ca

Tous les produits cités dans cet ouvrage sont protégés, et les marques de commerce déposées par leurs titulaires de droits respectifs.

Équipe de production

Responsable de projet : Mireille Chevalier
Conception et rédaction : Mireille Chevalier
Vérification technique : Daniel Chevalier
Révision linguistique : Olivier Perreault-Smith
Graphisme et mise en page : Mireille Chevalier et Pascal Quéron
Page couverture : Daniel Chevalier
Collection « Guide pratique »
Ouvrage édité par Complétif inc.

Complétif inc.

4927, rue Sainte-Catherine Est, Montreal (Québec) Canada H1V 1Z9

Téléphone : 514.252-8850
Télécopie : 514.252-1151
guide@completifproductions.com
www.completifproductions.com
www.completif.qc.ca

Dépôt légal : 1e trimestre 2002

Bibliothèque nationale du Québec
Bibliothèque nationale du Canada

ISBN 2-922601-07-2

Imprimé à Montréal, Québec, Canada

Table des matières

14 *La gestion du site et la diffusion des documents*

Liste des éléments HTML 207

Réseaugraphie 219

Index 221

Table des procédures

2 Les langages du Web

3 La création de documents HTML

4 La validation des documents

5 La gestion des dossiers et des fichiers

6 Les images et les objets multimédias

11 *Les formulaires*

12 *L'assistance à l'édition des langages*

13 *La manipulation des éléments du code*

14 La gestion du site et la diffusion des documents

Avant-propos

À propos des guides de la collection « Guide pratique »

Les guides de la collection « Guide pratique » s'adressent à tous les types d'utilisateur : débutants ou avancés sur une application, les lecteurs y trouveront satisfaction. Toutefois, l'auteure prend pour acquis que ces derniers ont déjà certaines bases en ce qui concerne le sujet dont il est question.

Le débutant peut consulter ces guides pour comprendre un logiciel et son environnement de travail. Par la suite, les procédures décrivent en détail le fonctionnement de ces derniers. L'utilisateur plus avancé pourra quant à lui conserver ce guide à ses côtés et y référer lorsque certaines questions surviennent ou l'utiliser comme aide-mémoire.

De manière générale, les guides de la collection « Guide pratique » décrivent les notions et procédures nécessaires à la compréhension d'une application. Le guide est structuré pour répondre aux exigences du type d'application dont il fait l'objet : une matière organisée selon une logique de réalisation de tâches; dans certains cas, cette matière sera structurée selon des champs de compétences.

En période d'apprentissage ou pour l'utilisation quotidienne de l'application, le guide pratique est un véritable assistant pour l'utilisateur.

Convention de lecture

Les auteurs-éditeurs de la collection « Guide pratique » ont pris délibérément la décision de ne pas utiliser une méthode iconographique. Une surcharge d'information et de codes risque de nuire à la compréhension du lecteur.

La méthode de lecture de ce guide est donc particulièrement simple. Le tableau suivant présente les éléments essentiels à retenir pour faciliter la lecture.

Terminologie générale

Terme	Description
Bouton	Désigne tout élément sur lequel l'utilisateur doit cliquer pour provoquer l'exécution d'une action.
Menu contextuel	Le menu contextuel est obtenu en cliquant avec le bouton droit de la souris sur un élément sélectionné. Ce dernier affiche les commandes se rapportant directement à la sélection.
Menu	Désigne tout élément identifié par un libellé donnant accès à une liste de commandes.
Sous-menu	Désigne tout élément situé sous un menu, identifié par un libellé, qui donne accès à une liste de commandes.
Commande	Désigne tout élément d'une liste identifié par un libellé donnant accès à une fonctionnalité (boîte de dialogue par exemple).
Fenêtre	Désigne toute fenêtre munie d'une barre de menus ou barre d'outils. Une fenêtre donne accès à un ensemble de commandes.
Onglet	L'onglet se situe généralement dans la boîte de dialogue. Il s'agit de l'étiquette en saillie de la page d'un formulaire. Pour afficher son contenu, les concepteurs utilisent le libellé : « Afficher le contenu de l'onglet ».
Boîte de dialogue	Désigne toute fenêtre permettant une relative interaction avec le logiciel. La boîte de dialogue permet à l'utilisateur de compléter des informations avant l'exécution d'une commande.

La boîte de dialogue présente plusieurs types d'éléments

Zone	Espace de la boîte de dialogue regroupant un ensemble d'options ou de choix.
Cases à options	Groupe d'options proposant à l'utilisateur de faire un choix unique.
Cases à cocher	Groupe d'options proposant à l'utilisateur de faire plusieurs choix.
Champ	Espace de la boîte de dialogue permettant à l'utilisateur de saisir ou préciser une information. Cette information peut être de différentes natures (numérique ou alphabétique).
Liste déroulante	Champ présentant une flèche à son extrémité droite. La liste déroulante permet à l'utilisateur d'effectuer un choix exclusif à l'aide des éléments présentés. La liste déroulante peut être représentée par un champ d'un ou de plusieurs lignes.
Bouton	Tout élément de boîte de dialogue représenté par une image ou par un libellé sur lequel on clique pour exécuter une commande.

Exécution d'une commande

Cliquer - Appuyer	De manière générale, l'utilisateur *Clique* sur un bouton et *Appuie* sur une touche du clavier.
Exécuter	La commande d'un menu est exécutée.
Dérouler	Un menu se déroule et affiche les commandes qui s'y rapportent.
Éditer	Éditer appelle la modification de l'élément dont il est question.
Saisir	Le texte est saisi sur la feuille de travail et les informations sont saisies dans les champs d'une boîte de dialogue.

Identification des éléments de texte

Convention	*Description*
Texte explicatif	Le texte explicatif ou théorique est présenté par une police à caractère avec empattement (par exemple le Times).
1 Procédures	Les procédures sont présentées par une police de caractères sans empattement pour en permettre le repérage rapide. Les procédures sont parfois suivies d'une explication, dans quel cas cette dernière utilise une police avec empattement comme le texte explicatif.
Remarque	Les remarques sont annoncées par leur nom. Elles peuvent contenir des mises en garde ou des informations jugées complémentaires à la notion abordée.
Exemple	Lorsque l'explication d'une notion est avantagée par un exemple, ce titre y introduit le lecteur.
Commande et **Bouton**	Le nom des commandes et des boutons apparaît en caractères gras.
Code de programmation	Les codes de programmation sont identifiés par une police de caractères à espacement fixe. Il peut s'agir du code utilisé par le logiciel ou des fonctions et formules préprogrammées par celui-ci.
Texte utilisateur	Le texte que l'utilisateur doit saisir est identifié par un caractère italique.

À propos du guide *Développer avec WebExpert 5*

L'objectif principal du Guide Pratique *Développer avec WebExpert 5* est de fournir à l'utilisateur un aperçu complet des fonctionnalités de WebExpert et de son environnement pour faciliter le travail de conception de pages Web efficace.

Après un tour d'horizon de l'interface, le lecteur est introduit aux divers langages utilisés pour la conception des documents HTML dynamiques. L'objectif de ce chapitre vise uniquement à présenter les principes de base de la codification et de la structure des langages. Le concepteur voulant tirer profit des possibilités de ces divers langages est invité à consulter la réseaugraphie présentée en annexe pour connaître quelques sites de références.

Le chapitre 3 présente les principales procédures d'utilisation de WebExpert pour la création de pages Web. On y aborde notamment les propriétés du document, incluant les balises d'en-tête, et celles de mise en forme du texte et des paragraphes.

WebExpert propose plusieurs outils qui permettent la visualisation des documents, leur validation et la vérification syntaxique du code. Il dispose en outre de plusieurs commandes qui facilitent la gestion des dossiers et des fichiers, notamment en travaillant par projet. Les chapitres 4 et 5 abordent ces fonctionnalités.

Les trois chapitres suivants présentent en détail les objets images et multimédias, les liens hypertextes, les tableaux et les pages à cadres; autant d'éléments ou d'objets permettant l'organisation efficace de l'information textuelle ou graphique.

Le concepteur qui utilise les JavaScripts et les langages de conception les plus récents sera intéressé par le chapitre 10 qui présente les principes de conception et de gestion des feuilles de style. Très utiles pour raffiner la mise en forme des documents, les règles CSS sont utilisées conjointement avec des scripts pour définir l'apparence des objets programmés.

Le chapitre 11 traite de la conception des formulaires à l'aide des outils de WebExpert : de la feuille au contrôle de formulaire, WebExpert facilite l'intégration de ces divers éléments.

Au chapitre 12, le lecteur verra comment utiliser les assistants à la rédaction des codes, notamment les générateurs de scripts JavaScript, ASP et WML.

Avant d'aborder la diffusion des documents sur le serveur FTP au chapitre 14, le chapitre 13 présente les fonctionnalités de WebExpert qui permettent d'optimiser le document et de vérifier l'intégrité des liens. La commande de conversion de documents vers un format XHTML est également présentée dans ce chapitre.

Pour faciliter le repérage des informations, le guide est précédé de deux tables des matières : l'une présentant les notions principales; la seconde énumérant les procédures de réalisation. La dernière section du guide présente un index. Outre ces pages de références, le lecteur trouvera en annexe au guide une liste de définitions des éléments HTML organisée par niveaux de bloc. Il lui sera aisé de trouver les propriétés, attributs et valeurs pouvant être associés aux éléments HTML dans les ouvrages de référence et sur Internet.

Après avoir parcouru ces pages, l'utilisateur comprendra l'environnement de développement Web. Il sera en mesure de tirer parti des multiples fonctionnalités de WebExpert dans son travail de conception : de la création de pages Web jusqu'à leur diffusion.

Pour en savoir davantage sur les notions plus avancées, l'aide fournie par WebExpert pourra certainement répondre aux principales questions qui resteraient en suspens. En ce qui concerne les concepts sous-jacents à la conception et la création de pages Web, il est inutile de mentionner que le Web est une source inépuisable de renseignements. Une réseaugraphie est présentée en annexe, laquelle énumère quelques sites de référence sur Internet.

> Les logiciels de navigation n'interprètent pas les balises HTML de la même manière : certaines balises HTML sont exclusives à un navigateur ou à un autre; ici, nous faisons essentiellement référence aux navigateurs les plus fréquemment utilisés, soit Microsoft Internet Explorer et Netscape Navigator. Dans la rédaction de ce guide, l'auteur présente généralement les balises HTML communes aux deux logiciels de navigation. Dans le cas contraire, une précision est faite.
>
> Pour élaborer ce guide, l'auteur a utilisé la configuration technique suivante :
> - la version 5.02.0 de WebExpert.
> - le système d'exploitation Windows 98 SE et Windows 2000
> - le logiciel de navigation Internet Explorer 5.5.
>
> Il se peut que certains affichages ou certaines fonctions soient différentes dans les mises à jour du logiciel, ultérieures à cette rédaction.

Introduction

À propos de la version 5 de WebExpert

WebExpert est un éditeur HTML performant. À chacune de ses versions, WebExpert se mérite l'attention des testeurs de logiciels et des critiques.

D'un genre semi-WYSIWYG (*What You See Is What You Get*), WebExpert présente une interface conviviale qui répond aux besoins de différents types d'utilisateur : celui qui préfère l'utilisation des boîtes de dialogue ou des assistants pour élaborer ces commandes; celui qui préfère travailler directement dans le code. Dans tous les cas, le concepteur peut visualiser ses résultats au fur et à mesure du développement de ses documents avec le navigateur interne, ou demander leur affichage dans un navigateur externe.

Cette nouvelle version du logiciel WebExpert promet à l'utilisateur une conception de pages Web encore plus performante. Parmi les nouvelles fonctionnalités et améliorations :

- **L'Optimiseur du code**
  permet au concepteur de convertir un document HTML en document XHTML. L'optimiseur permet de plus de nettoyer le document pour augmenter la clarté et l'efficacité des scripts et des codes. Se référer à la section *L'optimisation du document* à la page 180.

- **La vérification des liens en ligne**
  permet de vérifier l'intégrité des liens internes et externes (images liées, liens vers d'autres sites sur Internet, etc.) Se référer à la section *La vérification des liens en ligne* à la page 196.

- **Les assistants de programmation et les outils de rédaction**
  fournissent au concepteur des outils pour finir la rédaction d'une ligne de code ou des assistants complets pour bâtir des scripts complexes. Se référer au chapitre 12.

- **La liste des tâches**
  permet au concepteur de gérer la conception du site comme un projet et d'affecter des tâches précises à des ressources précises. Se référer à la section *La liste des tâches* à la page 92.

- **Amélioration de la performance des fonctionnalités de la fenêtres des outils**
  l'Explorateur graphique, l'Explorateur de code et l'Inspecteur de code qui permettent d'étudier le document en conception et qui facilitent le repérage des erreurs de programmation. Se référer à la section *La fenêtre des outils* à la page 184.

- **L'Éditeur de références**
permet l'édition des fichiers de références telles que : les balises HTML et leurs attributs, les règles régissant les feuilles de style en cascade (CSS), les éléments XML, les balises WML, les JavaScripts, les commandes Serveur Side (SSI) et Active Server Page (ASP). Se référer à la section *L'Éditeur de références* à la page 171.

Configuration requise

WebExpert 5 peut être installé sur un ordinateur Pentium muni de 16mo de mémoire. Toutefois, la configuration suivante est recommandée pour une plus grande performance :

- Ordinateur IBM PC compatible Pentium-200 ou plus.
- Système d'exploitation Windows 95, 98, ME, 2000, NT4 (SP3 ou +) ou plus.
- 64 Mo de mémoire (128 Mo pour Windows NT ou 2000, XP).
- 30 Mo d'espace disque.
- Le navigateur Netscape 4.x ou plus, ou Microsoft Internet Explorer 5.01 ou plus.

L'installation de WebExpert

Le CD-Rom de WebExpert est auto-exécutable; c'est-à-dire que dès son insertion l'Assistant à l'installation apparaît pour guider l'utilisateur dans la procédure. Si le logiciel est téléchargé à partir du site Web de Visicom Média, les fichiers d'installation se trouvent dans l'un des répertoires du poste de travail.

Installer WebExpert 5

1 Double-cliquer sur le fichier we5##.exe.
Dans lequel ## représente le numéro de la mise à jour.
Une fois que l'Assistant installation est affiché, une boîte de dialogue apparaît. Les informations relatives à la licence d'utilisation de WebExpert sont affichées.

2 Cliquer sur le bouton **Suivant**.
La première étape de l'Assistant demande de préciser le dossier d'installation.
Par défaut, WebExpert propose l'installation dans le dossier C:\Program Files\Visicom Média\WebExpert4.

- Pour changer de répertoire d'installation, cliquer sur le bouton **Parcourir**.
- Activer la case **Installation de l'icône** pour installer un raccourci du logiciel sur le bureau Windows. Il est fortement suggéré de toujours installer les logiciels dans le répertoire **Program Files** de Windows.
- Cliquer sur le bouton **Suite** pour continuer la procédure d'installation.

3 L'étape suivante de l'Assistant propose d'enregistrer les informations déjà existantes dans le système. L'installation d'un nouveau logiciel risque de corrompre certains fichiers déjà existants. Il est recommandé de toujours créer une copie de sauvegarde afin de se prémunir contre une telle éventualité.

- Activer la case appropriée et cliquer sur le bouton **Suite** pour continuer la procédure de désinstallation.

Une fenêtre de progression apparaît indiquant que l'installation est en cours. WebExpert effectue l'installation des fichiers nécessaires au fonctionnement de l'application. Les composantes supplémentaires (modèles, banques d'images, etc.) sont disponibles sur le cédérom ou sur le site Web www.visic.com. Au moment de l'acquisition du logiciel, toutes les informations nécessaires à l'installation de ces composantes sont fournies à l'utilisateur.

WebExpert avertit du succès de l'installation en affichant une boîte de dialogue. Il est possible de démarrer immédiatement l'application en cliquant sur le bouton **Fin**.
Avec Windows 98, il est recommandé de redémarrer le système après une installation de logiciel pour permettre à Windows de réactualiser ses registres.
• Désactiver la case **Exécuter WebExpert dès maintenant!** et cliquer sur le bouton **Fin**.
• Redémarrer l'ordinateur avant d'utiliser WebExpert.
Avec Windows 2000, il n'est pas nécessaire de redémarrer.

L'enregistrement

Le nom de l'utilisateur et le numéro de série de WebExpert sont fournis au moment de l'acquisition du logiciel. Ces codes sont inscrits sur la boîte du logiciel si ce dernier a été acheté en magasin ou sont envoyés à l'utilisateur s'il a fait l'acquisition de la version téléchargeable.

La carte d'enregistrement du logiciel se trouve sous le menu **Aide>Enregistrement**. Une fois que le logiciel a été enregistré, le menu disparait.

La mise à jour

La fenêtre **À propos de WebExpert** effectue une vérification de la version installée et indique à l'utilisateur si une version plus récente est disponible. Cette fenêtre est disponible au menu **Aide>À propos**.

Lorsqu'une version plus récente est détectée, le bouton **Télécharger** apparaît et permet à l'utilisateur de se la procurer. Pour obtenir cette information, il est nécessaire d'être connecté à Internet.

Chaque nouvelle version de WebExpert est une version complète. Après une nouvelle installation, WebExpert renvoie un message indiquant que les barres d'outils peuvent avoir été modifiées. L'utilisateur peut décider de ne pas remplacer ses configurations personnelles.

La désinstallation de WebExpert

Lors de la désinstallation, WebExpert retire des dossiers du système les répertoires enregistrés lors de l'installation.

La désinstallation d'un logiciel n'exécute pas toujours la suppression des raccourcis sur la barre de démarrage rapide de Windows 98 ou situés dans le menu **Démarrer**. Il est nécessaire d'effectuer ces vérifications.
Windows 2000 effectue un nettoyage des fichiers d'installation des logiciels de manière plus performante.

Désinstaller WebExpert

1 Dérouler le menu **Démarrer** de Windows.
2 Dans le menu **Paramètres**, exécuter la commande **Panneau de configuration**.
   Le panneau de configuration de Windows apparaît.

3 Double-cliquer sur l'icône **Ajout/Suppression de programmes**.

La boîte de dialogue suivante apparaît.

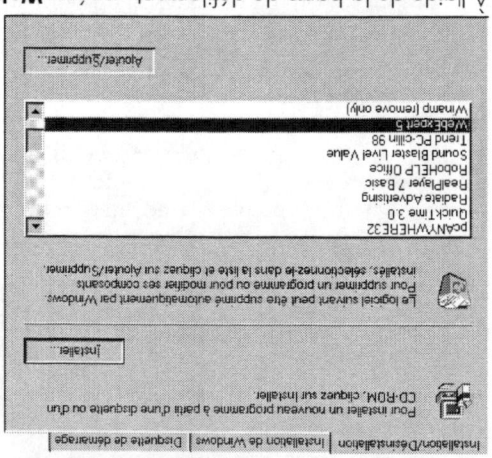

4 À l'aide de la barre de défilement, repérer **WebExpert 5** et cliquer sur le nom de l'application.

5 Cliquer sur le bouton **Ajouter/Supprimer**.

La première boîte de dialogue de l'Assistant de désinstallation apparaît.

6 Choisir le mode de désinstallation voulu et cliquer sur le bouton **Suite** pour continuer la procédure de désinstallation.

Le mode de désinstallation **Automatique** est recommandé.

• **Automatique** : fait en sorte que Windows détecte les modifications à effectuer dans le système.

• **Personnalisé** : permet à l'utilisateur de sélectionner les fichiers à supprimer.

Cette option permet entre autres de conserver les documents HTML, modèles ou les scripts prédéfinis après avoir désinstallé WebExpert.

7 Selon le mode de désinstallation choisi à l'étape précédente, la prochaine étape diffère.

• **Automatique** : la prochaine étape demande si la définition des options est terminée. Cliquer sur le bouton **Terminer**.

• **Personnalisé** : la prochaine étape demande d'identifier les fichiers à supprimer.

8 Sélectionner les fichiers à désinstaller.

• Cliquer sur le bouton **Tout sélectionner** pour retirer tous les fichiers listés.

• Cliquer sur le bouton **Ne rien sélectionner** pour désinstaller WebExpert sans effacer les fichiers.

9 Cliquer sur le bouton **Suite** pour compléter les trois prochaines étapes de la procédure de désinstallation.

Ces dernières consistent à confirmer la suppression des autres éléments enregistrés avec le programme : les répertoires créés pour l'installation initiale de WebExpert, les clés et les arbres d'enregistrement; ces deux derniers appartenant aux registres Windows.

10 La dernière étape de l'Assistant demande la confirmation des éléments préalablement sélectionnés.

• Cliquer sur le bouton **Fin** pour procéder à la désinstallation de WebExpert.

• Cliquer sur le bouton **Annuler** pour annuler le processus de désinstallation.

Une fenêtre de progression apparaît identifiant un à un les éléments en cours de suppression.

1

L'interface de travail

Les outils de travail – La feuille d'édition – Les options d'aide

L'interface WebExpert

WebExpert présente une interface partiellement WYSIWYG (*What You See, is What You Get*). Des boîtes de dialogue affichent les options nécessaires à la définition des valeurs et des attributs des éléments HTML; la feuille d'édition permet de modifier ces informations directement à l'intérieur des lignes de commandes. Le visionneur intégré à WebExpert offre la possibilité de visualiser les résultats au fur et à mesure de l'avancement du projet; ce dernier peut aussi être utilisé comme navigateur externe.

Les outils de travail

L'interface de WebExpert présente toute la convivialité à laquelle l'utilisateur d'un système micro-informatique est habitué. La plupart des fonctionnalités offertes sous Windows sont disponibles.

- Des raccourcis clavier permettent un accès rapide aux fonctionnalités les plus fréquemment utilisées.
- Le recours aux menus contextuels (bouton droit de la souris) facilite l'accès à certaines commandes en fonction de l'objet sélectionné.
- Les barres d'outils et la barre à onglets facilitent l'accès à toutes les commandes d'édition.

La zone gauche de l'affichage principal présente la fenêtre à outils qui affiche quatre onglets. Ceux-ci permettent l'exploration du document ou la modification des codes : ⬚ L'Inspecteur de code, ⬚ L'Explorateur de code, ⬚ L'Explorateur graphique, ⬚ Le Gestionnaire de fichier.

Se référer à la section *La fenêtre des outils* à la page 184 pour plus de détails.

Outils de travail

Travail sur plusieurs documents

Fenêtre des outils

Espace de la feuille d'édition

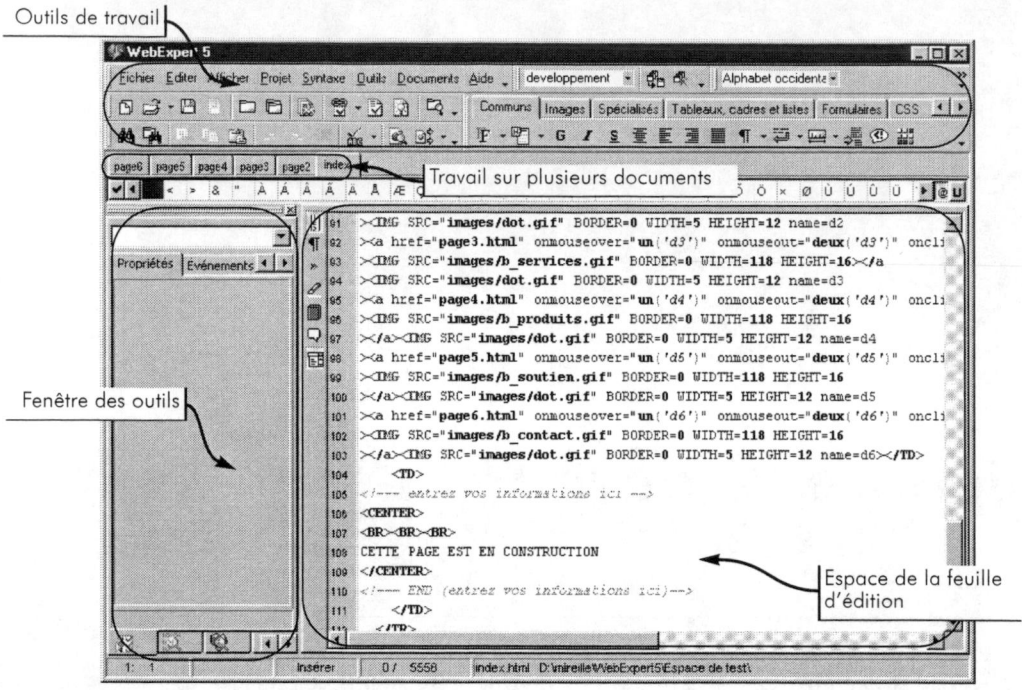

La barre des menus

La barre des menus donne accès à toutes les commandes et fonctionnalités de WebExpert 2000. La barre des menus ainsi que certains boutons des barres à onglets peuvent être définis pour s'adapter aux habitudes des utilisateurs.

1 Cliquer sur un menu pour dérouler la liste des commandes correspondantes.
2 Cliquer sur le nom d'une commande pour exécuter sa fonctionnalité.

Définir les options du menu

1 Dérouler la liste du menu **Afficher**.
2 Sous la commande **Barres d'outils**, exécuter la commande **Personnaliser**.
   La boîte de dialogue **Personnaliser les barres d'outils** apparaît.
3 Afficher le contenu de la page **Options**.

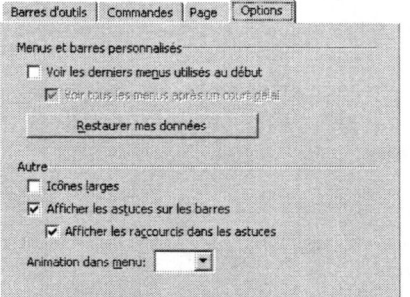

4 Dans la zone **Menus et barres personnalisés**, cocher la case **Voir les derniers menus utilisés au début** pour activer l'option des menus intelligents.

Si l'option est cochée, la case **Voir tous les menus après un court délai** s'active. Cocher la case pour permettre l'affichage des menus après un délai d'attente.

Les commandes les moins utilisées disparaissent après que certaines d'entre elles aient été activées plusieurs fois. Un chevron apparaît, alors, au bas de la liste des commandes.

5 Au besoin, cliquer sur le bouton **Restaurer mes données** pour rétablir les options aux valeurs par défaut de WebExpert.

La barre d'outils Standard

La barre d'outils **Standard** facilite l'accès aux commandes d'édition de documents les plus couramment utilisés; notamment la création, l'ouverture et l'enregistrement de documents ainsi que les outils de vérification et d'évaluation de documents et de liens.

1 Cliquer sur un bouton pour exécuter la fonctionnalité correspondante.

La flèche accompagnant certains boutons indique la présence d'une liste déroulante permettant d'effectuer un choix.

La barre d'outils Edition

La barre d'outils **Edition** facilite l'accès aux fonctionnalités d'édition de texte, notamment les outils de recherche et de vérification orthographique du texte, ceux de remplacement étendus, et donne accès aux navigateurs associés.

1 Cliquer sur un bouton pour exécuter la fonctionnalité correspondante.

La flèche accompagnant certains boutons indique la présence d'une liste déroulante permettant d'effectuer un choix.

La barre à onglets

La barre à onglets est constituée de neuf barres d'outils différentes qui catégorisent les fonctionnalités d'édition des documents HTML.

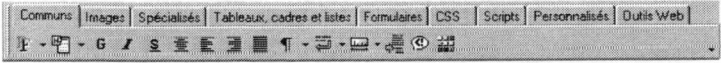

1 Positionner le point d'insertion sur la feuille d'édition à l'endroit où la commande doit être insérée.

2 Cliquer sur l'onglet qui répond à la catégorie de commandes à insérer.

3 Cliquer sur le bouton correspondant à la commande à insérer.

La flèche accompagnant certains boutons indique la présence d'une liste déroulante qui permet d'effectuer un choix. Selon la fonction programmée du bouton, WebExpert insère les balises HTML correspondantes au point d'insertion ou exécute la commande et affiche la boîte de dialogue correspondante.

La manipulation des barres d'outils

Les barres d'outils et les barres à onglets se manipulent de la même manière.

Afficher et masquer les barres d'outils

1 Dans le menu **Afficher**, dérouler la liste de la commande **Barres d'outils**.

2 Cliquer sur le nom de la barre d'outils à afficher pour y ajouter un crochet.

• Le retrait d'un crochet entraîne l'effacement de la barre d'outils de la surface de travail.

Ajouter un bouton sur une barre d'outils

1 Cliquer sur la flèche située à l'extrémité droite de la barre d'outils à modifier.
2 Cliquer sur la commande **Ajouter ou effacer boutons**.
La liste des boutons disponibles pour la barre d'outils correspondante s'affiche. Dans le cas d'une barre à onglets, la liste des autres commandes est disponible sous le nom de l'onglet correspondant.
3 Cliquer sur le bouton à ajouter sur la barre d'outils.
La présence d'un crochet indique l'affichage du bouton correspondant sur la barre d'outils; son absence signifie que la commande est masquée.

> Il est possible de créer ses propres barres d'outils et d'y ajouter des boutons et des commandes. Ces options se retrouvent dans la boîte de dialogue **Personnaliser les barres d'outils** accessible à partir du menu **Afficher>Barres d'outils>Personnaliser.**

Les boutons personnalisés

WebExpert permet la création de boutons personnalisés pour automatiser l'insertion des balises HTML sur la page en édition. Cette fonctionnalité est particulièrement intéressante lorsque le concepteur utilise les feuilles de style (se référer au chapitre 10) ou pour appliquer plus d'une balise à la fois pour modifier l'apparence du texte.

Créer un bouton personnalisé

1 Afficher le contenu de la barre à onglets **Personnalisés**.
2 Cliquer sur le bouton **Boutons personnalisés** .
La boîte de dialogue **Configurer les boutons personnalisés** apparaît. Les boutons déjà définis apparaissent dans la zone **Les boutons personnalisés ci-dessous sont actifs.**

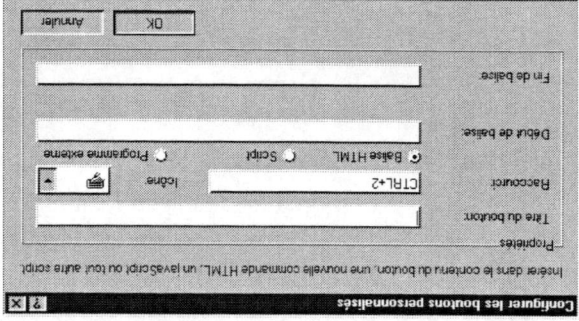

3 Cliquer sur le bouton **Ajouter** pour ajouter un nouveau bouton.
Une nouvelle boîte de dialogue permettant la configuration du bouton apparaît.

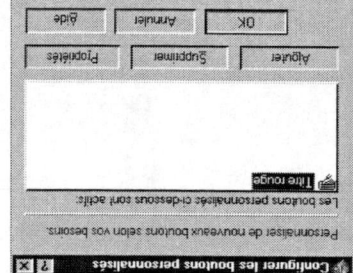

4 Dans le champ de saisie **Titre du bouton**, saisir l'identification du bouton.
Ce texte sert également à identifier le bouton dans l'info-bulle au passage de la souris.

5 Dans le champ de saisie **Raccourci**, saisir la combinaison des touches du raccourci clavier à utiliser pour activer la commande.

Attention de ne pas utiliser une combinaison de touches déjà réservée.

6 Dérouler la liste **Icône** pour choisir l'icône du bouton.

7 Activer la case à option correspondant à la nature de la commande qui sera exécutée avec le bouton.

La boîte de dialogue s'actualise permettant de définir les informations correspondant au type de commande :

Balise HTML • Dans le champ de saisie **Début de balise**, saisir les balises d'ouverture.

Par exemple, pour appliquer à la fois un caractère gras et italique et une couleur à un texte, saisir les balises :

`<b><i><font color="#FF8040">`

• Dans le champ de saisie **Fin de balise**, saisir les balises de fermeture.

Par exemple, pour appliquer à la fois un caractère gras et italique et une couleur à un texte, saisir les balises :

`</b></i></font>`

Script Il est possible de définir un script de deux manières :

• Saisir le script directement dans la zone **Contenu**.

• Cliquer sur le bouton **Importer** pour choisir le fichier script sur le disque.

La boîte de dialogue **Ouvrir fichier(s)** apparaît permettant de repérer le fichier sur le poste de travail.

Cliquer sur ce bouton entraînera l'insertion du contenu du fichier spécifié sur la feuille d'édition.

Programme externe • Saisir l'adresse complète du programme dans la zone **Contenu**, en spécifiant l'extension fichier `.exe`.

Le bouton **Ouvrir fichier(s)** permet le repérage du programme sur le poste de travail.

• Dans la zone **Paramètre(s)**, saisir la valeur du paramètre à associer au programme choisi.

Cliquer sur ce bouton lancera l'application spécifiée.

8 Cliquer sur le bouton **OK** pour revenir à la boîte de dialogue **Configurer les boutons personnalisés**. L'icône du bouton et son identification sont ajoutées à la liste.

9 Ajouter les autres boutons à configurer et cliquer sur le bouton **OK** pour revenir à la feuille d'édition.

Les nouveaux boutons se retrouvent sur l'onglet **Personnalisés** de la feuille d'édition. Lorsque la souris passe sur le bouton, une info-bulle affiche le texte spécifié au champ **Titre du bouton**.

> Les boutons personnalisés s'utilisent de la même manière que ceux définis par WebExpert.
> • Déplacer le point d'insertion à l'endroit voulu ou sélectionner l'objet sur lequel doit s'appliquer l'action du bouton.
> • Sur l'onglet **Personnalisés**, cliquer sur le bouton voulu ou sélectionner la commande appropriée dans la liste de la commande **Boutons personnalisés** du menu contextuel.
> Il est possible d'utiliser le raccourci clavier associé au moment de la création du bouton.

La feuille d'édition

Lors de l'édition d'une page Web, l'utilisateur peut opter pour deux méthodes de travail :

• Éditer les balises HTML à l'aide des boutons de la barre à onglets.

• Saisir le code HTML directement dans la feuille d'édition.

Outre la surface d'édition du texte et des lignes de commandes, la zone de la feuille d'édition affiche par défaut la barre des marges qui affiche la numérotation des lignes, les marques de coupure et la présence de signets, qui facilitent le repérage et le déplacement sur la feuille d'édition. Ces dernières fonctionnalités sont directement accessibles sur la mini barre de la feuille d'édition.

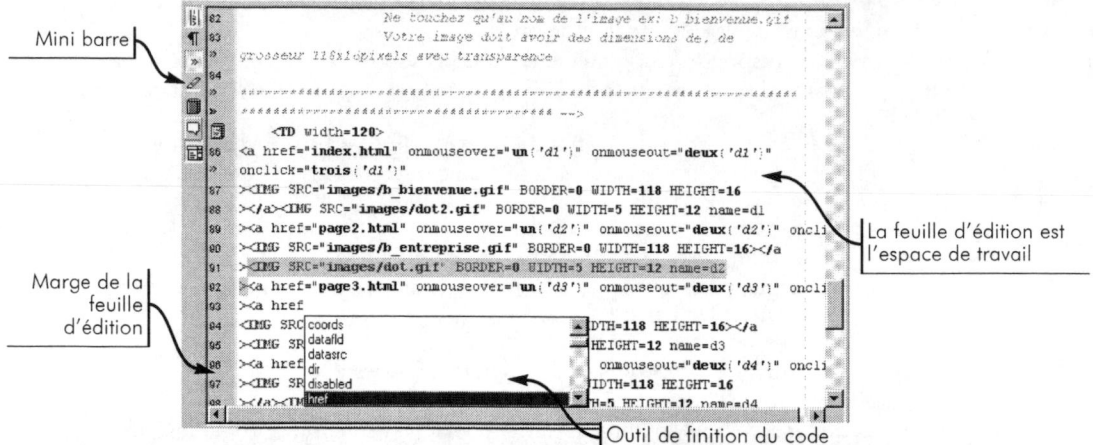

Mini barre

La feuille d'édition est l'espace de travail

Marge de la feuille d'édition

Outil de finition du code

Pour utiliser les fonctionnalités de WebExpert, le concepteur n'a pas besoin de maîtriser le code HTML – les boîtes de dialogue lui permettent de paramétrer adéquatement les éléments HTML – une connaissance minimale du code est toutefois recommandée. Une connaissance approfondie des langages de programmation employés (HTML, script, etc.) est nécessaire pour une utilisation experte de l'application.

Concernant chacune des fonctionnalités de WebExpert, les éléments HTML sont expliquées lors de leur présentation.

Les outils de la feuille d'édition

La feuille d'édition est munie de plusieurs outils qui facilite le travail d'édition et de navigation à l'intérieur d'un document, et d'un document à l'autre.

Outils	*Description*
Mini barre	Petite barre d'outils ancrée à la feuille d'édition :
	Affiche la barre des marges à la gauche de la feuille d'édition.
	Active l'affichage des numéros de ligne dans la barre des marges.
	Active l'affichage des caractères cachés dans le document, par exemple les sauts de ligne ou de paragraphe.
	Active l'affichage des marques de coupure de ligne dans la barre des marges.
	Active l'outil de surlignage et propose une palette de couleur.
	Affiche les commandes d'insertion de signets et de déplacement sur la feuille d'édition.
	Active l'affichage d'une info-bulle lorsque le pointeur s'arrête sur un code. L'info-bulle énumère les propriétés et attributs qui peuvent être associés à la balise en édition.
	Active l'outil de finition du code lors de l'édition d'une balise. L'outil de finition du code s'affiche en appuyant simultanément sur les touches CTRL+Espace du clavier. Une liste déroulante permet de choisir la propriété ou l'attribut qui complétera la balise en édition.

Outils	Description
	Permet l'ancrage et le désancrage des éléments de l'affichage de WebExpert.
Marge de la feuille	Située à gauche de la feuille d'édition, la marge affiche la numérotation des lignes, les marques où les lignes sont coupées ainsi que les signets qui permettent une navigation efficace. La barre des marges peut être masquée.
Caractères spéciaux	La barre des caractères spéciaux permet l'insertion rapide de symboles.
Feuille d'édition	L'espace de travail permet l'édition des codes directement sur la feuille d'édition.

La modification de l'affichage

Les différents outils qui permettent une utilisation efficace de WebExpert peuvent être affichés ou masqués au gré des utilisateurs. Plusieurs de ces outils se retrouvent dans la liste des commandes du menu **Afficher** ou sur la mini barre de la feuille d'édition.

L'utilisateur avancé voudra sans doute utiliser les commandes des Préférences générales qui permettent des manipulations plus avancées.

Afficher ou masquer la marge de la feuille d'édition

1 Dans le menu **Outils**, exécuter la commande **Préférences Générale**.
2 Cliquer sur le menu **Environnement**.

La page **Environnement** se divise en deux sections. La section supérieure active l'affichage des onglets de la Fenêtre des outils; la section inférieure, les différents éléments de l'affichage de WebExpert.

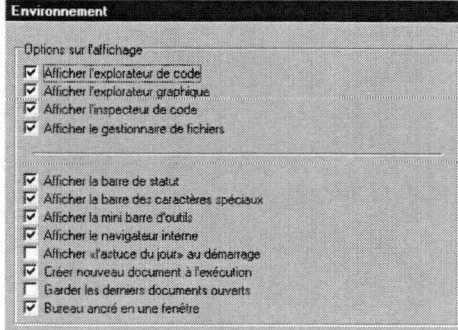

3 Ajouter un crochet dans la case de l'élément à afficher.
• Retirer le crochet pour masquer l'élément de l'affichage.
4 Cliquer sur le bouton **OK** pour fermer la boîte de dialogue.

Modifier la taille de la marge

1 Dans le menu **Outils**, exécuter la commande **Préférences sur l'éditeur**.
2 Afficher le contenu de l'onglet **Options**.
3 Dans la zone **Marge de gauche**, spécifier, en pixels, la largeur voulue.

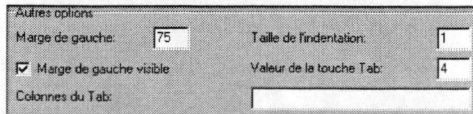

4 Dans la zone **Autres options**, s'assurer que l'option **Marge de gauche visible** est activée.

Couper les lignes sur la feuille d'édition

1 Dans le menu **Outils**, exécuter la commande **Préférences sur l'éditeur**.

2 Afficher le contenu de l'onglet **Options**.

3 Dans la zone **Options générales**, activer la case **Afficher les coupures des lignes**.

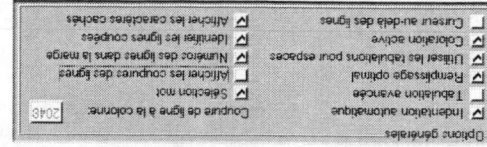

4 Dans le champ de saisie **Coupure de ligne à la colonne**, préciser la colonne où les lignes doivent être coupées.

Le nombre de colonnes correspond au nombre de caractères sur la ligne.

Afficher le numéro et les coupures de lignes sur la marge

1 Dans le menu **Outils**, exécuter la commande **Préférences sur l'éditeur**.

2 Afficher le contenu de l'onglet **Options**.

3 Dans la zone **Options générales**, activer les cases **Numéros des lignes dans la marge** et **Identifier les lignes coupées**.

4 Dans le champ de saisie **Coupure de ligne à la colonne**, préciser la colonne où les lignes doivent être coupées.

Le nombre de colonnes correspond au nombre de caractères sur la ligne.

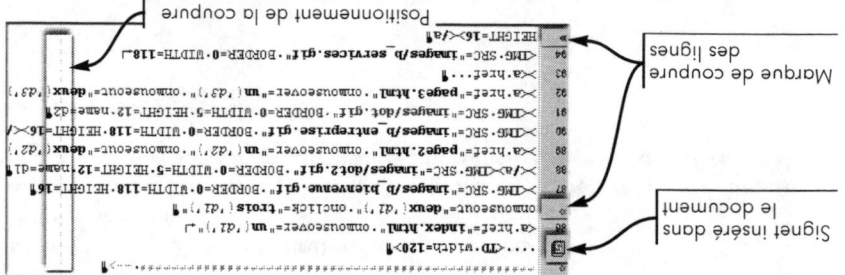

Signet inséré dans le document

Marque de coupure des lignes

Positionnement de la coupure

Modifier les paramètres d'affichage de la feuille d'édition

1 Dans le menu **Outils**, exécuter la commande **Préférences sur l'éditeur**.

2 Afficher le contenu de l'onglet **Options**.

3 Dans la zone **Options générales**, activer ou désactiver les options appropriées.

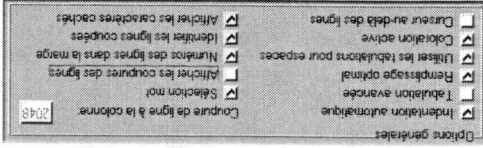

Si l'option est activée :

• **Indentation automatique** : affiche l'organisation hiérarchique des balises utilisées sur la page.

• **Tabulation avancée** et **Remplissage optimal** : déterminent le comportement de la tabulation et de l'indentation automatique sur la feuille d'édition.

Ces options permettent de positionner les lignes de commandes en arborescence.

• **Coloration active** : applique un code de couleur sur les balises HTML.

Cette option fonctionne de paire avec les options de coloration de l'onglet **Coloration** de la boîte de dialogue **Préférences sur l'éditeur** (se référer à la procédure *Définir la couleur des éléments du code sur la feuille d'édition* à la page 17).

• **Curseur au-delà des lignes** : autorise le positionnement du curseur au-delà de la marque de la coupures de lignes.

- **Coupure de ligne à la colonne** : définit la largeur maximale d'une ligne à l'affichage.

Cette option n'est disponible que si la case **Afficher les coupures des lignes** est active.

- **Sélection mot** : permet de sélectionner un mot entier au double-clic de la souris.
- **Afficher les coupures des lignes** : force la coupure des lignes.

Si l'option n'est pas active, la ligne de commande s'étend sur une seule ligne visible. À ce moment, une barre de défilement horizontale permet de visualiser le contenu masqué.

- **Numéros des lignes dans la marge** : affiche le numéro de la ligne sur la barre des marges.
- **Identifier les lignes coupées** : identifie le numéro de la ligne sur la marge de la feuille d'édition par un chevron.

Cette option fonctionne uniquement si la case **Afficher les coupures des lignes** est active.

- **Afficher les caractères cachés** : affiche les caractères cachés sur la feuille d'édition.

Par exemple les sauts de ligne entre les commandes de code (ne pas confondre avec les sauts de ligne qui définissent l'apparence de la page Web sur le navigateur).

Modifier l'apparence du code sur la feuille d'édition

1 Dans le menu **Outils**, exécuter la commande **Préférences générales**.
2 Cliquer sur le menu **Editeur**.
3 Dans la zone **Options sur l'éditeur**, activer ou désactiver les options appropriées.

```
Options sur l'éditeur
[ ] Afficher les balises en majuscule
[✓] Toujours mettre entre guillemets les chaînes
[✓] Toujours mettre entre guillemets les nombres
[ ] Forcer les valeurs par défaut comme attributs
```

Si l'option est activée :

- **Afficher les balises en majuscule** : entraîne l'inscription des balises sur la feuille d'édition en majuscule.

Ceci permet de différencier le langage codé du texte de contenu.

- **Toujours mettre entre guillemets les chaînes** : force l'ajout de guillemets pour chaque chaîne de caractères inscrite à l'intérieur d'un code.

```
ALT="texte à l'intérieur d'un code" à l'intérieur de la balise <IMG SRC ... >
```

- **Toujours mettre entre guillemets les nombres** : force l'ajout de guillemets pour chaque nombre qui définit la valeur d'un attribut.

```
WIDTH="118" HEIGHT="16"
```

- **Forcer les valeurs par défaut comme attributs** : force l'inscription d'attributs même si aucun n'est spécifié au moment de la définition de l'objet.

Par exemple, la taille originale d'une image.

Définir la couleur des éléments du code sur la feuille d'édition

Cette commande n'est active sur l'affichage que si l'option **Coloration active** de l'onglet **Options** est activée. Elle permet au concepteur de différencier les différents code de programmation du texte standard.

Les modifications apportées à ces éléments (couleur ou police) ne s'appliquent que sur la feuille d'édition WebExpert et n'ont aucun effet sur l'apparence finale du document.

Développer avec WebExpert 5

1 Dans le menu **Outils**, exécuter la commande **Préférences sur l'éditeur**.

2 Afficher le contenu de l'onglet **Coloration**.

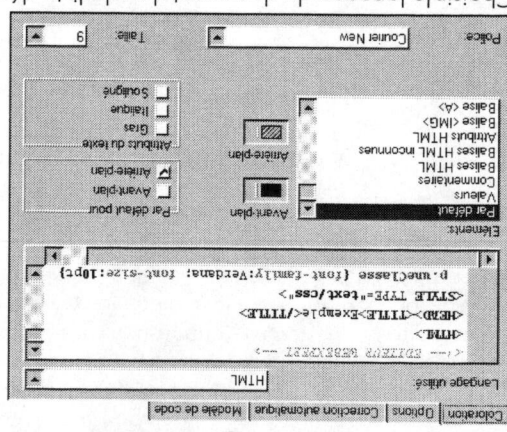

3 Choisir le langage du document dans la liste déroulante **Langage utilisé**.

Pour un document XHTML, choisir le langage HTML.

La liste **Éléments** affiche les éléments correspondant au langage choisi.

4 Dans la liste **Éléments**, sélectionner l'élément à modifier.

5 Utiliser les boutons **Avant-plan** ou **Arrière-plan** pour accéder à la palette des couleurs selon le paramètre de l'élément à modifier.

6 Modifier la police de caractères ainsi que sa taille.

7 Dans la zone **Attributs du texte**, activer la case appropriée.

Le déplacement rapide sur la feuille d'édition

Les lignes de commandes et de codes, additionnées des informations textuelles et graphiques, peuvent représenter un nombre considérable de lignes sur la feuille d'édition, d'où l'importance de disposer d'outils permettant de marquer certaines lignes afin de faciliter le déplacement ou le repérage d'information. L'insertion d'un signet sur une page permet le déplacement rapide vers les lignes clés identifiées par le concepteur.

> WebExpert autorise un maximum de dix signets dans un document. Pour obtenir l'affichage des signets, la marge de la feuille d'édition doit obligatoirement être affichée. Son affichage est possible à partir du menu **Afficher**.

Se déplacer rapidement sur la feuille d'édition

1 Dans le menu **Éditer**, exécuter la commande **Aller à la ligne**.

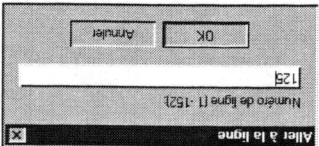

2 Saisir le numéro de la ligne à atteindre et cliquer sur le bouton **OK**.

Insérer un signet

1 Positionner le pointeur à la ligne où un signet doit être inséré.

2 Cliquer sur le bouton **Placer/Aller à un signet** 🔳 de la mini barre.
La liste des commandes se déroule.

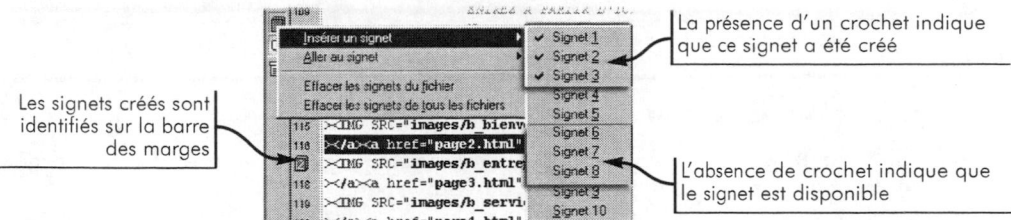

La présence d'un crochet indique que ce signet a été créé

Les signets créés sont identifiés sur la barre des marges

L'absence de crochet indique que le signet est disponible

3 Dérouler la liste de la commande **Insérer un signet** et choisir le numéro du signet.
Le numéro du signet apparaît en trois dimensions sur la barre de marge de la feuille d'édition.

Supprimer un signet

Les signets peuvent être supprimés individuellement ou en bloc. Pour supprimer un signet, il suffit de retirer le crochet devant son numéro en répétant la procédure d'insertion.

1 Pour supprimer tous les signets du document actif, sélectionner la commande **Effacer les signets du fichier**.

2 Pour supprimer tous les signets, pour tous les documents ouverts, sélectionner la commande **Effacer les signets de tous les fichiers**.

Se déplacer vers un signet

1 Cliquer sur le bouton **Placer/Aller à un signet** 🔳 de la mini barre.

2 Dérouler la liste de la commande **Aller au signet**.

3 Choisir le numéro du signet à atteindre.
Le défilement de la feuille d'édition est automatique.

Le bureau WebExpert

Le bureau WebExpert est représenté par la surface de travail occupée par l'application, ses outils et sa feuille d'édition. Lors du travail de conception, il est souvent nécessaire de modifier l'apparence du bureau en fonction de tâches particulières. WebExpert permet d'enregistrer la configuration du bureau de manière à pouvoir la réutiliser au besoin.

La sauvegarde du bureau permet de conserver :

* La configuration de l'interface définie dans les préférences générales et les préférences sur l'éditeur,
* La disposition et la taille des fenêtres,
* La configuration des barres d'outils et des barres de menus,
* La configuration des barres à onglets.

WebExpert propose six bureaux prédéfinis répondant à différents besoins :

Bureau	*Description*
Par défaut	Affiche la fenêtre des outils et la feuille d'édition ancrées à l'interface. La fenêtre des outils contient les quatre onglets par défaut : l'Inspecteur de code, l'Explorateur de code, l'Explorateur graphique et le Gestionnaire de fichier.
De base	Affiche l'Inspecteur de code et la feuille d'édition ancrés à l'interface.
Ancré	Affiche le bureau **Par défaut** avec le Gestionnaire de projet ancré au bas de la fenêtre.

Bureau	Description
Plein écran	Affiche la feuille d'édition sur toute la surface de l'écran.
À la WebExpert 3	Affiche l'Explorateur de code et la feuille d'édition ancrés à l'interface.
Auto Sauvegarde	Active le mode de sauvegarde automatique du bureau.

Utiliser la barre d'outils Bureau

La barre d'outils **Bureau** donne accès à toutes les commandes de manipulation de bureau. Elle s'affiche par défaut au démarrage de WebExpert.

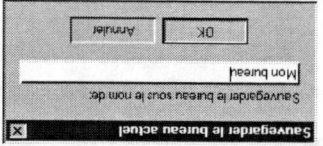

<Par défaut> ▼	Liste donnant accès aux différentes configurations des bureaux définis.
Suppression du bureau actif.	Enregistrement du bureau actif.

Enregistrer la configuration du bureau

1 Dans le menu **Afficher**, dérouler la liste du menu **Bureaux**.

2 Exécuter la commande **Sauvegarder bureau actuel**.

La boîte de dialogue **Sauvegarde le bureau actuel** apparaît.

```
Sauvegarder le bureau actuel                    [X]
Sauvegarder le bureau sous le nom de:
Mon bureau
                              OK        Annuler
```

3 Saisir un nom pour identifier le bureau.

Afficher un bureau

1 Dans le menu **Afficher**, dérouler la liste du menu **Bureaux**.

2 Dans la liste, choisir le bureau à afficher.

Les bureaux personnalisés sont affichés dans la liste.

Supprimer un bureau

1 Afficher le bureau à supprimer.

2 Dans le menu **Afficher**, dérouler la liste du menu **Bureaux**.

3 Cliquer sur l'option **Supprimer le bureau actuel**.

Les bureaux prédéfinis ne peuvent pas être supprimés.

Les options d'aide

Comme pour les différentes applications avec lesquelles l'utilisateur est habitué de travailler, WebExpert propose différentes formes d'aide sur les tâches en cours ou sur une notion en particulier.

• La section des références du menu **Aide** donne accès à plusieurs ressources de programmation.

• Plusieurs tutoriels peuvent permettre au concepteur de pages Web de faire des découvertes intéressantes.

• La commande **Visicom sur le Web** propose des liens vers le site de Visicom Média et vers des pages destinées aux développeurs de pages Web.

• Plusieurs références de code sont disponibles à partir du menu **Aide** (HTML, JavaScript, CSS et SSI).

Utiliser les fonctions d'aide

- Dans le menu **Aide**, exécuter la commande **Contenu de l'aide**.
  L'aide générale du logiciel apparaît. D'autres rubriques sont disponibles à l'aide des boutons ou des boîtes de dialogue.
- À partir d'une boîte de dialogue ou d'une fenêtre, utiliser la touche **F1** du clavier pour obtenir une aide contextuelle.
- Dans un champ d'une boîte de dialogue, utiliser la combinaison des touches **Shift** et **F1** pour afficher une info-bulle d'aide contextuelle.

Utiliser le sommaire de l'aide

1 Dans le menu **Aide**, exécuter la commande **Contenu de l'aide**.
2 Pour obtenir de l'information sous forme de table des matières, consulter les rubriques de l'onglet **Sommaire**.
3 Double-cliquer sur l'icône ❧ pour afficher le contenu de la section. Une fois la section ouverte, l'icône se transforme 📖.
4 Double-cliquer sur l'icône 🔃 pour afficher le contenu de l'aide à l'intérieur d'une fenêtre en superposition.

Utiliser l'index de l'aide

1 Cliquer sur l'onglet **Index** de la boîte de dialogue **Rubriques d'aide**.
2 Saisir un mot-clé dans le champ vide.
  WebExpert affiche dans l'index les rubriques correspondantes au fur et à mesure de la saisie des caractères.
3 Dans la zone inférieure, double-cliquer sur la rubrique qui correspond à l'objet de la recherche.
  Une fenêtre présentant les explications et les procédures correspondantes se superposent.

Effectuer une recherche dans l'aide

La première fois que l'outil de recherche est utilisé, l'Assistant création de recherche apparaît. Cette étape sert à définir le type d'indexation qui sera utilisé. Il est recommandé d'utiliser l'option **Maximiser les capacités de recherche** afin que l'outil de recherche soit le plus performant possible.

1 Cliquer sur l'onglet **Rechercher** de la boîte de dialogue **Rubriques d'aide**.
2 Saisir un mot-clé dans le champ de saisie **Entrez les mots que vous voulez chercher**.
3 Double-cliquer sur un mot-clé de la zone **2** pour afficher les rubriques correspondantes dans la zone inférieure (zone **3**).
4 Double-cliquer sur la rubrique à consulter.

2

Les langages du Web

Les principaux langages de conception d'un document : Le code XML, Le code XHTML, Les règles CSS – La structure d'un document HTML – Les principes généraux à la base des éléments programmés : Les applets Java, Le JavaScript, Les scripts ASP, Les scripts PHP, Les scripts WML

Le concepteur d'expérience qui a déjà utilisé les langages de scripting ou de programmation jugera que l'information contenue dans ce chapitre appartient au domaine du connu. Les sections qui suivent s'adressent principalement au concepteur de pages Web moins chevronné, qui connaît peu ces langages et les principes sur lesquels ils reposent. Les pages qui suivent ne visent pas à démontrer exhaustivement les principes de programmation mais plutôt à exposer quelques généralités à la base de la programmation d'objets dynamiques avec les langages les plus courants, notamment ceux inclus avec WebExpert. Pour plus de détails et des références exhaustives, le concepteur pourra consulter des ouvrages spécialisés ou les sites de référence sur Internet.

Le chapitre 12 détaille les procédures d'utilisation des générateurs de code fournis avec WebExpert.

Les langages de conception de pages Web

Le principal langage utilisé pour la diffusion d'un document sur le Web est le code HTML (*Hypertext Markup Langage*). Ce dernier est une simplification du puissant code SGML (*Generalized Markup Language*) un standard international pour la définition des textes électroniques.

Le code HTML permet de traiter le contenu d'un document et de travailler sa mise en page. Un document HTML est un document statique, c'est-à-dire qu'il ne permet, à lui seul, aucun échange d'information; l'association d'un autre langage codé est nécessaire pour y parvenir.

Les possibilités que le Web laissait entrevoir à ses débuts ont en quelque sorte accéléré l'évolution des langages de programmation afin qu'ils puissent être interprétés par les navigateurs et les serveurs. On a longtemps tiré profit des scripts externes utilisant des langages comme les applet Java, les JavaScripts ou encore les scripts CGI pour rendre les documents dynamiques. Malgré ces scripts, parfois assez puissants, le problème de traiter le contenu du document et, éventuellement de le personnaliser selon un profil spécifique à chaque visiteur, n'était pas entièrement résolu.

Le code ASP (*Active Server Page*), conçu pour interfacer le code VBScript, des bases de données et le Web, permet d'échanger encore plus efficacement les données. Toutefois, l'utilisation de ce type de langage requiert une excellente connaissance des langages de scripting et des principes de connectivité de bases de données.

Le langage XML (*eXtended Markup Langage*) a été conçu selon ces mêmes principes d'échanges dynamique de données (DDE - *Dynamique Data Exchange*). La structure du document XML est semblable à celle d'un document HTML, à l'exception que le contenu est traité indépendamment de la forme; ce qui permet la manipulation des données. Le XML introduit également le principe des balises personnalisées : le concepteur peut créer ses propres balises qui répondent au traitement de données qu'il veut effectuer en leur affectant des attributs et des valeurs.

Plus récemment, le W3C, organisme de régularisation des standards sur Internet, introduisait le XHTML (*eXtended Hypertext Markup Langage*). Ce dernier langage tire toute sa puissance dans une fusion des codes HTML et XML. L'avantage de ce nouveau standard est sans doute sa capacité à utiliser des applications externes (des scripts ou des applets, par exemple). Le XHTML est en passe de devenir le nouveau standard Internet pour le développement de pages Web; ce qui risque à terme, selon certains, de rendre le HTML et le XML obsolètes.

Le concepteur de pages Web peut tirer profit de tous ces langages de programmation, et de bien d'autres encore, pour rendre les documents HTML dynamiques. Qu'il s'agisse de scripts simples - pour entraîner l'affichage automatique de la date du jour au navigateur - ou de scripts plus complexes - pour établir une relation avec une base de données pour renvoyer des informations, un objet dynamique fait généralement appel à une relation externe.

Dans le premier exemple (date du jour), le script, s'il est exécuté côté serveur (*Server Side*), fait appel à la configuration du serveur et utilise sa date. Le script peut aussi s'exécuter côté client (*Client Side*) de manière à forcer le navigateur à utiliser la date du poste de travail. Le choix du type d'exécution du script varie selon son objectif. Par exemple, le concepteur choisira un script *Client Side* pour résoudre les problèmes de décalage horaire (un serveur installé à Tokyo ne donnera pas l'heure locale à un utilisateur qui consulte la page en Hongrie).

Dans le second exemple, (relation avec une base de données), le script utilise une technologie *Server Side* pour communiquer avec une base de données, ou avec un autre serveur où elle est stockée.

D'autres effets dynamiques sont purement esthétiques et ne traitent que l'information contenue à l'intérieur du script, dans le document ou dans les autres documents du site; par exemple un menu déroulant.

> Tous ces langages sont soumis à des normes de standardisation : chaque organisme de régularisation (notamment les développeurs de navigateur Internet) établissent des normes qui leur sont propres. C'est ce qui explique les problèmes rencontrés au moment de tester les documents HTML (le résultat d'une page ne sera pas le même avec Internet Explorer et Netscape, par exemple).
>
> Les problèmes de compatibilité sont engendrés par ces querelles de standardisation, ainsi que par les différentes versions de chacun des langages qui évoluent sans cesse.

Un logiciel d'édition de pages Web se doit aujourd'hui de respecter les différents standards de développement et permettre aux concepteurs d'utiliser ces langages. Évoluant au même rythme que les langages et les besoins de développement des concepteurs Web, WebExpert permet de générer :

- Utilitaires pour l'utilisation et la génération de scripts JavaScript ou JScript (se référer à la section *Les JavaScript* à la page 159).
- Banques de nombreux scripts prédéfinis DHTML (se référer à la section *Les scripts prédéfinis* à la page 162).

- Générateur de scripts ASP, PHP et WML, pour ne pas oublier les technologies sans fil (se référer à la section *La génération et l'insertion des langages de scripting* à la page 159).
- Assistant pour l'insertion d'applets Java (se référer à la section *L'insertion d'un applet Java* à la page 167).
- Assistant de création de formulaires et insertion des contrôles. Ces derniers sont traités au chapitre 11.

La structure d'un document HTML

Les documents HTML, XML, XHMTL utilisent un mode de conception très similaire.

Le code HTML est constitué d'un ensemble d'éléments. Plusieurs d'entre eux appliquent au texte des effets semblables, voire identiques. Un document bien conçu utilisera toutefois les éléments appropriés car ils marquent la structure du document et peuvent être appelés à jouer un rôle bien précis; surtout si le document utilise des éléments programmés ou des langages de conception évolués tel que le XML ou le XHTML.

Les éléments HTML peuvent être jumelés à d'autres types de langage pour exécuter des actions particulières (JavaScript) ou pour en modifier les apparences (feuilles de style).

Les éléments HTML se répartissent sous différentes catégories :

- **Les éléments de premier niveau** : type de document, en-tête, corps du document, cadres.
- **Les éléments d'en-tête** : adresse de référence, méta-information, appel de scripts, etc.
- **Les éléments de structure** : en-tête, marque de paragraphe ou de ligne, etc.
- **Les éléments intralignes** qui en modifient soit les phrases ou un groupe de caractères précis.

> Certains éléments peuvent appartenir à plusieurs niveaux de structure.
> Le lecteur trouvera à la fin du guide la liste des éléments HTML et leur définition (se référer au chapitre « Liste des éléments HTML »). Sur le Web, le concepteur trouvera facilement les propriétés, attributs et événements rattachés à chacun de ces éléments (se référer à l'annexe *Réseaugraphie* à la page 219).
> Pour en connaître davantage sur les éléments HTML, l'utilisateur peut consulter la rubrique d'aide de WebExpert en exécutant la commande **Références HTML** dans le menu **Aide** de la barre des menus de l'application.
> WebExpert permet à l'utilisateur d'éditer ses propres balises HTML à l'aide du générateur de commandes HTML (page 158), de l'éditeur de références (page 171) ou de l'Inspecteur de code (page 185).

La composition d'un document

Un document destiné à être diffusé sur le Web doit respecter certaines règles pour être interprété adéquatement par les serveurs et les navigateurs :

- Les documents HTML peuvent porter l'une ou l'autre de ces extensions : .htm ou .html.
- Il est recommandé d'utiliser un prologue d'en-tête pour assurer la bonne interprétation du type de document et de la version du langage utilisé. Le prologue est « une ligne de type » qui permet de spécifier la version du document et le type d'encodage utilisés.
  Par exemple, un document HTML utilisera un prologue du genre :

```
<!DOCTYPE HTML PUBLIC "-//W3C//DTD HTML 4.0//EN">
```

- Un document débute toujours par la balise <html> et se termine par la balise </html>.
- Les informations (méta-information utilisant l'élément META) s'adressant aux moteurs de recherche sur le Web, sur l'auteur du document, sur les liens vers d'autres fichiers de programmation qui affectent la page, etc. sont comprises entre les balises <HEAD></HEAD> qui marquent l'en-tête du document. Ces informations utilisent les balises META pour introduire

certaines informations, notamment le type d'encodage utilisé, les mots-clés, les descriptions et les
URL de référence au site :

```
<head>
<META http-equiv="Content-Type" content="text/html; charset=iso-8859-1"
/>
<title></title>
<meta name="description" content="" />
<meta name="keywords" content="" />
<meta name="author" content="Usager non enregistré" />
<meta name="generator" content="WebExpert 5" />
</head>
```

- L'élément HEAD doit toujours être présent même si aucun contenu n'y est inscrit; la balise
</HEAD> marque la fin de l'en-tête. (Se référer à la section *Les propriétés des documents* à la page 52).
Par exemple, pour un document HTML,

```
<!DOCTYPE HTML PUBLIC "-//W3C//DTD HTML 4.0//EN">
<HTML>
<!-- Date de création: 01-11-03 -->
<HEAD>
<META http-equiv="Content-Type" content="text/html; charset=iso-8859-
1">
<TITLE></TITLE>
<META NAME="description" CONTENT="">
<META NAME="keywords" CONTENT="">
<META NAME="author" CONTENT="Usager non enregistré">
<META NAME="generator" CONTENT="WebExpert 5">
</HEAD>
<BODY>
</BODY>
</HTML>
```

Dans cet exemple,
<HTML> marque le début du document,
<HEAD> marque le début de l'en-tête,
<META> marque les informations utilisées entre autres par les moteurs de recherche, et par
les moteurs d'indexation sur le Web.

- La balise <!-- mon commentaire --> est utilisée pour intégrer un commentaire. Ce dernier
peut également être inséré dans le corps du document sans altérer le contenu ou la forme de ce
dernier. Le commentaire n'est pas visible avec le navigateur.

- La balise HTML est une expression identifiée par deux crochets (< >) qui encadrent l'élément du
code (par exemple BODY ou FONT); la barre oblique (/) est présente pour identifier la balise de
fermeture (par exemple dans l'expression </FONT>). L'expression, complétée par le nom de
l'élément et les crochets, représente la balise HTML.

- La plupart des balises s'ouvrent avec une balise d'ouverture qui contient des attributs et des
valeurs; elles se ferment avec une balise de fermeture contenant une barre oblique et le nom de la
balise. La balise de fermeture ne contient aucun attribut et peut être optionnelle selon l'élément
utilisé.
Par exemple,

```
<font size=2 face="arial">Informations professionnelles</font>
```

- Pour annoncer une modification d'attributs de caractères size, et la valeur de cet attribut, 2.
Il est recommandé de fermer les balises dans l'ordre inverse des balises d'ouverture, en
respectant l'odre d'insertion.
Par exemple, dans l'ordre d'ouverture des balises qui modifient la police (FONT) et son apparence
(gras - B et italique - I) :

```
<font face="arial" color="red"><b><i>Informations professionnelles...
```

les balises seront fermées dans l'ordre inverse, soit,

```
</i></b></font>
```

- Avec le code HTML, certaines balises de fermeture ou d'ouverture sont optionnelles. Par exemple, la balise `</p>` pour marquer un saut de paragraphe peut être utilisée sans sa balise d'ouverture. Ou encore, la balise `<br>` peut être saisie à la fin d'une ligne pour marquer un saut de ligne et ne pas avoir de balise de fermeture. Certaines de ces balises deviennent obligatoires lorsqu'il y a modification d'attributs.

> L'utilisation des feuilles de style ou des langages tel le XML ou le XHTML rendent obligatoires l'insertion des balises de fermeture pour forcer le respect de la structure du contenu.
> Des outils d'assistance à la rédaction des balises HTML sont détaillés à la section *L'assistance à l'édition des commandes HTML* à la page 157.

Les principaux langages de conception d'un document

Le code XML

Le XML est l'acronyme de *eXtensible Markup Language*. À l'instar du code HTML, le XML se fonde sur le SGML. C'est là leur unique similitude.

Contrairement au HTML, le XML est un langage ouvert, c'est-à-dire un méta-langage qui sort des limites imposées par le nombre restreint d'éléments HTML, en permettant au concepteur de créer ses propres balises; ces dernières étant automatiquement compatibles avec les navigateurs et les serveurs qui interprètent la version XML utilisée.

Le XML fait une distinction parfaite entre la présentation des données (la forme) et le contenu du document. Ceci permet donc l'interrogation des données contenues dans un document et son adaptation à l'environnement. Par exemple, le concepteur peut créer les balises qui permettra au contenu de s'adapter à un navigateur en particulier en fonction d'une résolution d'écran donnée.

En clair, contrairement au HTML, qui n'est qu'une représentation des données, le XML est une description de celles-ci. Comportement qui préserve l'intégrité des données contenues dans un document. La mise en page, la représentation, est assurée par d'autres langages. Le langage de mise en forme le plus connu est sans contredit le CSS (*Cascading Style Sheets*); ce dernier est officiellement reconnu comme standard de développement. Certains concepteurs plus expérimentés utiliseront le XSL (*eXtensible StyleSheet Language*) ou le XSLT (*eXtensible StyleSheet Language Transformation*).

L'environnement du code XML

L'interprétation du document peut se faire à trois niveaux différents : niveau client (*Client Side*), niveau serveur (*Server Side*) ou côté serveur de base de données (*JDBC*). La structure élaborée et les fonctions utilisées détermineront le niveau d'interprétation du document :

- **Côté client** signifie que le document XML est interprété directement par les navigateurs. Il est par conséquent nécessaire que ces derniers soient compatibles à ce langage. L'interprétation des documents se fait par une analyse de leur structure et par l'application d'une feuille de style apte à représenter la forme du contenu des documents. Certains navigateurs iront jusqu'à convertir le document XML en document HTML pour être en mesure de le lire adéquatement.
Internet Explorer et Netscape sont des navigateurs capables d'interpréter les documents XML. Le côté client est dénommé **Niveau 1**.

- **Côté serveur** signifie que le document XML est traité par un serveur. La plupart des serveurs sont en mesure d'interpréter les documents XML statiques, toutefois ils ne sont pas tous configurés pour le faire. Si le document XML est dynamique (par exemple s'il utilise des *servlets* - petites applications serveurs), seul un serveur à fonctions étendues peut être configuré pour effectuer le traitement des documents : analyse, manipulation, validation de contenu, etc.
Le côté serveur est nommé **Niveau 2**. Une fois le traitement du document effectué à ce niveau, le résultat est transmis au niveau 1, côté client, pour être à nouveau traité et renvoyé à d'autres *servlets* (petits serveurs) ou aux navigateurs.

- **Côté serveur de données** permet à un document XML d'échanger directement avec un serveur de base de données en format JDBC (*Java DataBase Connectivity*). Le format JDBC fonctionne avec la technologie Java et est utilisé avec un serveur SQL.

Le côté serveur base de données est dénommé **Niveau 3.**

Généralités sur la structure du code XML

Le concepteur habitué à travailler avec le code HTML conviendra qu'il est parfois difficile d'identifier le type de contenu dans la structure d'un document. Le travail serait énormément plus simple si, plutôt que d'utiliser l'élément H1 pour l'identification du titre d'une nouvelle section, il pouvait utiliser l'élément SECTION.

C'est notamment ce que permet le code XML : la personnalisation du nom des éléments pour identifier chaque élément de la structure du document.

Comparons la composition d'un même document en code XML et en code HTML :

XML

```
<?xml version="1.0" standalone="yes" ?>
<province provinceid="MN">
<ville villeid="12">
<nom>St-Ici</nom>
<population>5000</population>
</ville>
<ville villeid="15">
<nom>Grandeville</nom>
<population>60000</population>
</ville>
<ville villeid="20">
<nom>Petite ville</nom>
<population>20</population>
</ville>
</province>
```

HTML

```
<!doctype html public "-//w3c//
dtd html 4.0//en">
<html>
<h1 id="MN">Province</h1>
<h2 id="12">Ville</h2>
<dl>
<dt>Nom</dt>
<dd>St-Ici</dd>
<dt>Population</dt>
<dd>5000</dd>
</dl>
<h2 id="15">Ville</h2>
<dl>
<dt>Nom</dt>
<dd>Grandeville</dd>
<dt>Population</dt>
<dd>60000</dd>
</dl>
<h2 id="20">Ville</h2>
<dl>
<dt>Nom</dt>
<dd>Petite ville</dd>
<dt>Population</dt>
<dd>20</dd>
</dl>
</html>
```

La structure d'un document XML est la même que celle d'un document HTML. Ce document doit être élaboré selon des règles de syntaxe strictes pour sa bonne interprétation :

- Le document XML porte l'extension .xml.
- La première ligne du document doit correspondre à l'identificateur de prologue, c'est-à-dire la déclaration de document XML, qui contient notamment le numéro de la verion.

`<?xml version="1.0" standalone="yes" ?>`

- Le document doit contenir une balise de niveau principal à l'intérieur de laquelle toutes les autres balises sont intégrées (par exemple, l'équivalent de la balise HTML). Cette balise ne peut être réutilisée à l'intérieur du document.

Dans l'exemple précédent, les balises <province> et </province> exercent cette fonction et ne sont utilisées qu'une seule fois. Les balises <ville> et </ville> représentent un niveau de structure secondaire et peuvent être utilisées chaque fois que nécessaire.

- Le document doit contenir au moins un élément (ou balise).
- Les balises de fermeture sont dans tous les cas obligatoires.

`<tag></tag>`

Une balise sans donnée utilise le format `<tag/>`.

Une balise sans donnée est un élément qui se formule avec une seule expression et pour lesquelles aucune donnée n'est requise. Par exemple, l'élément IMG n'a aucune balise de fermeture; l'expression doit donc être fermée de l'intérieur avec la barre oblique (/).

```
<img src="../images/b_aide2.gif" width="100" height="15" alt="" />
```

Le code XHTML

Nouveau standard adopté par le W3C, XHTML 1.0 (*eXtended Hypertext Markup Langage*) est sans doute voué à faire disparaître le code HTML. XHTML est l'intégration parfaite des codes HTML et XML, et est compatible avec les langages codés ou compilés qui peuvent être associés à un document.

Le XHTML consiste en une famille de documents types (existants et en cours de création) et de modules qui reproduisent et étendent les codes HTML et XML. Les documents de type DTD (*Document Type Definition*), de la famille XHTML, sont conçus pour fonctionner conjointement avec des utilitaires XML.

La structure du code XHTML reprend l'ensemble des éléments HTML tout en permettant l'intégration des balises utilisateurs, comme le XML. Ainsi, conforme à XML et compatible à HTML, les documents XHTML offrent les avantages suivants :

• Ils peuvent être vus, édités et validés avec les outils standards XML.
• Ils peuvent être écrits pour opérer aussi bien et même mieux qu'en HTML 4 ou qu'en XML.
• Ils peuvent utiliser des applications (i.e. scripts et applets).

La structure du code XHTML

La structure du document XHTML est identique à celle d'un document HTML.

• Plusieurs niveaux de blocs imbriqués définissent la structure et la cohérence du document.
• Le prologue d'en-tête doit contenir les informations spécifiques à la version du langage et aux fichiers d'interprétation. L'identificateur du prologue permet en outre l'enregistrement du document XHTML avec l'extension `.html` pour en permettre la lecture avec n'importe quel navigateur.

```
<!doctype html public "-//w3c//dtd xhtml.0 transitional//en" "dtd/
xhml1-transitional.dtd">
<html xmlns="http://www.w3.org/1999/xhtml">
<head>
<title>Exemple de code XHTML</title>
</head>
<body>
<h1>Document XHTML</h1>
........................................
</body>
</html>
```

• Le document est ouvert avec la balise `<html xmlns="...">` et fermé avec la balise `</html>`.
• Le navigateur qui n'interprète pas le code XHTML lira la syntaxe sans erreur; si toutefois une syntaxe plus avancée est incompréhensible par ce navigateur, elle ne sera pas rejetée, mais ignorée, sans causer d'erreur d'affichage du document.
• Le respect de l'ordre d'insertion des balises d'ouverture dans la rédaction des balises de fermeture est obligatoire.

```
<B><U><I>texte en gras souligné et en italique</I></U></B>
```

• XHTML oblige la fermeture de toutes les balises, même les balises vides, car la balise de fermeture marque la fin de l'action ou de la définition et délimite l'étendue du code. Les balises vides sont celles pour lesquelles aucune donnée n'est requise.

Par exemple, pour une ligne horizontale,

```
<hr />
```

L'espace avant la barre oblique (_/) est obligatoire pour identifier le code auprès des navigateurs qui n'interprètent que le HTML.

• La rédaction des attributs oblige l'identification d'une valeur et l'utilisation des guillemets.

```
<TD NOWRAP="nowrap">texte</TD>
```

Cette syntaxe est imposée en prévision des langages spécifiques aux équipements mobile (GSM, Pochet PC, etc.)

> WebExpert permet de convertir les documents rédigés avec une syntaxe HTML en document XHTML à l'aide de l'Optimiseur de code (se référer à la section *L'optimisation du document* à la page 180).

Comparons la composition d'un même document en code XHTML et en code HTML :

XHTML

```
<?XML version="1.0" encoding="iso-
8859-1"?>
<!DOCTYPE html PUBLIC "-//W3C//DTD
XHTML 1.1//FR" "http://www.w3.org/TR/
xhtml11/DTD/xhtml11.dtd">
<html xmlns="http://www.w3.org/1999/
xhtml">
<head>
<meta http-equiv="Content-Type"
content="text/html;" charset="iso-
8859-1" />
<title>Complétif inc - Nous
contacter</title>
<link rel="stylesheet" href="../
general.css" />
</head>
<body topmargin="0" leftmargin="0"
bgcolor="#FFFFFF">
<table summary="table">
<tr>
<td>
<center>
<img src="../../images/logoseul.gif"
width="83" height="91" alt="logo" />
</center>
</td>
<td>
<p class="cadre">Comment nous
rejoindre ?<br />
</p>
<p>Téléphone : (514) 252-8850<br />
Télécopieur : (514) 252-1151<br />
Information générale </p>
<p><a
href="mailto:courriel@completif.qc.ca
">courriel@completif.qc.ca</a></p>
</td>
</tr>
</table>
</body>
</html>
```

HTML

```
<!doctype html public "-//w3c//dtd
html 4.0//en">>
<html>

<head>
<meta http-equiv="Content-Type"
content="text/html; charset=iso-8859-
1">
<title>Complétif inc - Nous
contacter</title>
<link rel="stylesheet" href="../
general.css">
</head>

<body topmargin="0" leftmargin="0"
bgcolor="#FFFFFF">
<table>
<tr>
<td>
<center>
<img src="../../images/logoseul.gif"
width="83" height="91" alt="logo">
</center>
</td>
<td>
<p class="cadre">Comment nous
rejoindre ?<br>
</p>
<p>Téléphone : (514) 252-8850<br>
Télécopieur : (514) 252-1151<br>
Information générale </p>
<p><a
href="mailto:courriel@completif.qc.ca
">courriel@completif.qc.ca</a></p>
</td>
</tr>
</table>
</body>
</html>
```

Les règles CSS

CSS (*Cascading Style Sheets*) est un langage de mise en forme de contenu. Les règles CSS transforment les propriétés et les valeurs de l'attribut d'une balise.

Les feuilles de style sont essentiellement utilisées pour la mise en forme d'un document HTML. Elles peuvent également être utilisées pour définir l'apparence et le comportement de certains éléments spéciaux définis avec la programmation JavaScript ou DHTML.

L'utilisation des feuilles de style est aujourd'hui devenue nécessaire. Les langages de conception de pages Web les plus récents, tel que le XML et le XHTML, effectuent une division distincte entre le contenu et la mise en page; cette dernière étant assurée par les feuilles de styles.

> Les règles CSS et les principes de structure sont détaillés au chapitre 10.

Les principes généraux à la base des éléments programmés

Plusieurs termes peuvent être utilisés pour identifier les objets dynamiques auxquels font appel les documents HTML : programmes, applications, scripts, etc. Ces termes ont à peu de chose près la même signification puisqu'ils sont destinés l'un et l'autre à exécuter des fonctions particulières (ce pourquoi ils ont été créés) sur l'ordinateur (*Client Side*) ou sur le serveur (*Server Side*) et renvoyer une certaine forme de résultat.

On parle d'un programme généralement pour une application d'envergure : un logiciel bureautique par exemple. Ces derniers utilisent des langages de nature aussi diversifiée que peut l'être leur niveau de complexité.

Ces programmes sont de deux natures :

- Les programmes compilés conçus à l'aide d'un éditeur particulier. L'exécution du programme se fait à l'aide d'un interpréteur. Le Java (utiliser pour les applets Java) est un exemple de langage compilé. Ils sont appelés à partir d'un document HTML et sont exécutés grâce à l'interpréteur Java inclus dans les navigateurs.
- Les scripts (JScript, JavaScript, VBScript) qui sont intégrés directement dans un document et exécutés ligne par ligne. Les navigateurs utilisent un fichier d'interprétation de code pour exécuter les scripts.

Grâce à différentes interfaces et à la capacité des serveurs, le Web peut aujourd'hui utiliser une multitude de langages. Ce qui entraîne d'ailleurs les concepteurs de logiciel à développer leur logiciels sur une plate-forme dite *Web-Based* pour profiter au maximum des possibilités de télécommunication et d'échange de données immédiat.

Les objets associés (par liaison ou par intégration) à un document HTML utilisent les mêmes formes de langage. Selon le résultat visé par le concepteur, le programme peut être simple, et parfois très complexe.

La structure d'un script

Chaque langage utilisé pour l'élaboration d'un script utilise un code différent et une manière particulière d'élaborer ses instructions et de déclarer (nommer) ses variables. La structure des scripts permet toutefois d'observer quelques similitudes entre tous ces langages.

Un script est constitué d'une suite d'instructions que l'ordinateur doit exécuter. Les instructions sont lues au fur et à mesure de leur apparition dans le fichier du programme par le logiciel client (le navigateur) ou par le serveur, et sont exécutées au moment où les conditions d'exécution sont rencontrées. La lecture se fait du haut de la page vers le bas.

Les instructions du script peuvent soit demander l'exécution d'une opération (faire apparaître le nom de l'utilisateur, par exemple) ou simplement le déplacement de la lecture vers une autre ligne du fichier de programmation pour forcer l'exécution d'une autre instruction.

Un script contient généralement un en-tête de document (des lignes de commentaires non visibles au navigateur et non prises en compte dans l'exécution du programme). Ces informations sont optionnelles mais facilitent considérablement le travail de mise à jour et de déboguage. On pourra mettre en-tête les informations générales sur l'identification de l'auteur et l'utilité du script, ainsi que la version du langage utilisé et l'emplacement du fichier d'encodage (qui permet d'identifier l'interpréteur du code nécessaire au bon fonctionnement du programme). Parfois, on y énumère les variables utilisées ainsi que leur fonction. Bien qu'optionnelles, ces informations sont très utiles aux programmeurs.

Les instructions

Le programme, quel qu'il soit, tourne autour d'instructions (méthodes et propriétés) qui envoient, et reçoivent, des informations à l'ordinateur sur l'opération à exécuter et la manière de procéder. Généralement, l'instruction est composée de deux éléments :

- L'opérateur qui définit le type d'action à exécuter.
- Les opérandes qui représentent les données sur lesquels doit s'effectuer l'opération.

Plusieurs instructions peuvent être regroupées en blocs d'information (appelés procédures, fonctions ou routines) de manière modulaire. Chacun de ces blocs constitue une opération complète à exécuter.

L'instruction peut appeler la valeur d'une variable pour traiter un type d'information en particulier, ou exécuter une opération qui n'utilise aucune valeur spécifique.

Par exemple, ce JavaScript définit la fonction validationPswd :

```
function validationPswd() {
  if ((document.pswdForm.pswd.value == null) ||
      (document.pswdForm.pswd.value == ''))
    alert('Veuillez saisir le mot de passe.');
  else this.location.href = "../index.html";
}
// End -->
```

L'instruction est représentée ici par une valeur de comparaison (if .. else ..) de la variable pswd. Une nouvelle condition dans cette fonction serait une nouvelle instruction.

Dans cet extrait d'une fonction Perl :

```
foreach $ts (@okayDomains)
{
  if ($RF =~ /$ts/)
  { $DOMAIN_OK=1; }
}
if ( $DOMAIN_OK == 0)
{print "Content-type: text/html\n\n Sorry...Cant run from here!";}
```

foreach est une instruction qui demande la vérification de chacune des apparitions de la variable okayDomains.

Chaque instruction if permet de comparer la valeur des champs. Si la valeur est fausse (ici représentée par la valeur 0), une instruction entraîne l'impression d'un message.

L'utilisation des variables

La majorité des langages de programmation utilisent des variables. Les variables identifient et stockent des informations nécessaires à l'exécution des instructions du programme. La valeur associée à une variable peut être fixe (une information qui servira de validation) ou être modifiée dynamiquement par le programme au fur et à mesure de son exécution (pour l'incrémentation d'un résultat, par exemple, ou pour remplacer une valeur précédente).

L'identité des variables est définie par le programmeur. Idéalement, la variable a un nom explicite pour faciliter son identification ou son utilité. Le concepteur doit consulter la référence du langage qu'il aura choisi pour déclarer la variable en respectant la syntaxe prescrite.

L'ordre dans lequel les variables sont définies, ou le positionnement de leur définition, importe peu; elles peuvent être définies en groupe, ou au fur et à mesure des besoins de la programmation.

> Le document du programme étant parcouru du haut vers le bas, il est recommandé de déclarer les variables au début du document pour permettre leur interprétation rapide. Cette précaution peut éviter des lenteurs qui pourraient être interprétées comme « bogues » par les utilisateurs .

Lors de l'écriture des fonctions du script, l'appel de ces variables permet d'identifier le contenu à traiter.

En JavaScript, le programmeur déclare ses variables par l'élément `var` :

```
var vmin=2;
var vmax=5;
var vr=2;
var timer1;
```

Pour utiliser la valeur d'une variable, la déclaration à l'intérieur de l'instruction se lira ainsi :

```
this.timer1=null;
```

Perl utilise le symbole arobas (@) pour déclarer ses variables. Dans l'exemple suivant, la valeur de la variable est fixe pour permettre sa comparaison avec une autre valeur, éventuellement spécifiée par l'utilisateur.

```
@okaydomains=("http://www.domaine.com");
```

Dans la prochaine instruction, la valeur de la variable spécifiée par l'utilisateur est comparée à la valeur déclarée de la variable :

```
if (@okaydomains == 0)
```

0 étant l'équivalent de la valeur `VRAI`.

Les variables ne peuvent contenir généralement qu'une seule donnée à la fois. Certains langages permettent d'étendre cette capacité : par exemple, Perl ou C utilisent les variables tableaux qui organisent une structure de données pouvant stocker plusieurs informations à l'intérieur d'une variable commune; en JavaScript, l'objet `Array` permet la juxtaposition des valeurs.

Les types de variables

Le programmeur peut utiliser différents types de variable : les variables explicites et les variables implicites (variables utilisateurs). Un autre type, les variables d'environnement, permettent d'étendre les interactions avec l'environnement du programme ou de l'utilisteur.

- Les **variables explicites**, appelées aussi « globales », sont déclarées préalablement à l'instruction qui les utilise. On les appele « globales » car elle peuvent être utilisées plusieurs fois, par plusieurs fonctions du programme, mais ne sont déclarées qu'une seule fois. L'exemple JavaScript précédent utilise des variables explicites (`var timer1;`).
- Les **variables implicites**, appelées aussi « locales », sont déclarées au fur et à mesure des besoins de programmation, au moment où l'instruction doit s'exécuter. On les nomme variables locales car elles ne sont déclarées qu'une seule fois, mais pour une seule utilisation et une seule fonction.
- Contrairement aux variables utilisateur, les **variables d'environnement** sont prédéfinies par les langages de programmation. Les variables d'environnement permettent au programme de se renseigner sur l'environnement technique, par exemple en obtenant des informations sur la configuration du poste ou du serveur (nom de l'utilisateur, adresse IP, type de navigateur utilisé, etc.) sur lequel le programme est exécuté.

Le JavaScript

Les scripts JScript et JavaScript permettent l'élaboration de fonctions dynamiques pouvant être simples ou complexes. Leur grande souplesse, et des contraintes de compatibilité moindre côté serveur et côté client en font l'un des langages les plus utilisés. Bien que certaines fonctions interagissent avec les serveurs Web, le JavaScript est une technologie principalement *Client-side*, c'est-à-dire que les fonctions s'exécutent à partir du navigateur Internet.

Les scripts se présentent sous trois formes :

- Interne à un document HTML, par exemple avec les DHTML, dont l'essentiel de la définition du script est inséré dans l'en-tête du document.
- Intraligne pour appliquer un effet sur une ligne du document en particulier.
- Externe (portant l'extension .js), facilitant la description de fonctions plus complexes. Le fichier script est alors associé au document HTML à l'aide d'un lien de relation.

Dans tous les cas, l'exécution des commandes particulières est définie au moment où elle doit se faire, à l'intérieur des balises HTML.

Dans l'écriture des instructions, les scripts utilisent des propriétés qui définissent l'action, et des opérandes (évènements et méthodes) qui déterminent la valeur de l'action.

Le DHTML (*Dynamic HTML*) utilise les JavaScripts et les feuilles de styles pour construire des objets dynamiques ou appliquer des effets particuliers sur du texte. Le DHTML est une norme Microsoft et peut poser des problèmes de compatibilité avec les autres navigateurs.

JavaScript est un langage de programmation initialement élaboré par Netscape; Microsoft a développé ses propres scripts sous le nom de JScript.

Plusieurs outils de référence sont disponibles en librairie ou sur Internet pour les concepteurs désirant tirer profit des possibilités offertes par les scripts. La réseaugraphique présentée en page 219 donne également quelques adresses Internet. Des outils d'assistance à l'insertion de JavaScript et à la génération de scripts sont détaillés à la section *Les JavaScript* à la page 159.

La terminologie utilisée par les scripts

Pour être reconnus dans le document en tant que scripts exécutables, JavaScript et JScript utilisent l'élément HTML SCRIPT.

Les instructions du script, quant à elles, sont appelées par des objets, des évènements et des méthodes. Chacun de ces éléments est prédéfini dans le code du langage.

Selon la version du script utilisée, ces éléments sont plus ou moins nombreux et plus ou moins compatibles avec les navigateurs Internet.

Objet	Élément principal de l'instruction. L'objet identifie sur quoi l'instruction doit s'exécuter, par exemple sur la fenêtre (window), sur le navigateur (navigator), sur une ligne (string).
Évènements	Les évènements sont représentés par des actions qui peuvent être enclenchées par l'utilisateur ou par le document lui-même. Par exemple, lorsque l'utilisateur clique sur la souris (onMouseClick) ou lorsque le document se télécharge (onLoad). L'évènement est généralement utilisé avec un objet. Par contre, lorsque l'évènement script est cité dans une balise HTML, cette dernière peut être considérée comme étant l'objet (BODY onLoad="…").
Méthodes	Les méthodes identifient l'action sur laquelle l'objet doit exécuter l'instruction, par exemple, au moment où une fenêtre (l'objet) apparaît (la méthode) Window.Open. Certaines méthodes peuvent avoir des **arguments** qui décrivent davantage l'instruction. Ces derniers sont soit des propriétés, soit du texte. Par exemple, window.alert (message) qui commande l'affichage d'une fenêtre de message - l'argument message pouvant être personnalisé : window.alert (Mon message qui doit apparaître sur la fenêtre.

Propriétés	Instruction qui permet de définir des informations sur un objet. Par exemple, la taille et la position d'une fenêtre.

La structure d'un script externe

Le script externe peut être édité avec un logiciel d'édition de texte, par exemple NotePad ou un éditeur de script. Le fichier doit porter l'extension `.js`.

La structure générale du script externe et les éléments de sa structure sont basés sur les principes de programmation énoncés précédemment.

Plus spécifiquement, un JavaScript, ou JScript externe peut être divisé en trois sections :

* L'en-tête du document permet d'identifier l'auteur et la date de création du script. Cette information est optionnelle.
  Le commentaire est annoncé par les symbole `/*`; la barre oblique seule (`/`) annonce une déclaration de fonction.

```
/* AUTEUR: VISICOM */
/* DATE DE CREATION: 00-05-10 */
```

* Les variables explicites utilisées dans le script et les valeurs qui leur sont associées par défaut. Ces dernières peuvent être définies au début du document ou immédiatement avant l'instruction qui les utilisent. L'instruction peut inclure des variables implicites, c'est-à-dire qui ne sont utilisées qu'une seule fois.

```
//{{HH_SYMBOL_SECTION
var HH_WindowName = "";
var HH_GlossaryFont = "";
var HH_Glossary = "";
var HH_Avenue = "";^
```

* Les fonctions qui regroupent un ensemble d'instructions que le programme doit exécuter.

```
function HHActivateComponents(){
```
La fonction est nommée. `HHActivateComponents` peut éventuellement être appelée dans la page HTML pour commander l'exécution de cette fonction en particulier.

```
if ((HH_ChmFilename != "") && ((self ==
top) || (self == top.frames[0])))
```
Les instructions de la fonction définissent les opérations qui doivent s'exécuter.

```
{
var objBody =
document.all.tags("BODY")[0];
objBody.insertAdjacentHTML("beforeEnd",
'<OBJECT ID="HHComponentActivator"
CLASSID="CLSID:399CB6C4-7312-11D2-B4D9-
00105A0422DF" width=0 height=0></
OBJECT>');
if (HHComponentActivator.object)
{
```
La fonction peut définir une variable locale destinée pour une seule utilisation. Dans cet exemple, la variable `objBody` agit ainsi.

```
HHComponentActivator.Activate(HH_ChmFile
name, HH_WindowName, HH_GlossaryFont,
HH_Glossary, HH_Avenue);
```
La dernière instruction de la fonction appelle la valeur des variables définies en entête.

Une fois le script externe rédigé, la page HTML peut l'utiliser. Le script doit alors être identifié dans la page et les fonctions appelées au moment où elles sont exécutées. Certaines fonctions contenues dans le script externe peuvent être exécutées directement à partir du fichier programme.

* L'appel du script peut se faire à n'importe quel endroit dans le document. Il est toutefois préférable de l'intégrer dans l'en-tête du document HTML pour permettre au navigateur de lire le script en tout premier lieu. Les navigateurs lisent effectivement la page à partir du haut vers le bas.

L'appel de la balise HTML utilise l'élément SCRIPT.

```
<head>
<title></title>
<script language="JavaScript1.3" src="video2[1].js"></script>
</head>
```

- Idéalement, la version du langage de scripting est identifiée pour faciliter l'interprétation.
- Au moment où une fonction du script doit s'exécuter, un événement ou une instruction l'appelle.

```
<BODY ONLOAD="BSSConLoad();" ONCLICK="BSSConClick();">
```

Structure d'un script interne

Le script interne à un document HTML doit être rédigé à l'intérieur de l'en-tête du document.

- L'introduction du script se fait par l'élément HTML SCRIPT.

```
<script language="JavaScript1.3">
```

- La définition de la fonction ou de l'instruction script se fait immédiatement.

```
<!-- Begin
function validationPswd() {
if ((document.pswdForm.pswd.value == null) ||
(document.pswdForm.pswd.value == ''))
alert('Veuillez saisir le mot de passe.');
else if (document.pswdForm.pswd.value != '123')
alert('Mot de passe non valide');
else this.location.href = "../index.html";
}
// End -->
</script>
```

Cet exemple ne définit aucune variable. Le script utilise une feuille de formulaire dont le nom (l'élément NAME) est pswdForm et le nom du champ (l'élément NAME du contrôle) est pswd pour évaluer la validité d'une valeur.

La balise de fermeture identifie la fin du script dans l'en-tête HTML.

- Au moment où l'instruction doit s'exécuter, un événement script est associé à la balise HTML.
Par exemple, au moment de sortir du champ texte (onChange) dans un formulaire :

```
<input type="text" name="pswd" size="24"
maxLength="40" onChange="validationPswd()" >
```

ou au moment de cliquer sur le bouton (onClick) du formulaire :

```
<input type="button" value="Ok" onClick="validationPswd()" name="pswd">
```

Dans les deux cas, l'événement onChange ou onClick appelle la fonction validationPswd. Cette dernière, montrée plus haut, vient chercher la valeur du champ texte nommé pswd et compare sa valeur à celle spécifiée (123).

Les scripts ASP

Le code ASP (*Active Server Pages*) est un standard Microsoft qui permet le développement d'applications puissantes fonctionnant sur une plate-forme Web. Ce code n'est constitué que de peu d'éléments qui sont soit des instructions ou des directives. Les fonctions que le script ASP doit exécuter sont définies à l'aide des langages de scripting utilisés dans le document : essentiellement du VBScript ou du JavaScript. Les directives ASP sont généralement exécutées côté serveur. Par exemple, un document ASP peut afficher une liste d'informations mise à jour automatiquement : l'information est stockée et mise à jour dans une base de données installée sur un serveur. La page ASP n'est constituée que des requêtes qui filtrent et recherchent l'information demandée, et des éléments HTML ou des règles CSS de mise en forme.

> Initialement conçu pour être exécuté sur un serveur IIS 3.0 et 4.0 (*Internet Information Serveur*) de Microsoft ou d'un serveur Web personnel, ASP est de plus en plus compatible avec la plupart des technologies serveur. Le serveur doit toutefois être configuré pour permettre l'exécution des pages ASP.
> Le générateur de script ASP est expliqué à la section *Le générateur de script ASP* à la page 164.

Les documents ASP

Les documents ASP portent l'extension .asp. Ils sont constitués de trois types d'information :
* Les directives ASP qui interagissent avec le serveur.
* Les balises HTML de mise en forme, ou des règles CSS utilisées.
* Les scripts rédigés dans un langage de programmation (généralement JavaScript ou VBScript). Ces scripts s'éxécutent la plupart du temps côté serveur.

Pour reprendre l'exemple de la liste d'information :
* Une base de données est hébergée sur le serveur, dans laquelle les informations sont mises à jour régulièrement.
* Le document ASP contient la requête qui définit le type d'information à afficher dans la liste, par exemple la liste des actualités du jour.
* Lorsque l'utilisateur affiche la page ASP avec le navigateur, la requête est automatiquement envoyée au serveur pour son exécution.
* Les résultats de la requête sont ensuite renvoyés vers le navigateur et la page des résultats est automatiquement générée avec la mise en forme spécifiée à l'aide des balises HTML ou des règles CSS.

Les objets du code ASP

La liste des objets du code ASP est particulièrement courte. Ces éléments n'ont pour fonction que d'indiquer au serveur la nature du document et le langage de script utilisé.

Le code ASP est composé de deux types d'éléments :
* **Les directives**
  Les directives forcent l'exécution des scripts. Deux types de directives peuvent être spécifiées : les directives de sortie et les directives de traitement.
  Les premières, les **directives de sortie,** ont pour fonction d'envoyer les informations nécessaires au traitement du fichier vers le serveur Web.
  Les **directives de traitement** envoient au serveur les informations sur le type de traitement qui doit être excécuté sur les fichiers et la manière dont les résultats doivent être retournés au navigateur.
* **Les opérateurs**
  Les opérateurs fonctionnent selon les règles régies par le langage script utilisé. Ils sont destinés à définir les opérations à exécuter et la manière dont l'exécution doit se dérouler. Cinq opérateurs permettent de définir le traitement des données : Buit-In-Object, Database, Directives, JScript, VBScript.

Les autres éléments du code : fonction, événement, propriétés, valeurs, etc. proviennent du langage script utilisé dans le document ASP, VBScript ou JavaScript. Les règles syntaxiques qui régissent ces codes doivent être respectées dans la rédaction d'un document ASP.

38
Développer avec WebExpert 5

La structure des documents ASP

- Le document ASP doit débuter avec la spécification du langage de script utilisé dans le document :

```
<%@ language="vbscript"%>  ou  <%@ language="jscript"%>
```

Les codes % étant utilisés par les serveurs pour identifier les appels ASP dans le document de cette information.

- L'ouverture d'un document HTML est requise, suivent ensuite les lignes d'en-tête habituellement inscrites dans un document HTML :

```
<%@ LANGUAGE=VBScript%><html>
<head>
<title></title>
<meta ... >
</head>
```

- Le corps du document doit être inclus dans les balises de l'élément BODY.

- Le contenu du document peut inclure du texte standard et des règles CSS. Les scripts sont insérés à l'intérieur et les balises HTML utilisées pour appliquer la mise en forme au contenu :

```
<body>
<%If request.form("pass") = toto Then
' apostrophe précédé les remarques si le visiteur a tapé "toto" dans le
' formulaire alors la page normale s'affiche
%>
Placez ici le contenu de votre page...
Else
' sinon, le formulaire s'affiche
%>
<form method="post">
<table><tr>
<td><input type="password" name="pass"></td>
<td><input type="Submit" value="Entrer"></td></tr></table>
</form>
<% End if%>
</body>
```

- Le document doit obligatoirement être fermé par la balise de fermeture </HTML>.

Les scripts PHP

Les scripts PHP sont très similaires aux ASP par leur structure et leur mode de définition : tout deux sont intégrés dans un document HTML et ont pour fonction de le rendre dynamique ou interactif ou les deux. À l'instar du ASP, PHP est principalement exécuté côté serveur et peut utiliser les informations stockées dans une base de donnée. Mais là s'arrête leur similitude.

Les scripts PHP utilisent les langages de script PERL, C ou Java auxquels des fonctions supplémentaires sont ajoutées lorsque l'un de ces langages est utilisé dans un document PHP.

La troisième version du PHP, le PHP3, tire profit de la puissance de plusieurs langages. Les nombreuses extensions de cette version permettent en outre des fonctionnalités assez impressionnantes tel que la génération automatique d'images GIF ou de documents PDF, ou encore l'interaction avec des services de messagerie. De l'importante quantité d'extensions et de fonctions PHP3, résulte un support de pratiquement tous les standard Web.

Il est admis que les scripts PHP ont une plus grande compatibilité avec les différentes technologies serveur.

Autre avantage important du PHP, les plate-formes de développement et d'hébergement sont souvent gratuites. Les serveurs d'hébergement Multimania, Nexen, Free ou Chez.com supportent gratuitement les scripts PHP (se référer à la réseaugraphie à la page 219 pour connaître les adresses Internet de ces sites).

La structure d'un document PHP

Comme pour un document ASP, les fonctions PHP sont intégrées dans un document qui respecte la structure d'un document HTML. La structure générale du document et les niveaux de blocs sont par conséquent similaires.

- Le document PHP doit porter l'une des extensions fichiers suivantes pour permettre la reconnaissance du code : .php, .php3, .php4.
- Le document PHP doit débuter avec les en-têtes et la structure d'un document HTML standard :

```html
<html>
<!-- Date de création: 2001-12-20 -->
<head>
<title>Exemple de document PHP</title>
<meta name="generator" content="WebExpert 5">
</head>
<body>
```

- L'ouverture et la fermeture du document HTML sont requises, ainsi que les informations d'entête et de contenu du document :

```html
<html>
<!-- Date de création: 2001-12-20 -->
<head>

</head>
<body>

</body>
</html>
```

- Le code PHP peut être intégré selon 4 syntaxes différentes :
  À l'aide des *tags* PHP standard :

```
<? ... ?> Par exemple : <? echo ("Premier exemple PHP); ?>
ou
<?php ... ?> Par exemple : <?php echo ("Premier exemple PHP); ?>
```

ou à l'aide des délimiteurs ASP :

```
<% ... %> Par exemple : <% echo ("Premier exemple PHP); %>
```

ou encore à l'aide de l'élément SCRIPT identifiant le langage utilisé :

```
<script language="PHP">
<!--
echo ("Premier exemple PHP);
//-->
</script>
```

- Le document peut contenir plusieurs codes de programmation différents, dans la mesure où ces derniers sont bien délimités par leur balise correspondante. Les balises de définition des langages peuvent n'être insérées qu'une seule fois et contenir plusieurs instructions.

```
<?
   première instruction PHP
   seconde instruction PHP
   troisième instruction PHP
   ...
?>
```

Par exemple :

```
<html>
<!-- Date de création: 2001-12-20 -->
<head>
<title>Exemple de document PHP</title>
<meta name="generator" content="WebExpert 5">
</head>
<body>
<? if($MotDePasse == "toto") {
// si le visiteur a tapé "toto" dans le formulaire
// alors la page normale s'affiche
?>
Placez ici le contenu de votre page...
<? } else {
// sinon, le formulaire s'affiche
?>
<form method="post">
<table><tr>
<td><input type="password" name="MotDePasse"></td>
<td><input type="Submit" value="Entrer"></td>
</tr></table>
</form>
```

WebXpert permet l'utilisation du générateur de scripts PHP pour faciliter la rédaction des instructions PHP. Le générateur de scripts peut être affiché à l'aide du bouton **Insérer une commande PHP** ![PHP] de l'onglet **Spécialisés**. Au besoin, se référer à la procédure *Le générateur de script ASP* à la page 164.

Les scripts WML

Comme son nom l'indique, WML (*Wireless Markup Language*) est destiné aux technologies sans fil. Il s'agit d'un langage essentiellement basé sur le XML qui permet l'affichage de documents dynamiques. La particularité des équipement mobiles (téléphone cellulaire, agenda personnel, etc.) est que la bande passante est réduite et l'espace d'affichage, particulièrement petit; par conséquent le mode de développement est totalement différent.

La structure et la syntaxe du WML, bien qu'assez proche du HTML, est moins souple car le concepteur est contraint à la norme DTD (*Document Type Définition*) qui définit la syntaxe à respecter dans la rédaction du document. Le respect de ces normes assure une meilleure compatibilité des documents conçus sous ces règles. La particularité et les spécificités des équipements sans fil justifient amplement cette contrainte.

Le langage WML n'est donc pas un langage de programmation en soit, mais plutôt un langage de définition, c'est à dire un fichier contenant des informations (balises) qui permettent la mise en forme du contenu et le comportement des objets (images, références, etc.)

La structure d'un script WML

Semblable au code HTML, par sa structure, la syntaxe du WML est moins souple pour respecter certains standard de développement DTD.

- Le document WML porte l'extension fichier .wml.
- L'en-tête du prologue est obligatoire pour définir la norme XML et et DTD de référence :

```
<?xml version="1.0" encoding="iso-8859-1"?><?xml version="1.0"?>
<!DOCTYPE wml PUBLIC "-//WAPFORUM//DTD WML 1.2//EN"
"http://www.wapforum.org/DTD/wml_1.2.xml">
```

- Un document débute toujours par la balise `<wml>` et se termine par la balise `</wml>`.

```
<?xml version=...
  ...>
<wml>
 <card>
    contenu de la carte
 </card>
</wml>
```

- Le contenu du document WML est divisé par « carte »; chacune définissant le contenu qui doit tenir sur un écran d'affichage (comme s'il y avait plusieurs balises `<BODY>` dans un même document HTML). Un bloc de cartes est appelé *Deck*. Un document WML peut contenir plusieurs cartes, selon le nombre d'écrans requis pour afficher tout le contenu.
L'attribut `id` (identificateur) doit obligatoirement accompagné l'élément `card`. Ce dernier ne doit pas excéder 8 caractères.
L'élément `card` correspond à un niveau principal de bloc chacun correspondant à une « page » du document WML :

```
<card id="pagetit" title="Bienvenue">
<p align="center">
    contenu de la carte
</p>
</card>
```

Le passage d'une carte à l'autre peut se faire automatiquement, selon un critère de temps, par exemple :

```
<timer name="card2" value="10"/>
```

ou à l'aide d'un champ de formulaire permettant de sélectionner l'une ou l'autre des cartes du document :

```
<SELECT>
<Option onpick="#card1">Carte 1</Option>
<Option onpick="#card2">Carte 2</Option>
<Option onpick="#card3">Carte 3</Option>
</SELECT>
```

ou simplement à l'aide d'un lien hypertexte standard :

```
<A HREF="#card1">Première carte</a>
```

- L'interprétation du WML est très sensible à la casse des caractères : le caractère minuscule est obligatoire dans la syntaxe des éléments et de leurs attributs.
- Chacun des attributs des balises doivent contenir des valeurs. Ces dernières devant obligatoirement être apposées entre guillemets :

```
<p align="center">
```

- L'ordre de fermeture des balises doit respecter l'ordre d'insertion des balises d'ouverture.
Par exemple, dans l'ordre d'ouverture les balises pour la modification de la police et de l'attribut gras italique :

```
<font face="arial" color="red"><b><i>Nos coordonnées
```

les balises seront fermées dans l'ordre inverse, soit,

```
</i></b></font>
```

- Les balises de fermeture sont obligatoires. Si un élément ne dispose pas de balise de fermeture, la barre oblique doit être insérée à la fin de la commande :

```
<img src="img/bild1.wbmp" alt="Ma première image !"/>
```

Par exemple :

```
<? WML = "version 1.0" ?>
<! DOCTYPE WML PUBLIC "-//WAPFORUM::DTD WML 1.1//EN"
"HTTP://www.wapforum.org/DTD/WML_1.1.XML">
<WML>
<card id="card1" title="accueil">
<p>Bienvenu Chez Visicom Media
<SELECT>
<Option onpick="#card1">Première carte</Option>
<Option onpick="#card2">Seconde carte</Option>
<Option onpick="#card3">Troisième carte</Option>
</SELECT>
</p>
</card>
<card id="card2" title="liens">
<p>votre texte ici</p>
<A HREF="#card1">Première carte</a>
{ . .
. .}
</card>
<card>
</WML>
```

Cet exemple a été pris sur le site Web Développeur (www.webdeveloppeur.com) de Visicom Média.

Le format image compatible WML

Certains écrans d'équipement mobile, ceux des cellulaires par exemple, permettent l'affichage des images. Le code WML n'accepte qu'un seul format d'image : le WBMP (*Wireless BitMaP*), un dérivé des images BMP (*BitMaP*).

La particularité du format WBMP est que la taille du fichier image est très petite car la résolution est de 1 bit, noir et blanc; répondant ainsi aux contraintes de la bande passante réduite. La recommandation est de limiter la taille du fichier à environ 1,5 ko avec une taille écran maximale de 110x110 pixels.

Plusieurs équipements mobiles ne sont pas conçus pour afficher les images. L'attribut aLt (alternative) prévoit ce manque en permettant l'affichage d'un texte de remplacement.

> Plusieurs utilitaires graphiques permettent la conversion des images en format WBMP; et quelques sites Internet proposent des outils en ligne. Adobe PhotoShop permet la conversion des fichiers vers le format WBMP avec l'installation d'un module spécifique. Se référer à la réséxugraphie à la page 219 pour obtenir les références.
> l'utilisation du générateur de script WML est détaillée à la section *Le générateur de script WML* à la page 165.

Les applets Java

L'applet Java est un programme compilé externe à la page Web portant l'extension *.class*. L'applet Java est une mini-application (d'où son nom de *applet*) rédigée en Java; ce dernier langage permettant l'exécution de fonctions pouvant atteindre parfois un niveau de complexité assez élevé. Certains logiciels fonctionnant sur le Web (*Web Based*) utilisent ce langage de programmation.

Le programme externe contient toutes les fonctions que l'applet peut être appelé à exécuter et la définition générale de l'objet. Le document HTML contient les paramètres nécessaires au fonctionnement du programme (contenu, apparence de l'objet, etc.); les paramètres autorisés sont différents selon la programmation de l'applet.

La structure de code des applets Java

Dans un document HTML, l'insertion d'un applet java utilise l'élément APPLET. Toutes les lignes du code sont rassemblées en un seul groupe et insérées à l'endroit où l'objet doit s'exécuter.

La balise d'ouverture appelle le programme externe et les attributs généraux du programme :

```
<APPLET CODE="LinkBar.class" WIDTH=700 HEIGHT=50>
```

Les paramètres de l'applet qui définissent le contenu, les URL, les couleurs individuelles des éléments, etc.

La définition des paramètres de l'applet utilise l'élément PARAM auquel deux propriétés peuvent être attribuées :

- NAME, identificateur du sous objet, par exemple du texte, une image, une URL;
- VALUE, la valeur du sous objet.

Les sous objets identifiés à l'attribut NAME sont des variables préalablement définies dans le fichier du programme *.class*.

```
<PARAM NAME="N" VALUE="5">
 <PARAM NAME="TEXT1" VALUE="Mon coin Java">
 <PARAM NAME="IMAGE1" VALUE="java.gif">
 <PARAM NAME="HINT1" VALUE="Vous pouvez trouver ici des Applet
 intéressants">
 <PARAM NAME="URL1" VALUE="http://www.cs.ut.ee/~gsa/javahtml">
 <PARAM NAME="TEXT2" VALUE="Jars">
 <PARAM NAME="IMAGE2" VALUE="jars.gif">
 <PARAM NAME="HINT2" VALUE="Le service d'évaluation Jars">
 <PARAM NAME="URL2" VALUE="http://www.jars.com">
</APPLET>
```

L'utilitaire d'insertion d'applets Java est détaillé à la section *L'insertion d'un applet Java* à la page 167.

3

La création de documents HTML

La préparation au travail de conception – La création d'un document pour le Web – Les propriétés des documents – L'en-tête des documents – Les propriétés du texte – Les propriétés des paragraphes – L'utilisation des couleurs – L'utilisation des commentaires – L'importation d'un fichier

La préparation au travail de conception

Une page Web n'est pas une page au sens papier du terme. La page Web représente la taille du document HTML et peut, une fois imprimée, représenter plusieurs pages papier.

Le contenu d'une page Web est défini par l'équipe de conception. Il peut n'y avoir que des composants textuels avec un minimum de mise en page; d'autres composants peuvent également être utilisés pour raffiner la mise en page, un tableau par exemple. Certains auteurs y ajouteront des objets dynamiques afin de rendre la page plus attrayante ou pour y intégrer des effets interactifs ou des scripts qui exécutent des actions précises.

Le concepteur d'une page Web visitée régulièrement devra tenir compte de plusieurs facteurs : la résolution d'écran utilisée lors de la conception, le nombre de couleurs nécessaires à une bonne interprétation des images et des effets graphiques, la version des navigateurs utilisée. Pour le respect des visiteurs, il est fortement suggéré au concepteur de pages Web d'identifier les conditions de lecture de ses pages. De plus, avant de choisir un langage de programmation pour l'exécution de scripts, le concepteur devra vérifier les compatibilités côté serveur et côté client.Le travail de conception d'un site Web doit reposer sur un projet bien structuré. Dans une grande équipe, le concepteur peut compter sur les compétences diverses d'une équipe multidisciplinaire (programmeur, graphiste, infographiste, etc.) Le travail est plus complexe pour un petit groupe de personnes qui doivent, sans pourtant maîtriser chaque domaine d'expertise, concevoir différents objets à intégrer : la technologie aidant, les principes de conception deviennent de plus en plus complexes (compatibilité des serveurs, diversité des langages de programmation, etc.)

Dix étapes pour la conception et le maintien d'un site Web

- **Première étape de la conception : définition d'objectifs précis**

Public visé, type d'information, navigation et interactivité, etc.
Ces objectifs servent à déterminer le contenu et la maquette graphique des documents. Les objectifs du site permettent également au concepteur d'isoler une liste de termes clés pour indexer son site auprès des moteurs de recherche.

- **Seconde étape : définition du profil technique des visiteurs**

Puissance de l'ordinateur, vitesse de connexion, résolution d'écran, etc.
L'étude du profil du public cible permet d'adapter la performance des éléments intégrés aux équipements types des utilisateurs : objets trop lourds et lents à charger qui décourageraient le visiteur; utilisation abusive des couleurs qui briserait les effets graphiques à cause d'une mauvaise résolution d'écran; dysfonctionnement de certains éléments programmés ou de fonctions HTML exclusives (compatibilité des navigateurs).

- **Troisième étape : élaboration d'un plan du site (ergonomie du site)**

Souvent laissée pour compte, cette étape est pourtant essentielle. Elle permet entre autres d'identifier les éléments (contenus, graphismes, objets programmés, pages transactionnelles) qui devront faire partie du document ainsi que les relations entre eux (liens hypertextes) et vers l'extérieur. Bref, à prévenir les oublis de conception qui risquent, à terme, d'obliger la reconstruction du site.

- **Quatrième étape : organisation de la structure des dossiers**

Cette étape découle naturellement du plan de site. L'organisation des dossiers permet de prévenir les liens morts internes au site et facilite le repérage des éléments intégrés aux pages. Sur ce point, le concepteur aura avantage à consulter le responsable du serveur afin de connaître les dossiers de configuration (extension serveur, dossiers de stockage des scripts CGI, etc.) Cette structure devra être reconstruite en local pendant la conception pour respecter l'intégrité des liens. L'utilisation du Gestionnaire de projet de WebExpert facilite le respect de l'organisation des dossiers et prévient certains problèmes de liens rompus.

> Se référer à la section *Le Gestionnaire de projet* à la page 81.

Cette étape permet également d'établir la nomenclature des noms de fichiers et de dossiers. Se fixer des normes à ce niveau est très important si la conception du site relève de la responsabilité d'une équipe. La normalisation permet effectivement à chaque intervenant d'identifier le type de fichier et, le cas échéant, son utilité.
Pour les noms de fichiers, il faut retenir au moins ces deux principes de base :
- Le fichier qui s'affiche par défaut sur le serveur porte toujours le nom index, suivi de l'extension fichier appropriée (html, asp, php3...)
- Éviter l'utilisation de caractères d'espacement, de caractères majuscules, de symboles ou de caractères accentués : certains serveurs ne reconnaîtront pas le fichier si son nom contient l'un de ces types de caractères.

> Le caractère d'espacement peut être remplacé par le trait de soulignement (cadre_g.html).

- **Cinquième étape : conception des documents**

Création des pages, conception graphique, programmation des éléments programmés et intégration du tout.

- **Sixième étape : vérification et évaluation des documents**

En cours de conception et en fin de travail, les documents doivent être vérifiés, évalués et optimisés : fonctionnement général, validité des liens hypertextes internes et externes, fonctionnement des éléments programmés, temps de chargement des documents et des éléments. Idéalement, le concepteur effectuera ces vérifications avec les navigateurs les plus utilisés pour s'assurer de la compatibilité de ses pages. Le profil technique de ses visiteurs lui permettra de fixer des priorités.

> WebExpert propose plusieurs outils qui permettent de vérifier et d'évaluer les documents. Se référer aux sections suivantes :
> • *Les navigateurs internes* à la page 69 et *Les navigateurs externes* à la page 71.
> • *La vérification des documents* à la page 73.
> • *L'optimisation du document* à la page 180.
> • *La fenêtre des outils* à la page 184.
> • *La vérification des liens en ligne* à la page 196.
> • *L'évaluation des documents* à la page 199.

• **Septième étape : diffusion des documents sur le serveur**
  Mise en ligne des documents ou mise à jour sur le serveur Web. Le concepteur peut utiliser un logiciel FTP pour faciliter le transfert des fichiers.

> Se référer à la section *La diffusion des documents sur un site FTP* à la page 200.

• **Huitième étape : indexation des documents**
  Non! Le travail de conception n'est pas terminé. Les documents sont bien mis en ligne, mais encore faut-il qu'ils soient visités : sinon quelle serait l'utilité de tout ce travail. L'indexation peut se faire manuellement ou à l'aide d'un organisme spécialisé en référencement.

> Se référer à la section *L'indexation du site* à la page 204.

• **Neuvième étape : évaluation de la performance du site**
  Les documents sont conçus, diffusés et référencés. L'objectif est-il atteint? Plusieurs outils permettent d'évaluer la performance du site : nombre de visiteurs, documents les plus visités, documents ayant des problèmes, profil technique des visiteurs.

> Se référer à la section *L'analyse du rendement du site* à la page 206.

• **Dixième étape : mise à jour du site**
  La dernière étape... après laquelle on revient à la case départ.
  Selon le rendement observé à la neuvième étape, le concepteur qui veut un site dynamique doit ajuster le contenu de ses documents pour répondre le mieux possible au besoin de ses visiteurs. De plus, les visiteurs se fatiguent assez vite d'un site qui ne bouge pas, où il n'y a rien de nouveau, d'où la nécessité de mises à jour régulières.

La création d'un document pour le Web

WebExpert propose plusieurs méthodes pour créer un document HTML : à partir d'un document vierge ou à partir d'un des modèles prédéfinis.

Bien que WebExpert soit essentiellement un éditeur HTML, il permet de créer plusieurs types de fichiers, appelant chacun un code de langage différent : XHTML, JavaScript, CSS, WML, XML, Perl, PHP, ASP ou un fichier texte (.txt).

> À la création d'un document spécial, WebExpert insère l'en-tête appropriée. L'éditeur ne propose pas de commandes pour éditer ce type de document.
> Une fois conçu, un document peut être converti en document XHTML (se référer à la procédure *Convertir un document HTML vers le format XHTML* à la page 183) et des scripts peuvent être définis à l'aide des générateurs de scripts (se référer au chapitre 2).

Créer un nouveau document

1 Cliquer sur le bouton **Nouveau** de la barre d'outils **Standard**.

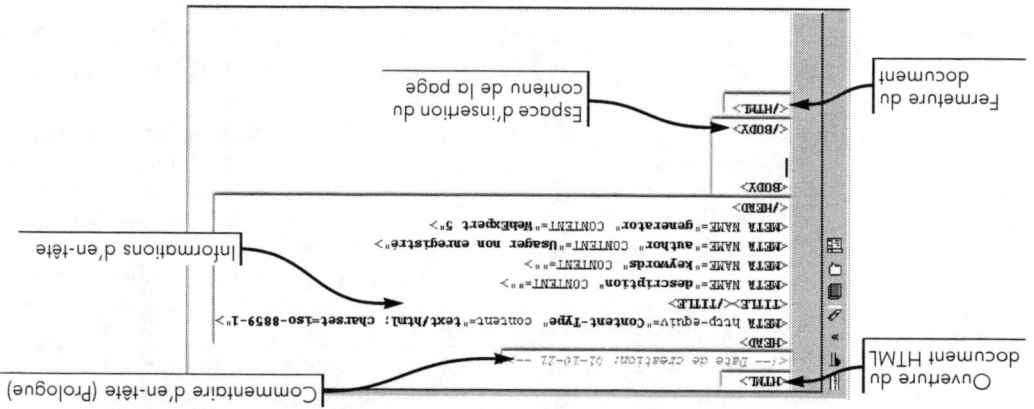

Lorsqu'un contenu est disponible, cette zone affiche un aperçu du document.

Référer à la procédure Définir les formats par défaut des documents à la page 53 pour définir l'en-tête de prologue de chaque type de document que WebExpert permet de créer.

2 Sélectionner le type de document **Document HTML** et cliquer sur le bouton **OK**.

Une feuille d'édition s'affiche avec les premières lignes d'en-tête du document HTML.

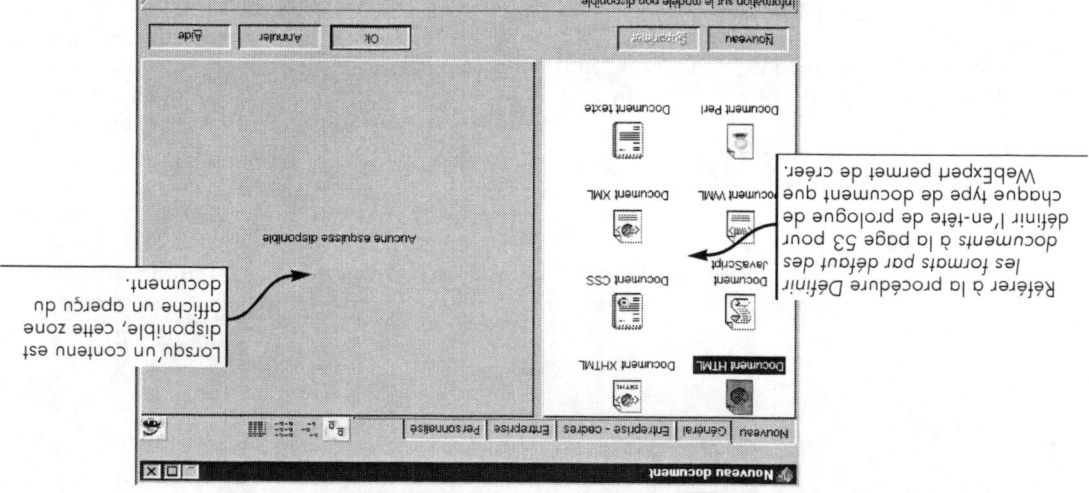

Ouverture du document HTML

Commentaire d'en-tête (Prologue)

Informations d'en-tête

Ouverture du document

Espace d'insertion du contenu de la page

Fermeture du document

L'ouverture d'un document

Plusieurs méthodes permettent l'ouverture d'un document :

- À l'aide de la commande **Ouvrir** du menu ou de la barre d'outils **Standard**.
- À l'aide de la liste des derniers fichiers ouverts disponible en cliquant sur la flèche de la commande **Ouvrir**.
- À l'aide du Gestionnaire de fichiers (se référer à la section *Le Gestionnaire de fichiers* à la page 79).
- À l'aide du Gestionnaire de projet (se référer à la section *Le Gestionnaire de projet* à la page 81).
- À partir d'un serveur FTP (se référer à la section *La diffusion des documents sur un site FTP* à la page 200).
- À partir d'un serveur Web.
- À partir de l'Explorateur Windows, cliquer et glisser le fichier à ouvrir sur la barre à onglets des fichiers ouverts.

Ouvrir un document en local

1 Cliquer sur le bouton **Ouvrir** 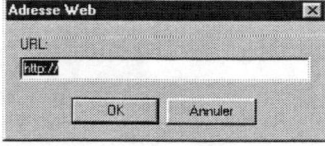 de la barre d'outils **Standard**.

La boîte de dialogue **Ouvrir fichier(s)** apparaît permettant de repérer le document sur le poste de travail.

• Utiliser la flèche du bouton pour afficher la liste des derniers fichiers ouverts.

> Le nombre de fichiers apparaissant dans la liste des derniers fichiers ouverts peut être défini à l'aide de la commande **Outils>Préférences générales** - menu **Editeur**.
> La boîte de dialogue **Ouvrir fichier(s)** et la fenêtre **Gestionnaire de fichiers** proposent les options de recherche communes à certaines applications fonctionnant sous Windows.

Ouvrir un document à partir du Web

1 Dans le menu **Fichier**, exécuter la commande **Ouvrir d'une adresse Web**.

La boîte de dialogue **Adresse Web** apparaît.

2 Dans le champ **URL**, spécifier le chemin d'accès complet de la page à ouvrir.

L'adresse doit respecter la syntaxe habituelle d'une page Web ainsi que le nom du fichier à ouvrir.

La boîte de dialogue **Sauvegarder le fichier** apparaît.

3 Repérer le répertoire de classement et donner un nom au document.

4 Cliquer sur le bouton **Sauvegarder**.

Seul le document sauvegardé est importé. Les liaisons vers les fichiers externes sont toujours présentes dans le document ouvert, par exemple une feuille de style ou un script, toutefois, ces fichiers ne sont pas importés.

Le travail sur plusieurs documents

WebExpert permet de travailler sur plusieurs documents à la fois. L'espace de travail donne un accès rapide à l'un ou l'autre des documents.

Consulter les documents ouverts

1 Cliquer sur l'onglet correspondant au document pour l'afficher.

L'onglet surélevé appartient au document actif, c'est-à-dire celui affiché. Toute modification affectera ce document.
L'icône d'une disquette indique que des modifications ont été apportées au document mais qu'elles n'ont pas été sauvegardées.

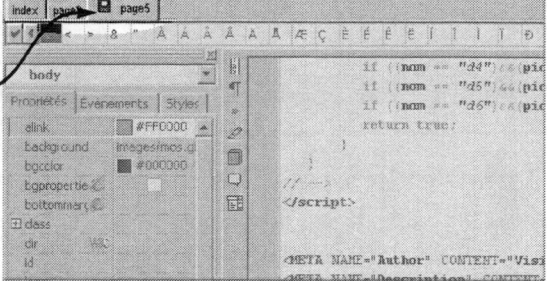

Les principes généraux d'édition du texte

WebExpert utilise les fonctions d'édition de documents communes à la plupart des applications fonctionnant sous Windows. Évidemment, des fonctions spécifiques au traitement des documents HTML sont intégrées aux commandes de l'application.

À l'insertion d'un élément HTML, WebExpert insère les balises nécessaires à la bonne manipulation du code et de ses attributs ou de ses valeurs, c'est-à-dire les balises d'ouverture et de fermeture.

Saisir du texte

1 Insérer la balise à l'aide de la commande appropriée.
   WebExpert insère la ligne de codes HTML.

2 Saisir le texte entre la balise d'ouverture et la balise de fermeture.

```
<font face="arial">Le texte doit être saisi ici</font>
```

Utiliser les fonctions d'édition de texte

La barre d'outils **Édition** donne accès à la plupart des commandes d'édition de texte. Les autres commandes se retrouvent sous le menu **Éditer**.

Bouton	Description
↶ ↷	Annule et rétablit les dernières opérations effectuées dans leur ordre d'exécution.
✂ ⧉ 📋	Commande d'édition standard pour copier ou couper une sélection et la placer temporairement dans le presse-papiers Windows. La sélection peut ultérieurement être récupérée à l'aide du bouton **Coller**. WebExpert ne retient qu'une sélection à la fois. Le contenu du presse-papiers peut être récupéré à l'aide des commandes copier ou couper à partir d'une autre application.
Éditer>Coller comme du HTML	Colle la sélection en considérant la mise en forme HTML des éléments. La mise en forme est convertie en balises HTML.
Éditer>Répéter dernière commande	Exécute à nouveau la dernière commande.
Éditer>Effacer (touche Suppr du clavier)	Efface définitivement la sélection.
Éditer>Sélectionner tout	Sélectionne tout le contenu du document.

L'enregistrement et la fermeture des documents

L'enregistrement et la fermeture des documents peuvent être exécutés sur un document en particulier, sur l'ensemble des documents ouverts ou encore sur les fichiers d'un projet. Comme avec toute application, il est préférable d'enregistrer régulièrement les modifications.

Enregistrer des documents

Plusieurs méthodes permettent l'enregistrement d'un document. Parmi les plus utiles :

1 Cliquer sur le bouton **Sauvegarder** 📄 de la barre d'outils **Standard**, pour enregistrer le document actif.

2 Cliquer sur le bouton **Sauvegarder tous** 📄 de la barre d'outils **Standard**, pour enregistrer tous les documents ouverts.

3 Dans le menu **Fichier**, exécuter la commande **Sauvegarder sous**, pour enregistrer le document actif sous un autre nom.

> WebExpert permet l'enregistrement d'un document directement sur un site FTP pour sa diffusion immédiate (se référer à la section *La diffusion des documents sur un site FTP* à la page 200).
> Pour plus de détails sur la gestion des fichiers appartenant à un projet, se référer à la section *Le Gestionnaire de projet* à la page 81).

Fermer des documents

Deux commandes entraînent la fermeture des documents :

1 Cliquer sur le bouton **Fermer** 🗖 de la barre d'outils **Standard**, pour fermer le document actif.

2 Cliquer sur le bouton **Fermer tous** 🗐 de la barre d'outils **Standard**, pour fermer tous les documents ouverts.

> Si un document est fermé alors que des modifications n'ont pas été sauvegardées, un message de confirmation apparaît.

Définir la sauvegarde automatique des fichiers

1 Dans le menu **Outils**, exécuter la commande **Préférences générales**.

2 Sous le menu **Environnement**, cliquer sur le menu **Fichiers**.

3 Activer la case **Créer une cople de sauvegarde**.

4 Au besoin, modifier l'extension fichier spécifiée dans le champ **Nom de l'extension**.
Il est recommandé de préserver l'extension `.bak`.

5 Dans le champ **Nom du dossier**, spécifier le chemin d'accès complet du répertoire de sauvegarde.

L'impression d'un document

WebExpert permet l'impression des lignes de programmation du document. Pour obtenir l'impression du document tel que vue avec le navigateur, il est nécessaire d'utiliser la commande d'impression de ce dernier.

Pour faciliter le repérage des informations sur le papier, certaines options peuvent être définies, notamment des options de coloration pour l'utilisateur muni d'une imprimante couleur (se référer à la procédure *Définir la couleur des éléments du code sur la feuille d'édition* à la page 17).

Définir les options d'impression

1 Dans le menu **Outils**, exécuter la commande **Préférences sur l'éditeur**.

2 Afficher le contenu de l'onglet **Options**.

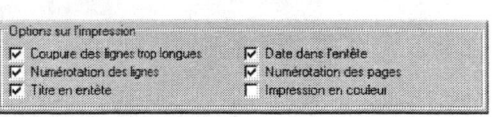

3 Dans la zone **Options sur l'impression**, activer les options appropriées.
Si l'option est activée :
- **Coupure des lignes trop longues** : force un saut de ligne lorsque celle-ci dépasse la marge d'impression.
Une seule numérotation est donnée à cette ligne.
- **Numérotation des lignes** : numérote chaque ligne de programmation du document, incluant les lignes vides et les lignes de commentaires.
Les lignes portent la même numérotation que celle apparaissant sur la barre des marges.
- **Titre en entête** : crée un en-tête au document contenant le chemin d'accès complet au document.
Ne pas confondre ce titre avec le titre contenu dans l'en-tête META du document (se référer à la section *L'en-tête des documents* à la page 53).
- **Date dans l'entête** : crée un en-tête au document contenant la date d'impression.
- **Numérotation des pages** : génère une numérotation des pages imprimées.
- **Impression en couleur** : permet l'impression des couleurs tel que définies dans les options de coloration des Préférences sur l'éditeur.

Imprimer un document

1 Dans le menu **Fichier**, exécuter la commande **Imprimer**.

• L'option **Imprimer le bloc sélectionné** est active si une sélection est faite dans le document.

2 Activer les cases à cocher correspondant aux options d'impression voulues.

Se référer à la procédure précédente pour définir la couleur des codes. Celles choisies dans la boîte de dialogue **Imprimer** ne seront retenues que pour l'impression actuelle.

3 Cliquer sur le bouton **Configuration** pour afficher la boîte de dialogue d'impression de l'imprimante configurée.

4 Cliquer sur le bouton **OK** pour lancer l'impression.

Les propriétés des documents

Les propriétés de la page Web sont définies par les attributs de l'élément body. Les attributs qui s'appliquent directement à la page (arrière-plan, couleur du texte, etc.) doivent être saisis à l'intérieur de la balise d'ouverture <body>. On peut entre autres définir une image ou une couleur d'arrière-plan, les couleurs de la police de caractères par défaut ou un arrière-plan sonore.

Définir les propriétés de la page

1 Cliquer sur le bouton **Corps du document** de l'onglet **Spécialisés**.
La boîte de dialogue suivante apparaît.

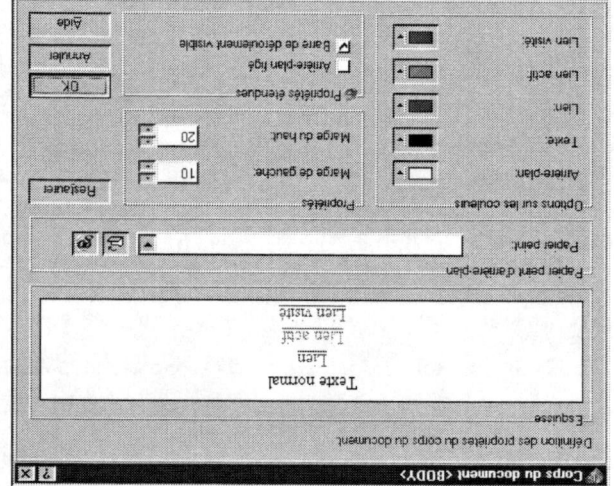

2 Pour insérer une image d'arrière-plan, saisir l'adresse relative du fichier dans la zone **Papier peint**.

• Utiliser le bouton **Ouvrir fichier** pour parcourir les répertoires du poste de travail.

• Utilise le bouton **GoGraph** pour rechercher une image sur le Web à l'aide du moteur de recherche GoGraph.

3 Dans la zone **Options sur les couleurs**, choisir les couleurs par défaut de la page pour les options correspondantes.

• **Arrière plan** : couleur d'arrière-plan de la page (bgcolor).
Si une image d'arrière-plan est définie, la couleur se trouve en arrière-plan et n'est pas visible.

<body background="images/b_accueil.gif">

• **Texte** : couleur par défaut du texte de la page (text).

• **Lien** : couleur des liens hypertextes visibles (link).

• **Lien actif** : couleur des liens hypertextes sur le clic de la souris (vlink).

• **Lien visité** : couleur des liens hypertextes une fois qu'ils ont été visités (alink).

4 Dans la zone **Propriétés**, définir les marges du haut et du côté gauche de la fenêtre.

La taille doit être définie en pixels.

La marge entre le bord de l'écran et le contenu des documents ne peut être définie que sur le haut et la gauche : la marge de droite s'ajuste automatiquement à la résolution d'écran (sauf s'il s'agit d'un tableau de largeur fixe); la marge du bas est considérée comme nulle puisque la barre de défilement permet de consulter tout le contenu (à moins qu'il ne s'agisse d'un cadre sans barre de défilement visible, dans quel cas le contenu masqué reste inaccessible).

```
<body leftmargin="5" marginwidth="5" topmargin="5" marginheight="5">
```

5 Dans la zone **Propriétés étendues**, choisir les options voulues.
- **Arrière-plan figé** : empêche l'image d'arrière-plan de défiler avec le contenu (bgproperties).
- **Barre de défilement visible** : empêche l'affichage de la barre de défilement (scroll).

Si cette option est choisie et que le texte dépasse l'espace disponible à l'affichage, le texte sera masqué définitivement.

Ces deux dernières options ne sont pas compatibles avec le navigateur Netscape.

6 Cliquer sur le bouton **OK** lorsque terminé.

Une ligne de commandes similaire à celle-ci est insérée dans l'en-tête du document :

```
<body bgcolor="#800080" text="#000000" link="#c0c0c0"
vlink="#800080" alink="#ff0000" bgproperties="fixed" scroll="no"
leftmargin="5" marginwidth="5" topmargin="5" marginheight="5">
```

L'en-tête des documents

À chaque création de document, WebExpert demande le type de document à créer. Cette commande permet de générer automatiquement l'en-tête du document qui permet, selon le type de script ou de langage utilisé, au logiciel client ou au logiciel serveur de reconnaître le langage de scripting du document et de l'interpréter correctement.

WebExpert permet de définir une en-tête pro-format selon le type de document.

Définir les formats par défaut des documents

1 Dans le menu **Outils**, exécuter la commande **Préférences générales**.

2 Exécuter la commande **Format du document** sous le menu **Editeur**.

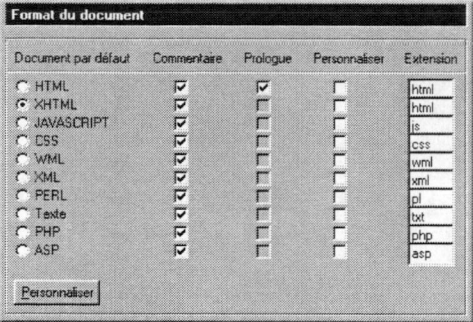

La boîte de dialogue affiche la liste des documents qui peuvent être créés par WebExpert. Pour chacun d'eux, il est possible d'utiliser les valeurs prédéfinies ou de les personnaliser.

3 Activer l'option du document à définir.

Tous les types de document peuvent être définis. À la création d'un document, à l'aide de la commande **Fichier>Nouveau**, WebExpert utilise l'en-tête personnalisée ici.

4 Activer la case correspondant au type d'information à inclure automatiquement à la création de ce type de document.
- **Commentaire** : insère un commentaire au début du document.

Pour un document HTML, WebExpert inclut la date de création du document :

```
<!-- Date de création: 01-10-23 -->
```

Pour un document XHTML, le commentaire identifie les versions de langage de référence, le type d'encodage, l'URL de base d'interprétation du code, etc. :

```
<?XML version="1.0" encoding="iso-8859-1"?>
<!DOCTYPE html PUBLIC "-//W3C//DTD XHTML 1.1//EN"
"http://www.w3.org/TR/xhtml11/DTD/xhtml11.dtd">
<html xmlns="http://www.w3.org/1999/xhtml">
```

• **Prologue** : insère la référence du langage utilisé pour concevoir le document.
Le prologue n'est disponible que pour le document HTML.

```
<!DOCTYPE HTML PUBLIC "-//W3C//DTD HTML 4.0//EN">
```

• **Personnaliser** : permet d'adapter le commentaire ou le prologue.
Cliquer ensuite sur le bouton **Personnaliser**.
La boîte de dialogue **Personnaliser: [type de document]** apparaît.

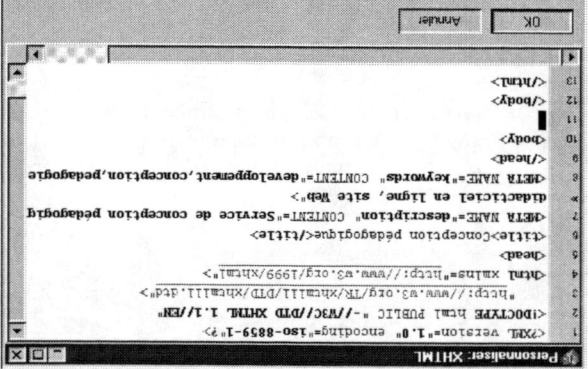

5 Modifier les informations de l'en-tête en insérant les lignes de commande appropriées.

6 Cliquer sur le bouton **OK** pour revenir aux préférences générales.

Pour les documents HTML, XHTML, PHP et ASP, WebExpert génère automatiquement certaines informations d'en-tête. Il suffit de compléter les informations de l'élément META :

```
<HEAD>
<META http-equiv="Content-Type" content="text/html; charset=iso-8859-1">
<TITLE></TITLE>
<META NAME="description" CONTENT="">
<META NAME="keywords" CONTENT="">
<META NAME="author" CONTENT="Usager non enregistré">
<META NAME="generator" CONTENT="WebExpert 5">
</HEAD>
```

Pour les documents CSS, WebExpert identifie le type d'encodage utilisé; pour les documents XML et WML, la version du langage et le type d'encodage; pour les documents Perl et JavaScript, l'annonce du langage pour permettre l'interprétation par les serveurs et les navigateurs.

La définition de l'en-tête d'une page

L'en-tête de la page est constitué des lignes de codes incluses entre les balises HTML <head> et </head>. Il s'agit d'informations sur le document : le titre de la page (affiché sur la barre de titre du navigateur), l'identification des fichiers (l'auteur, le logiciel d'édition, etc.), les mots-clés utilisés par les engins de recherche (descriptions de la page, mots-clés, etc.)

La commande **Tête du document** permet d'intégrer au document HTML d'autres informations d'en-tête <meta> qui doivent être utilisées par l'ensemble de la page, par exemple des informations supplémentaires d'en-tête, la direction automatique vers une autre page, un lien de relation, ou un URL de base pour le document.

> Se référer à la section *La structure d'un document HTML* à la page 25 pour plus d'information sur l'en-tête et la structure d'un document HTML.

Définir les propriétés de l'en-tête du document

1 Cliquer sur le bouton **Propriétés de la tête du document** 📰 de l'onglet **Spécialisés**.
   La boîte de dialogue suivante apparaît.

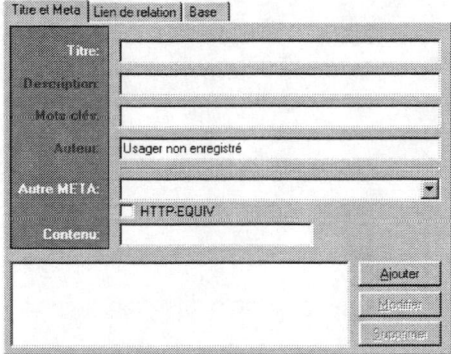

2 Saisir les informations appropriées dans les quatre premiers champs de saisie.
   Le texte saisi sur chaque ligne peut dépasser l'espace visible. Utiliser les flèches du clavier pour afficher tout le contenu. Utiliser la virgule (,) pour séparer les mots et les informations.
   Ces informations sont utilisées par les engins de recherche pour indexer les sites Web.

3 Pour ajouter d'autres balises META dans l'entête, dérouler la liste du champ **Autre META** et sélectionner la balise voulue.
   Selon que la case **HTTP-EQUIV** soit active ou non, la liste du champ **Autre META** est différente :
   Lorsqu'inactive, les attributs Author, Description, Keywords et Reply-to sont disponibles. Les trois premiers correspondent aux champs de l'onglet **Titre et Meta**; Reply-to permet de définir une URL par défaut pour acheminer les réponses, par exemple d'un formulaire. Les autres attributs sont utilisés par les moteurs et robots de recherche.
   Lorsqu'active, les attributs expires, ext-Cache, pics-label, refresh sont disponibles. Ces attributs sont utilisés dans les documents dynamiques pour retrouver et spécifier des informations côté client et côté serveur.
   • Pour chaque ajout, choisir l'attribut en le sélectionnant dans la lise **Autre META**.
   • Spécifier la valeur de l'attribut dans le champ de saisie **Contenu**.
   • Cliquer sur le bouton **Ajouter** pour l'ajouter dans la liste.
   Un attribut peut être modifié en cliquant sur le bouton **Modifier** une fois qu'il a été sélectionné. Utiliser la zone **Contenu** pour effectuer les modifications.
   Un attribut peut être supprimé en cliquant sur le bouton **Supprimer** sur l'attribut sélectionné.

4 Effectuer les modifications sur les autres onglets ou cliquer sur le bouton **OK** pour fermer la boîte de dialogue.

Des lignes de code similaires aux suivantes sont insérées dans l'en-tête du document.

```
<head>
<title>Liste des activités</title>
<meta name="description" content="Liste des activités disponibles à
notre centre">
<meta name="keywords" content="Badminton, Soccer, Peinture, Photo">
<meta name="author" content="Les productions ABC">
<meta name="generator" content="WebExpert 5">
</head>
```

Définir un lien de relation vers un fichier

1 Cliquer sur le bouton **Propriétés de la tête du document** de l'onglet **Spécialisés**.

2 Afficher le contenu de l'onglet **Lien de relation**.

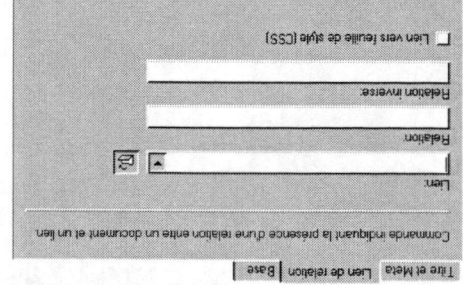

| Titre et Meta | Lien de relation | Base |

Commande indiquant la présence d'une relation entre un document et un lien.

Lien:

Relation

Relation inverse:

Lien vers feuille de style (CSS)

3 Dans la zone **Lien**, cliquer sur le bouton **Ouvrir fichier(s)** pour créer un lien vers un autre document du site.

• Pour effectuer une liaison vers un site sur le Web, saisir l'URL correspondante dans le champ de saisie.

http://www.domaine.com

• Pour effectuer une liaison vers une feuille de style, activer la case **Lien vers feuille de style (CSS)**.

Les autres champs de la boîte de dialogue disparaissent.

(Se référer au chapitre 10 pour plus de détails sur la gestion des feuilles de style externes).

4 Compléter les types de relation dans les autres champs.

5 Cliquer sur le bouton **OK**.

Un message avertissant que la ligne de commandes doit être insérée dans l'en-tête du document apparaît.

• Cliquer sur le bouton **Oui**.

Une ligne de commandes similaire à celle-ci est insérée dans l'en-tête du document :

```
<LINK HREF="../../site_web/page/information.html">
```

Définir une URL de base au document HTML

1 Cliquer sur le bouton **Propriétés de la tête du document** 🖹 de l'onglet **Spécialisés**

2 Afficher le contenu de l'onglet **Base**.

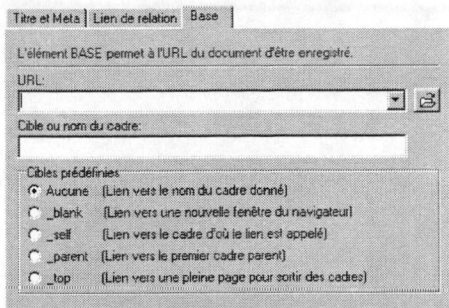

3 Dans la zone **URL**, cliquer sur le bouton **Ouvrir fichier(s)** 🖻 pour faire un lien vers un autre document du site.

• Pour effectuer une liaison vers un site sur le Web, saisir l'URL correspondante dans le champ de saisie.

4 Dans la zone **Cible ou nom du cadre**, identifier le cadre de destination ou sélectionner l'une des cibles prédéfinies.

Se référer au chapitre 9pour plus d'informations sur les pages à cadres.

5 Cliquer sur le bouton **OK**.

Un message avertissant que la ligne de commandes doit être insérée dans l'en-tête du document apparaît.

• Cliquer sur le bouton **Oui**.

```
<BASE HREF="../../index.htm" TARGET="_top">
```

Les propriétés du texte

La mise en forme du texte peut se faire rapidement à l'aide des boutons de l'onglet **Communs**. Pour accéder à toutes les commandes de mises en forme des caractères, la boîte de dialogue **Police** est plus utile.

Les commandes de création des listes, pratiques pour la mise en forme des paragraphes, sont disponibles sur l'onglet **Tableaux, cadres et listes**.

> Les feuilles de style en cascade offrent une alternative intéressante à la mise en forme du texte et des paragraphes (se référer au chapitre 10).
> Pour connaître les éléments HTML les plus utilisés lors de la définition des propriétés du texte et des paragraphes, se référer à la section *Les éléments des propriétés des caractères* à la page 67.

La mise en forme de caractères

Modifier la taille de la police de caractères

1 Cliquer sur la flèche du bouton **Police** 🇫 ▪ de l'onglet **Communs** pour afficher la liste des tailles de police.

2 Dans la liste, sélectionner le niveau d'augmentation ou de réduction de la taille de la police.

La modification de la taille s'effectue proportionnellement à la taille définie sur le texte. Chaque niveau correspond à environ 1 pixel.

3 Saisir le texte au point d'insertion, c'est-à-dire entre les balises d'ouverture et de fermeture.

```
<font size=+4>Une journée à la campagne</font>
```

Modifier l'apparence du texte

1 Sur l'onglet **Communs**, cliquer sur le bouton correspondant à l'apparence voulue.

G Caractères gras <b></b>.   **I** Caractères italiques <i></i>.

S Caractères soulignés <u></u>.

Modifier la couleur du texte

1 Cliquer sur le bouton **Couleur** de l'onglet **Communs**.

La boîte de dialogue **Sélectionner une couleur** apparaît.

2 Appliquer la couleur voulue selon les procédures décrites à la section L'utilisation des couleurs à la page 63.

Modifier les attributs du texte

1 Cliquer sur le bouton **Police** de l'onglet **Communs**.

La boîte de dialogue **Police** apparaît.

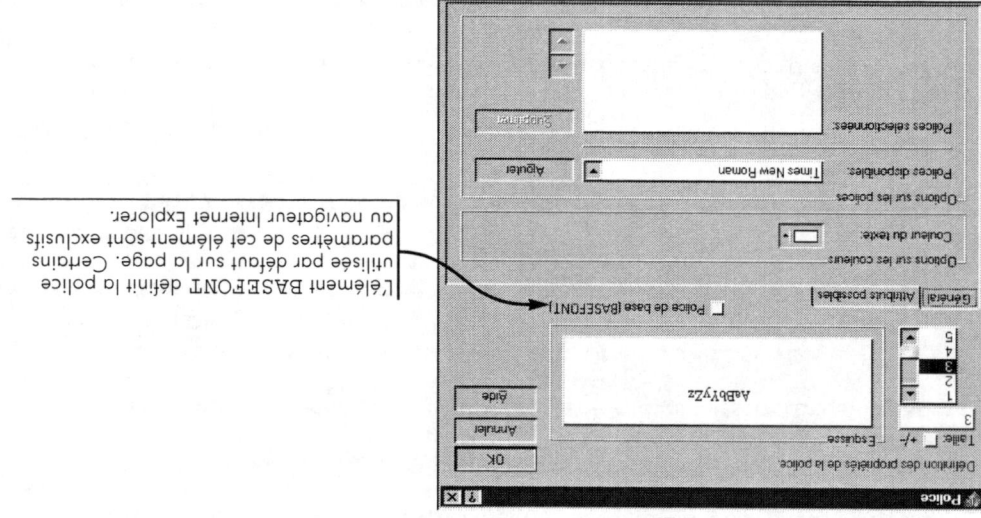

L'élément BASEFONT définit la police utilisée par défaut sur la page. Certains paramètres de cet élément sont exclusifs au navigateur Internet Explorer.

2 Dans la zone **Taille**, préciser la taille de la police de caractères.

3 Dans la zone **Options sur les couleurs**, préciser la couleur du texte.

4 Dans la zone **Options sur les polices**, choisir la police de caractères et cliquer sur le bouton **Ajouter** pour la faire apparaître dans la zone **Polices sélectionnées**.

Une police n'apparaissant pas sur cette liste ne sera pas incluse dans la balise <FONT> sur la feuille d'édition.

5 Cliquer sur le bouton **OK** pour revenir à la feuille d'édition.

Une ligne de commandes similaire à celle-ci est insérée dans le document :

<font face="tahoma" size=5 color="#ff0000"></font>

Sur la feuille d'édition, saisir le texte entre les balises d'ouverture et de fermeture :

<font face="tahoma" size=5 color="#ff0000">Une journée à la campagne</font>

Les polices de substitution

L'interprétation des polices de caractères sur une page écran dépend des polices de caractères installées sur le poste de travail. Si aucun paramètre particulier n'est défini et qu'une police n'est pas trouvée sur le système, le navigateur tente de trouver l'équivalent le plus proche pour permettre l'affichage de la page; ce qu'on appelle une police de substitution. Les résultats ne sont pas toujours très heureux.

Définir une police de substitution permet de garder un certain contrôle sur la mise en forme de la page, c'est-à-dire sur sa présentation. Il est possible d'utiliser autant de polices de substitution que nécessaire.

La police de caractères utilisée par défaut par le code HTML est le *Times New Roman*, universelle à *PC* et *MacIntosh* (ce dernier utilisant *Times*). On verra souvent des pages Web conçues avec la police *Arial* pour éviter l'utilisation de caractères à empattement, jugés par certains difficile à lire. Si un poste de travail ne dispose pas de cette police, comme à l'occasion les MacIntosh, c'est le navigateur lui-même qui décidera de la police de substitution, par exemple, il utilisera le *Helvetica* pour le MacIntosh. Pour cette raison, il est préférable que le concepteur choisisse sa police de substitution.

> De plus en plus, les développeurs Web utilisent la police *Verdana* pour le développement. Cette police est effectivement considérée comme standard universel, tant pour les technologies PC que MacIntosh.
> Il n'est pas recommandé d'utiliser des polices de caractères stylisées pour la conception d'une page Web, par exemple les polices de caractères attachées à une application graphique. Rares sont les postes de travail sur lesquels ces polices sont installées.

Définir des polices de substitution

1 Cliquer sur le bouton **Police** **F** ▾ de l'onglet **Communs**.
   La boîte de dialogue **Police** apparaît.
2 Choisir la police de caractères principale et l'ajouter à la liste **Polices sélectionnées** en cliquant sur le bouton **Ajouter**.
   La première police sélectionnée devient la police de caractères principale du document.
   Au besoin se référer à la procédure précédente.
3 Choisir une seconde police de caractères et l'ajouter à la liste **Polices sélectionnées**.
   Chaque police de caractères ajoutée est utilisée comme police de substitution.
   Une ligne de commandes similaire à celle-ci est insérée dans le document.

```
<FONT FACE="Arial, Helvetica">texte</font>
```

Le nom des polices sélectionnées est séparé par des virgules. L'ordre d'insertion réflète l'ordre dans lequel le concepteur veut que le navigateur effectue la recherche de police sur le poste hôte.

Attribuer un effet spécial à du texte

1 Afficher la boîte de dialogue **Police**.
2 Afficher le contenu de l'onglet **Attributs possibles**

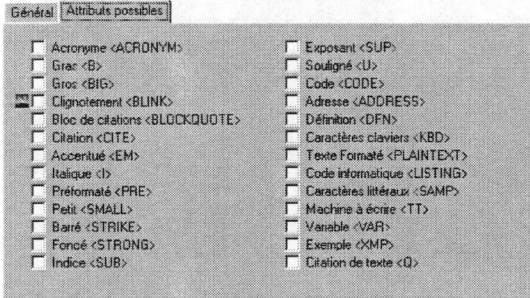

3 Choisir les effets voulus en cochant la case correspondante.

Dans le cas d'un clignotement, une ligne de commandes similaire à celle-ci est insérée dans le document :

```
<font face="arial"><blink>texte</blink></font>
```

Les effets spéciaux sur des caractères ne sont pas lus par tous les navigateurs. Lorsque nécessaire, WebExpert identifie la compatibilité des codes.
Dans la boîte de dialogue, WebExpert identifie la balise HTML utilisée pour chaque effet de caractères.

Modifier les propriétés du texte

1 Sélectionner le texte à modifier.

2 Cliquer sur le bouton correspondant à la mise en forme à appliquer.

WebExpert encadre le texte sélectionné des balises HTML correspondantes.

• Pour modifier les propriétés d'un élément déjà défini, on peut également utiliser la commande **Propriétés de la balise** du menu contextuel actionné sur cet élément.

Les propriétés des paragraphes

Les commandes de mise en forme des paragraphes sont disponibles sur l'onglet **Communs** de la feuille d'édition; les styles de liste sont disponibles sur l'onglet **Tableaux, cadres et listes.**

Les feuilles de style en cascade offre une alternative intéressante pour la mise en forme du texte et des paragraphes (se référer au chapitre 10).

La disposition du texte

Forcer un saut de paragraphe ou un saut de ligne

1 Positionner le point d'insertion à l'endroit où le paragraphe doit être coupé.

2 Sur l'onglet **Communs**, cliquer sur le bouton correspondant au type de coupure à faire.

Saut de ligne. Aucun espacement avant le paragraphe n'est calculé <br>.

Saut de paragraphe. Par défaut, le code HTML calcule un espacement avant le paragraphe de la hauteur d'une ligne vide <p></p>.

Force le texte à rester sur la même ligne en empêchant les sauts de ligne automatiques. Un texte masqué entraîne l'apparition d'une barre de défilement horizontale <nobr>.

La flèche donne accès à une liste de types de sauts de paragraphe ou de sauts de ligne qui définissent la disposition du prochain paragraphe sur la page. La balise correspondante est <p align="center">.

Pour forcer un retour à la ligne, il est nécessaire d'utiliser les balises HTML. Un saut de ligne inséré directement sur la feuille en édition (à l'aide de la touche Retour du clavier) ne sera pas interprété par le navigateur; l'utilisation d'un élément HTML est nécessaire. La balise correspondante est <br>.

Le bouton **Empêcher un saut de ligne** peut être ajouté sur l'onglet **Communs** (se référer à la procédure *Ajouter un bouton sur une barre d'outils* à la page 12).

Modifier l'alignement des paragraphes

1 Sur l'onglet **Communs**, cliquer sur le bouton correspondant à l'alignement voulu :

Centre le texte `<DIV ALIGN="center"></DIV>`.

Ajuste le texte à droite `<DIV ALIGN="right"></DIV>`.

Ajuste le texte à gauche `<DIV ALIGN="left"></DIV>`.

Justifie le texte. Cette commande utilise un style intraligne. `<DIV STYLE="text-align:justify;">`.

Entraîne une mise en retrait du texte (à gauche et à droite) `<BLOCKQUOTE></BLOCKQUOTE>`. Plusieurs éléments `BLOCKQUOTE` peuvent être insérés côte-à-côte pour forcer un retrait plus grand.

Pour tous les éléments de ce type, l'alignement s'effectue en fonction de l'espace disponible dans l'affichage du navigateur.

2 Saisir le texte au point d'insertion, c'est-à-dire entre les balises d'ouverture et de fermeture. Par exemple :

```
<div align="center">Saisir le texte ici</div>
```

Pour forcer la disposition du prochain paragraphe ou de la prochaine ligne, la liste des commandes associées aux boutons **Paragraphe** ¶ ▾ et **Nouvelle ligne** ⏎ ▾ peut aussi être utilisée. Les balises HTML correspondantes sont :
```
<p align="center"> </p>        <br clear="left">
```

La mise en forme de paragraphes

Appliquer un style de titre aux paragraphes

Le code HTML prévoit six niveaux de titre dont les éléments sont : h1, h2, h3, h4, h5, h6.

1 Cliquer sur le bouton **Style de titre** ▦ ▾ de l'onglet **Communs**.
La liste des styles de titre prédéfinis apparaît.

2 Choisir le niveau de titre approprié.

```
<H1>Premier niveau de titre</H1>
```

L'utilisation des styles de liste

Les styles de type **Liste** rendent possible l'organisation hiérarchisée, ou non, d'une énumération. Le code HTML prévoit plusieurs types de liste. Les commandes de création de liste se retrouvent sur l'onglet **Tableaux, cadres et listes** de la barres à onglets. L'apparence et le style de la numérotation et des puces peuvent être modifiés lors de la création de la liste.

▤	**Liste ordonnée**	1. Premier texte
		2. Second texte
		3. Troisième texte
			`<OL>`
			`<LI>Premier texte</LI>`
			`<LI>Second texte</LI>`
			`<LI>Troisième texte</LI>`
			`</OL>`

▤	**Liste non ordonnée**	• Premier texte
		• Second texte
		• Troisième texte
			`<UL>`
			`<LI>Premier texte</LI>`
			`<LI>Second texte</LI>`
			`<LI>Troisième texte</LI>`
			`</UL>`

▤	**Définition de liste**	Premier texte
		    Définition 1
		Second texte
		    Définition 2
			`<DL>`
			`<DT>Premier texte</DT><DD>Définition 1</DD>`
			`<DT>Second texte</DT><DD>Définition 2</DD>`
			`</DL>`

Créer une liste avec du texte déjà saisi

1 Sélectionner les lignes de texte à formater en liste.
2 Sur l'onglet **Tableaux, cadres et listes**, cliquer sur le bouton correspondant au type de liste à générer .

Les lignes de texte préalablement sélectionnées sont aussitôt converties.

Pour une liste numérotée, des lignes de commandes similaires à celles-ci sont insérées dans le document :

```
<OL>
<LI>élément de la liste</LI>
<LI>élément de la liste</LI>
<LI>élément de la liste</LI>
</OL>
```

Créer une liste avec la boîte de dialogue

1 Afficher l'onglet **Tableaux, cadres et listes** de la feuille d'édition.
2 Cliquer sur le bouton correspondant au type de liste à générer .

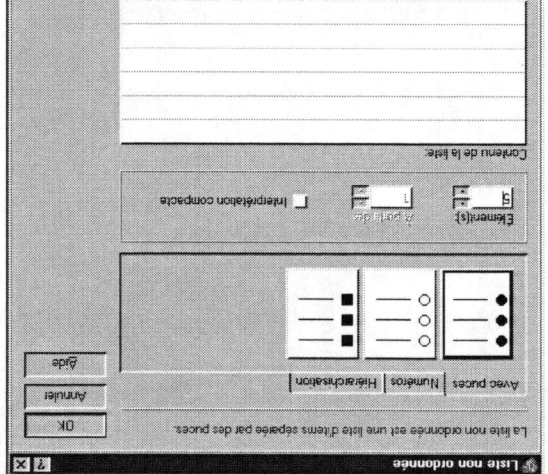

• Au besoin, afficher le contenu de l'onglet approprié pour choisir un autre type de liste.
3 Dans la zone **Élément(s)**, indiquer le nombre d'items contenus dans la liste.
• S'il s'agit d'une liste numérotée, indiquer le numéro de départ.

La zone **Contenu de la liste** affiche autant de lignes que d'éléments précisés. Au besoin, une barre de défilement apparaît permettant de consulter le contenu.

4 Cliquer sur la ligne à compléter dans la zone **Contenu de la liste** et saisir les lignes d'information.
5 Appuyer sur la touche **Tab** du clavier pour passer à la ligne suivante.
6 Cliquer sur le bouton **OK** pour revenir à la feuille d'édition.

Pour une liste à puces, des lignes de commandes similaires à celles-ci sont insérées dans le document :

```
<ul type-disc>
<li>Curriculum vitae</li>
<li>Informations générales</li>
<li>Porte-Folio</li>
<li>Formation universitaire et professionnelle</li>
<li>Passe-temps</li>
</ul>
```

Convertir un style de liste

1 Sélectionner l'ensemble des données de la liste en prenant bien soin d'inclure les balises d'ouverture et de fermeture dans la sélection.

```
12  <UL TYPE="disc">
13      <LI>Curriculum vitae</LI>
14      <LI>Informations générales</LI>
15      <LI>Porte-folio</LI>
16      <LI>formation universitaire et professionnelle</LI>
17      <LI>Passe-temps</LI>
18  </UL>
19
```

2 Cliquer sur le bouton correspondant au nouveau type de liste ▤ ▤ ▤ .

3 Dans la boîte de dialogue **Liste**, cliquer sur l'onglet correspondant au type de liste à utiliser.

4 Définir les propriétés de la liste et cliquer sur le bouton **OK**.

Modifier une liste

1 Pour ajouter un item dans une liste, se positionner à l'intérieur des balises du niveau de bloc <UL>, <OL> ou <DL> :
  • saisir manuellement la balise <li> en début de ligne et la faire suivre du contenu textuel de l'item.
  • ajouter la balise de fermeture à la fin de la ligne </li>.

2 Pour supprimer un item de la liste :
  • supprimer manuellement la ligne contenant la balise <li> en incluant la balise de fermeture </li>.

3 Pour modifier un item à l'aide de la boîte de dialogue :
  • exécuter la commande **Propriétés de la balise** du menu contextuel obtenu sur la balise d'ouverture.

L'utilisation des couleurs

L'aspect le plus complexe de la conception d'une page Web est sans doute la compatibilité des codes de programmation avec les différents navigateurs et les ordinateurs sur lesquels ils s'exécutent. Les résolutions et les configurations d'écran peuvent altérer de manière importante la mise en forme et les couleurs définies sur une page Web. Dans la mesure où le produit fini est destiné à un grand public, disposant d'équipements hétéroclites, l'éthique en matière de conception de pages écran veut que le concepteur s'inspire des standards reconnus par les plus grands organismes.

Lorsque les couleurs sont destinées à être présentées à l'écran, on utilise les valeurs RGB (acronyme de *Red*, *Green*, *Blue*). La valeur hexadécimale de la couleur est l'expression du triplet RGB à la base du processus de mélange de couleurs, par l'intégration plus ou moins forte des nuances de rouge, vert et bleu. Chaque valeur doit nécessairement être comprise entre 0 et 255 : 0 étant d'intensité nulle - blanc - et 255, d'intensité maximale - noir).

Les valeurs hexadécimales sont généralement introduites dans la balise HTML par le signe dièse (#) et suivies des six chiffres qui indiquent l'intensité des couleurs (#000000). Le code RGB peut aussi à l'occasion s'inscrire ainsi : rgb (102,102,153).

Pour répondre aux diverses contraintes sur l'utilisation des couleurs, WebExpert propose trois palettes de couleurs qui répondent à ces exigences. La possibilité d'effectuer des mélanges personnalisés permet toutefois de dépasser les contraintes imposées par ces palettes.

Palette	Standard respecté
16 couleurs (W3C)	Couleurs normalisées par l'organisme W3C.
140 couleurs	Couleurs standard Windows.
216 couleurs	Couleurs pouvant être interprétées par les résolutions d'écran à 256 couleurs sans trop de risque d'altération.

La couleur peut être définie sur tous les objets d'une page Web : l'arrière-plan de la page, un tableau, les cellules ou les bordures d'un tableau, les polices de caractères, etc.

Sélectionner une couleur

Lorsque la modification des couleurs est possible, les boîtes de dialogue affichent un bouton qui donne accès à la palette de couleurs.

1 Cliquer sur le bouton **Couleur** 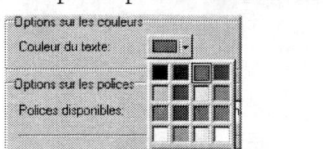.
Une petite palette de couleur apparaît.

2 Sélectionner la couleur voulue si elle fait partie de la palette.

• Cliquer sur le bouton **Autres** pour accéder à une palette plus grande.

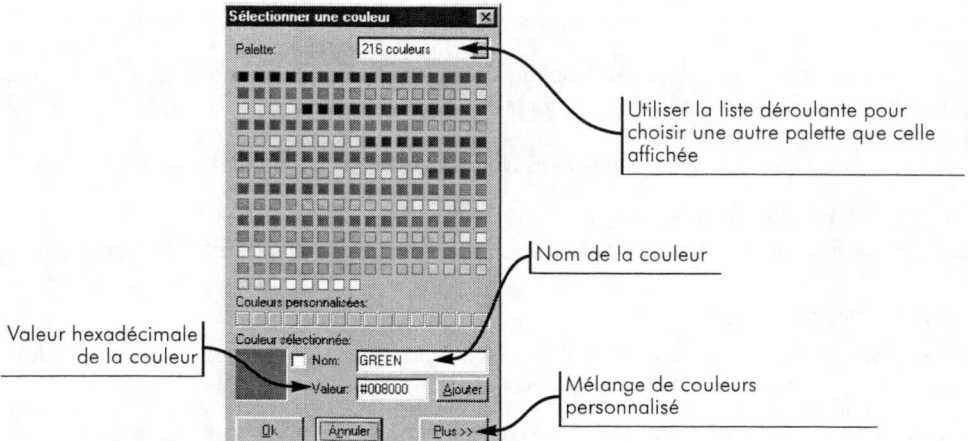

Utiliser la liste déroulante pour choisir une autre palette que celle affichée

Nom de la couleur

Valeur hexadécimale de la couleur

Mélange de couleurs personnalisé

3 Dans la boîte de dialogue **Sélectionner une couleur**, utiliser la liste déroulante pour choisir une autre palette que celle affichée.
La zone des échantillons de couleurs s'ajuste selon la palette choisie.

4 Choisir la couleur en cliquant sur la case correspondante.
Le nom et la valeur hexadécimale de la couleur apparaissent dans les zones inférieures de la palette.

5 Cliquer sur le bouton **OK** pour revenir à la feuille d'édition.

Effectuer un mélange de couleurs particulier

1 Afficher la palette de couleurs.
2 Cliquer sur le bouton **Plus** pour afficher la palette de mélanges personnalisés.
   La palette de couleurs s'agrandit.

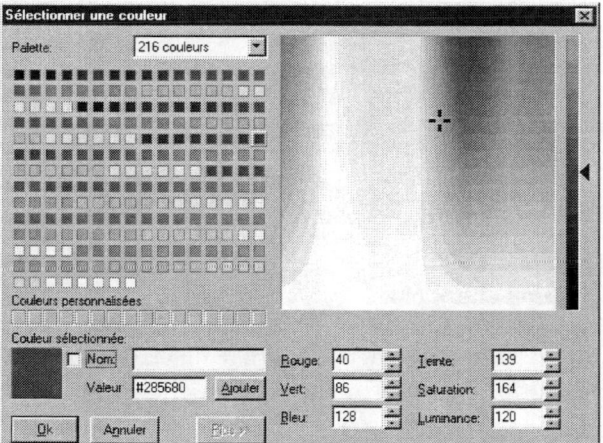

3 Sur la palette de couleurs, glisser le pointeur -¦- jusqu'à la teinte voulue.
4 Sur l'échelle des teintes, glisser la flèche ◀ jusqu'à l'intensité voulue.
   Il est possible de saisir directement les coordonnées RGB de la couleur dans les champs correspondants.
5 Cliquer sur le bouton **Ajouter** pour ajouter la nouvelle couleur à la palette principale.
6 Cliquer sur le bouton **OK** pour revenir à la feuille d'édition.

L'utilisation des commentaires

La conception et la réalisation d'une page Web peut vite devenir une tâche fastidieuse pour le concepteur. Il s'agit souvent de l'accumulation de nombreux détails dont plusieurs peuvent facilement être oubliés.

La possibilité d'insérer des commentaires à divers endroits d'une page peut être très utile. Ces derniers sont essentiellement destinés au concepteur et ne sont pas affichés par les navigateurs.

Insérer un commentaire

1 Cliquer sur le bouton **Commentaire** 💬 de la barre d'outils de l'onglet **Communs**.
   WebExpert insère un espace permettant de noter une information.

```
<!-- texte du commentaire ici -->
```

Si le texte à inclure en commentaire est déjà saisi, le sélectionner avant de cliquer sur le bouton **Commentaire**. Il sera automatiquement inclu dans la balise <\-- -->.

L'importation d'un fichier

Le contenu d'un site Web provient souvent de textes déjà créés. La possibilité d'importation évite la réécriture d'un texte déjà produit avec une autre application. Le format d'importation le plus performant est le RTF (*Rich Text Format*), car il permet de préserver la mise en forme du texte (caractères, alignements, tableaux, etc.)

WebExpert permet également d'utiliser du texte placé dans le presse-papiers de Windows et de le récupérer en convertissant sa mise en forme en balises HTML, incluant ses propriétés et ses attributs.

> WebExpert autorise l'importation de fichiers en texte brut (portant l'extension .txt) ou HTML. La plupart des applications permettent l'enregistrement des documents en format .txt, ou .rtf, et de plus en plus en .html.

Importer un fichier

1 Dans le menu **Fichier**, exécuter la commande **Importer fichier**.

2 Dans la boîte de dialogue **Ouvrir fichier(s)**, sélectionner le fichier à insérer dans la page.
Une boîte de dialogue apparaît pour confirmer l'emplacement de l'insertion du texte dans la page.

3 Choisir l'endroit où insérer le texte en sélectionnant l'option appropriée dans la zone **Insertion**.

4 La case **Changer retour chariot en <BR> pour fichier .txt** doit être active pour obtenir des sauts de ligne.
Si cette option n'est pas active, le texte sera inséré en continu.

5 Cliquer sur le bouton **OK** pour insérer le texte sur la feuille d'édition.

6 Appliquer la mise en forme au texte et aux paragraphes.

Coller du texte en convertissant la mise en forme

1 Dans l'application source, placer le texte à récupérer dans le presse-papiers Windows.
Utiliser les commandes **Copier** (CTRL+C) ou **Couper** (CTRL+X).

2 Une fois de retour à WebExpert, exécuter la commande **Coller comme du HTML** du menu **Éditer**.
Le texte est récupéré et la mise en forme convertie en code HTML.

Les principaux éléments HTML pour la conception des documents

Les éléments des propriétés du document

Les propriétés des documents HTML utilisent les éléments de la structure principale et les éléments d'en-tête. Les propriétés sont essentiellement utiles pour identifier le type de document, le langage utilisé et établir les méta-informations.

> Consulter les sections *Les éléments de la structure principale* à la page 208 et *Les éléments d'en-tête* à la page 208 pour obtenir la liste détaillée des éléments.

- La structure principale du document est élaborée à l'aide des éléments :

```
!DOCTYPE, BODY, FRAMESET, HEAD, HTML, STYLE, TITLE
```

- L'en-tête des documents utilise les éléments suivants :

```
BASE, HEAD, LINK, META, SCRIPT
```

Les éléments des propriétés des paragraphes

La plupart des éléments utilisés pour définir les propriétés de paragraphe sont des éléments de définition de bloc. Ces derniers transforment l'apparence générale des blocs de texte, par exemple avec une mise en retrait, l'alignement du texte ou la mise en forme et la numérotation d'une liste.

> Consulter les sections *Les éléments de structure du document (bloc de texte)* à la page 209 et *Les éléments d'en-tête* à la page 208 pour obtenir la liste détaillée des éléments.

- La mise en forme des paragraphes peut être appliquée à l'aide des éléments suivants :

```
P, ADDRESS, BLOCKQUOTE, CENTER, DIV, FIELDSET, LEGEND, H1 H2 H3.. H6, TITLE,
PRE, RUBY, RT
```

- L'élaboration des listes utilise les éléments suivants :

```
DIR, DL, DD, DT, MENU, OL, UL, LI
```

Les éléments des propriétés des caractères

La mise en forme des caractères s'effectue à l'aide d'éléments intralignes qui permettent d'isoler une chaîne de caractères afin de la distinguer du reste du texte, dans un même paragraphe. D'autres éléments HTML permettent simplement de modifier l'apparence des caractères.

> Consulter les sections *Les éléments intralignes des paragraphes* à la page 211 et *Les éléments de mise en forme des caractères* à la page 213 pour obtenir la liste détaillée des éléments.

- La mise en forme des caractères peut être appliquée à l'aide des éléments suivants :

```
FONT, BASEFONT, ACRONYM, B, BIG, BR, NOBR, CITE, CODE, DEL, DFN, EM, I, INS,
S, SMALL, SAMP, SPAN, STRIKE, STRONG, SUB, SUP, TT, U, VAR
```

4

La validation des documents

L'utilisation des navigateurs

WebExpert permet de visualiser les résultats au fur et à mesure de la conception du document; à l'aide du navigateur interne, pour obtenir un aperçu rapide, ou à l'aide d'un navigateur externe. Le concepteur peux associer plus d'un navigateur externe pour tester les documents de manière à s'assurer que chacun d'eux interprète adéquatement les objets intégrés à la page.

Les navigateurs internes

WebExpert utilise son propre navigateur interne. Outre la visualisation de la mise en page du document, le navigateur interne permet de tester le fonctionnement des objets dynamiques et de vérifier les liens hypertextes.

Il est possible de choisir Microsoft Internet Explorer comme navigateur interne et d'en paramétrer le fonctionnement ou l'affichage. L'utilisation de la version 4 d'Internet Explorer, ou une version plus récente est requise.

Le navigateur internet WebExpert peut présenter certaines difficultés à interpréter les objets programmés tel que les JavaScript.

Lancer le navigateur interne

1 Cliquer sur le bouton **Lancer le navigateur interne** 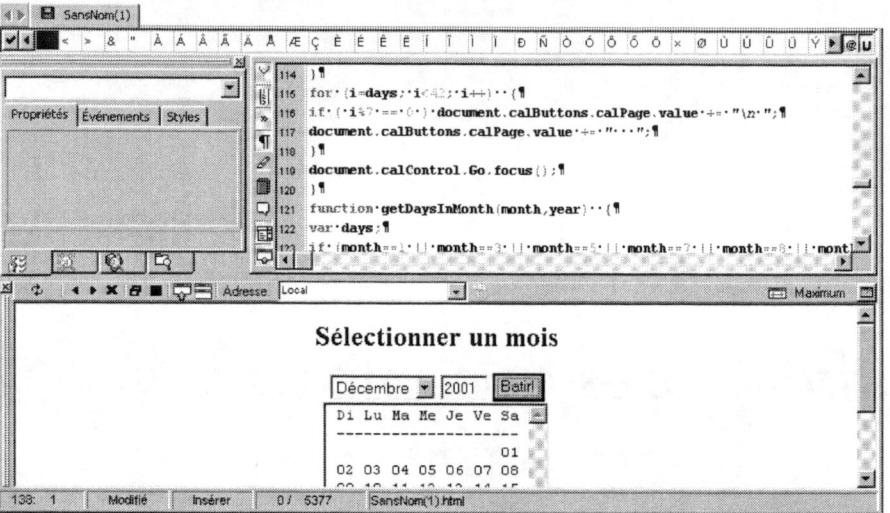 de la barre d'outils **Édition**.
Une nouvelle section apparaît au bas de l'affichage.

La visionneuse a le même fonctionnement qu'un navigateur externe. Les objets programmés et les liens hypertextes peuvent être testés sur la visionneuse. Il est possible d'ajouter le texte sur la feuille d'édition et voir immédiatement le résultat sur le volet de la visionneuse en configurant l'auto-actualisation du navigateur interne (se référer à la procédure *Définir le navigateur interne* à la page 71).

• Utiliser le bouton 🖵 pour modifier le positionnement de la fenêtre du visionneur.

Utiliser le navigateur interne pour tester le document

Une barre d'outils semblable à celle des navigateurs Web est attachée au navigateur interne.

🔄	Actualise l'affichage.	◀	Bascule vers la page précédemment consultée.
▶	Bascule vers la page suivante de la série en consultation.	✖	Interrompt l'action en cours (chargement de la page, animation d'un objet, etc.)
🖹	Ouvre un aperçu du document dans une fenêtre du navigateur externe.	■	Vide la fenêtre du navigateur interne de tout son contenu.
🖵	Affiche une liste de mode d'ancrage de la fenêtre du navigateur interne.	▤	Rend le navigateur toujours visible en superposition à l'affichage.
Adresse: www.visic.com ▾	La zone **Adresse** a la même fonction que la barre **Adresse** des navigateurs externe. Elle affiche **Local** pour désigner le document en édition.	🔖	Adresse du serveur où sont hébergés les fichiers d'interprétation du code.
⬌ Maximum	Affiche la page selon différentes résolutions d'écran permettant de tester le document sous différents modes.		

La configuration du navigateur interne

Définir le navigateur interne

1 Dans le menu **Outils**, exécuter la commande **Préférences générales**.
2 Exécuter la commande **Visionneur interne** sous le menu **Environnement**.

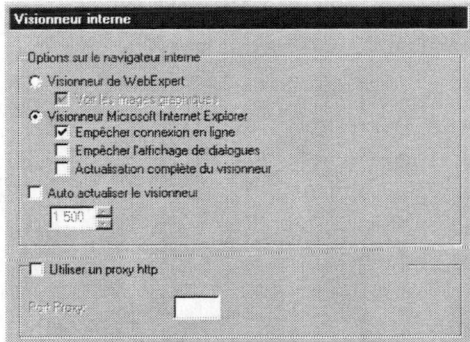

3 Dans la zone **Options sur le navigateur interne**, activer le navigateur à utiliser.
   Le visionneur WebExpert permet de masquer les images afin d'augmenter la rapidité d'affichage des documents.
4 Si Internet Explorer est le navigateur choisi, définir les options du visionneur :
   • **Empêcher connexion en ligne** : empêche la connexion à Internet au moment de tester le document.
   Cette option est intéressante pour le concepteur qui n'est pas muni d'une connexion permanente.
   • **Empêcher l'affichage de dialogues** : empêche l'apparition de messages d'erreurs.
   Il est suggéré de conserver l'affichage des messages d'erreurs. Ces derniers identifient le type d'erreur trouvé ainsi que le numéro de la ligne où cette erreur a été recensée.
5 Activer la case **Auto actualiser le visionneur** pour activer la mise à jour automatique des modifications sur le visionneur.
   • Le cas échéant, le délai d'actualisation peut être augmenté ou réduit dans la case **Millisecondes**.
   Cette option peut ralentir le fonctionnement de l'éditeur.
6 Si la connexion Internet utilise un serveur proxy, le numéro de port doit être spécifié à la case **Port Proxy**.
   Généralement, une connexion proxy utilise le port 80.

Les navigateurs externes

Pour avoir un aperçu parfait du résultat de la page Web en édition et pour tester adéquatement les outils de navigation et les objets dynamiques qui y sont contenus, il peut être nécessaire de faire appel à un navigateur externe. Pour que le navigateur externe reflète les plus récentes modifications, le document doit avoir été enregistré. Sinon, un message de confirmation apparaît.

> WebExpert privilégie la gestion des documents à l'aide du gestionnaire de projet. Ce dernier permet effectivement une meilleure gestion des liaisons entre les fichiers.
> Si le navigateur ne reflète pas les derniers changements effectués sur le document, vérifier que le projet auquel il appartient ait été sauvegardé.
> Se référer à la section *Le Gestionnaire de projet* à la page 81 pour plus de détails.

Paramétrer les messages de confirmation de sauvegarde

1 Dans le menu **Outils**, exécuter la commande **Préférences générales**.

2 Cliquer sur le menu **Confirmations**.

3 Activer la case voulue :

- **Sauvegarde automatique du fichier afin de voir le résultat dans le navigateur** : entraîne la sauvegarde de document courant sans message de confirmation.
- **Sauvegarde automatique du projet afin de voir le résultat dans le navigateur** : entraîne la sauvegarde d'un document appartenant au projet sans message de confirmation.

Définir le navigateur externe par défaut

1 Dans le menu **Outils**, exécuter la commande **Préférences générales**.

2 Exécuter la commande **Visionneur externe** sous le menu **Environnement**.

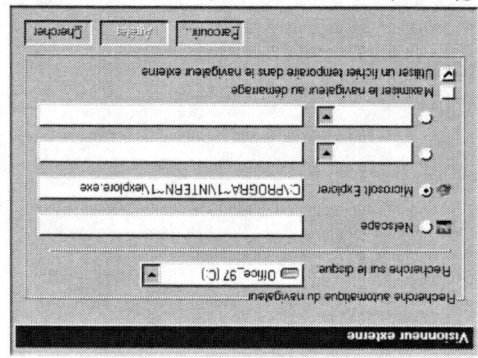

3 Choisir le navigateur voulu.

- Pour choisir un autre navigateur que ceux proposés, le sélectionner dans l'une des listes déroulantes non identifiées. Le cas échéant, saisir le nom du navigateur directement dans le champ de saisie de la liste. Le fichier doit porter l'extension .exe.
- Utiliser le bouton **Parcourir** pour retracer le navigateur dans le système de fichiers ou saisir son adresse directement dans le champ de saisie.

L'adresse doit contenir le chemin d'accès complet et le fichier du programme est identifié par l'extension .exe.

4 Définir le comportement du navigateur :

- **Maximiser le navigateur au démarrage** : entraîne l'affichage du navigateur externe en plein écran.
- **Utiliser un fichier temporaire dans le navigateur externe** : force la sauvegarde du document afin que le navigateur externe reflète les dernières modifications.

Cette option est sans effet lorsqu'un projet est ouvert.

Effectuer la recherche automatique du navigateur externe

1 Dans le menu **Outils**, exécuter la commande **Préférences générales**.

2 Exécuter la commande **Visionneur externe** sous le menu **Environnement**.

3 Dans la liste **Recherche sur le disque**, choisir l'unité de disque appropriée.

4 Activer la case à option du navigateur à configurer.

5 Cliquer sur le bouton **Chercher** pour lancer la recherche.

Si le navigateur sélectionné est Netscape, le fichier netscape.exe est recherché; si la sélection est Internet Explorer, la recherche porte sur iexplorer.exe.

Lancer le navigateur externe

1 Cliquer sur le bouton **Lancer le navigateur externe** 🌐 ▾ de la barre d'outils **Standard**.
Le bouton affiche l'icône du dernier navigateur affiché.
   • Dérouler la liste de la flèche pour accéder à la liste des navigateurs.
2 Si le navigateur n'est pas ouvert, WebExpert demande son ouverture.
Le cas échéant, WebExpert demande confirmation de l'enregistrement du document avant de lancer le navigateur externe.

> Le navigateur externe utilisé par défaut doit préalablement avoir été défini. Dans le cas contraire, WebExpert affiche les boîtes de dialogue nécessaires à sa définition (se référer à la procédure *Définir le navigateur externe par défaut* à la page 72).
> Si le gestionnaire de projet est affiché, WebExpert en conclut que le document actif en fait partie. Un message de confirmation d'enregistrement apparaît. Cliquer sur le bouton **Non** pour passer outre.

La vérification des documents

WebExpert traite en un même affichage le texte et les codes de programmation du document. Comme pour le texte, des options de vérification sont disponibles pour valider l'intégrité des pages Web qui seront publiées, en ce qui a trait au code HTML lui-même et aux liens qui réfèrent vers d'autres pages.

> D'autres options de vérification sont disponibles. Ces dernières sont détaillées au chapitre chapitre 14. Le chapitre 13 décrit l'utilisation de la fenêtre des outils qui permet aussi d'évaluer les documents et les liaisons.

Les préférences de vérification

Définir le nombre de messages de vérification et d'avertissement

1 Dans le menu **Outils**, exécuter la commande **Préférences générales**.
2 Cliquer sur le menu **Vérification syntaxe**.

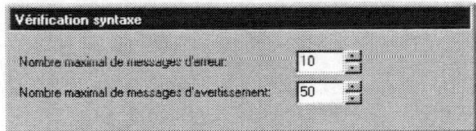

3 Indiquer le nombre maximal de messages à afficher lors de la vérification ou l'évaluation des documents.
Au-delà de la limite spécifiée, l'opération de vérification ou d'évaluation s'arrête.

Définir les options des messages des documents HTML

1 Dans le menu **Outils**, exécuter la commande **Préférences générales**.
2 Sous le menu **Vérification syntaxe**, cliquer sur la commande **HTML**.
3 Dans la zone **Options d'avertissement**, ajouter un crochet dans la case du message à retenir lors des vérifications :

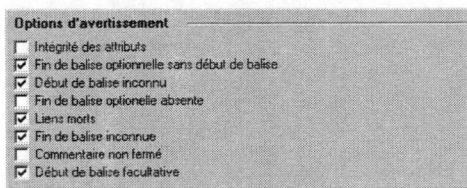

- **Intégrité des attributs** : Présence des attributs obligatoires.
- **Fin de balise optionnelle sans début de balise** : Équilibre des balises d'ouverture et de fermeture selon qu'elles soient optionnelles ou non.
- **Fin de balise optionnelle absente** : Équilibre des balises de fermeture selon qu'elles soient optionnelles ou non.
- **Début de balise inconnu** : Existence des balises selon le fichier de références HTML (le répertoire des codes).
- **Liens morts** : Intégrité des liens vers des fichiers externes (documents HTML, images, script, etc.)
- **Fin de balise inconnue** : Existence des balises de fermeture selon le fichier de références HTML (le répertoire des codes).
- **Commentaire non fermé** : Présence d'un commentaire non fermé (-->) dans le document.
- **Début de balise facultative** : Balise d'ouverture facultative présente dans le document.

4 Dans la zone **Options d'erreur**, ajouter un crochet dans la case du messages d'erreur à retenir lors des vérifications :

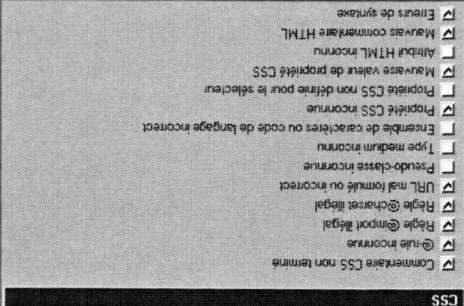

```
Options d'erreur
☑ Balise non permise
☑ Attribut requis absent
☑ Fin de balise sans début de balise
☑ Fin de balise obligatoire absente
☑ Symbole illégal à l'intérieur de la balise
☑ Crochet de balise absent
☑ Attribut dans fin de balise non permis
☑ Lien interne en double
☐ Balise doit être vide
☑ Script non fermé
```

- **Balise non permise** : Validité des balises repérées dans le document. Une faute dans le nom de l'élément sera, par exemple, recensée.
- **Attribut requis absent** : Présence des attributs obligatoires dans la définition de certaines balises. Par exemple l'attribut scr avec l'élément IMG.
- **Fin de balise sans début de balise** : Équilibre des balises d'ouverture et de fermeture. Par exemple une balise <TD> pour laquelle aucune balise </TD> n'est trouvée.
- **Fin de balise obligatoire absente** : Équilibre des balises lorsque les balises de fermeture sont obligatoires.
- **Symbole illegal à l'intérieur de la balise** : Intégrité des caractères utilisés à l'intérieur des balises.
- **Crochet de balise absent** : Équilibre des crochets encadrant les éléments HTML (< >).
- **Attribut dans fin de balise non permis** : Présence d'attributs dans les balises de fermeture (ces derniers n'étant jamais autorisés).
- **Lien interne en double** : Présence de doublon dans les liens internes à un document.
- **Balise doit être vide** : Contenu ou données trouvé à l'intérieur d'une balise vide.
- **Script non fermé** : Fermeture d'une balise <SCRIPT> absente.

Définir les options des messages des règles CSS

1 Dans le menu **Outils**, exécuter la commande **Préférences générales**.
2 Sous le menu **Vérification syntaxe**, cliquer sur la commande CSS.

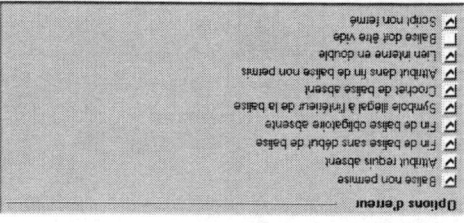

```
CSS
☑ Commentaire CSS non terminé
☑ @-rule inconnue
☑ Règle @import illégal
☑ Règle @charset illégal
☑ URL mal formulé ou incorrect
☐ Pseudo-classe inconnue
☐ Type medium inconnu
☐ Ensemble de caractères ou code de langage incorrect
☑ Propriété CSS inconnue
☐ Propriété CSS non définie pour le sélecteur
☑ Mauvaise valeur de propriété CSS
☐ Attribut HTML inconnu
☑ Mauvais commentaire HTML
☑ Erreurs de syntaxe
```

3 Activer ou désactiver les options à retenir lors de la vérification.

Se référer à l'aide du logiciel pour la définition de chaque option. L'aide contextuelle peut être affichée à l'aide du bouton **Aide** de la boîte de dialogue. Consulter les références CSS, sous le menu **Aide** de la barre des menus de WebExpert pour la définition des règles CSS.

Définir les options des messages de vérification des scripts

1 Dans le menu **Outils**, exécuter la commande **Préférences générales**.

2 Sous le menu **Vérification syntaxe**, cliquer sur la commande **JavaScript**.

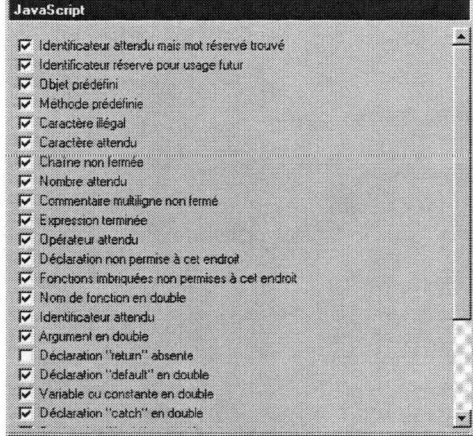

3 Activer ou désactiver les options à retenir lors de la vérification.

Se référer à l'aide du logiciel pour la définition de chaque option. L'aide contextuelle peut être affichée à l'aide du bouton **Aide** de la boîte de dialogue. Consulter les références JavaScript, sous le menu **Aide** de la barre des menus de WebExpert pour la définition des événements et des opérateurs.

Exécuter la vérification des documents

1 Cliquer sur le bouton **Vérifier le document** [icône] de la barre d'outils **Standard**.

La vérification démarre automatiquement. Une boîte de statistiques se superpose à l'affichage. La liste des erreurs, selon les options définies dans les Préférences générales, leur description et leur emplacement s'affichent dans un nouveau volet de l'affichage.

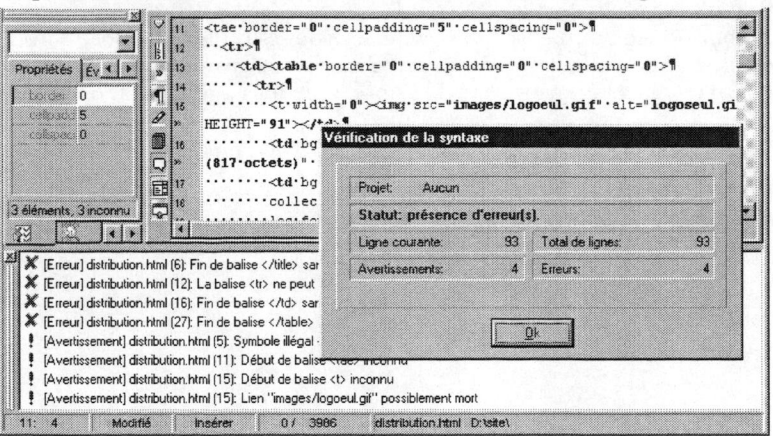

• Double cliquer sur une erreur ou un message pour atteindre la ligne de commandes correspondante dans le document.

Exécuter la commande **Vérification complète de tous les fichiers ouverts** du menu **Syntaxe** pour évaluer tous les documents ouverts avec WebXpert. La liste identifie le nom de fichier ayant fait l'objet d'une évaluation, l'erreur détectée ainsi que le numéro de ligne où l'erreur a été repérée.

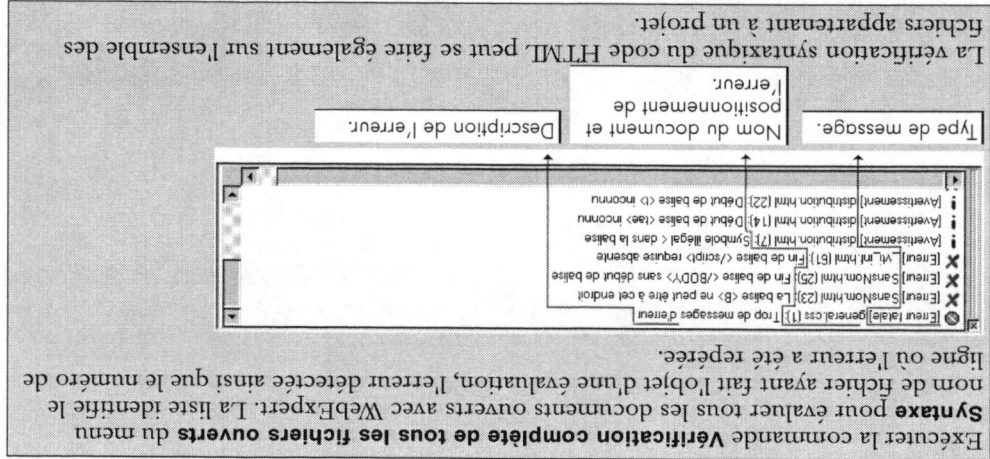

Type de message.	Nom du document et positionnement de l'erreur.	Description de l'erreur.

La vérification syntaxique du code HTML peut se faire également sur l'ensemble des fichiers appartenant à un projet.

Lire les résultats de vérification

Les résultats de la vérification sont présentés sous forme de tableau et fournissent une bonne évaluation des documents à leur état initial (sur le serveur) et une fois téléchargés (au navigateur). Ces indications permettent au concepteur d'évaluer les documents trop lourds. Deux icônes permettent d'identifier en un coup d'œil si WebXpert a détecté des erreurs pendant l'évaluation des documents.

i	Une ligne de code répondant aux critères d'avertissement a été détectée dans le document.
✗	Une erreur a été détectée dans le document.
⊗	Le nombre de messages de vérification, tel que spécifié dans les Préférences générales, est dépassé. La vérification est interrompue.

Exécuter la vérification d'un projet

1 Dans le menu **Syntaxe**, exécuter la commande **Évaluer le projet.**

Le projet doit être ouvert avant l'exécution de la commande. La vérification démarre automatiquement. La liste des erreurs, selon les options définies dans les Préférences générales, leur description et leur emplacement s'affichent dans un nouveau volet du navigateur interne de WebXpert. Le document auquel l'erreur ou le message fait référence est identifié par son nom.

2 Double cliquer sur une erreur ou un message pour atteindre la ligne de commandes correspondante.

Pour plus d'information sur la gestion par projet, se référer à la section *Le Gestionnaire de projet* à la page 81.

5

La gestion des dossiers et des fichiers

L'utilisation des modèles – Le Gestionnaire de fichiers – Le Gestionnaire de projet – La recherche et le remplacement de texte – La vérification et la correction du texte – La liste des tâches

L'utilisation des modèles

WebExpert est accompagné de modèles de sites Web pour faciliter la tâche du concepteur. L'utilisateur dont le logiciel est enregistré peut se les procurer gratuitement sur le site Web de Visicom média à l'URL : www.visic.com. Les modèles de site s'installent comme une application autonome à l'aide d'un fichier exécutable (.exe). Certains modèles représentent des pages Web simples; d'autres utilisent les pages à cadres et intègrent des objets dynamiques tels que les JavaScripts.

L'onglet **Personnalisé** de la boîte de dialogue **Nouveau document** permet d'ajouter un site à la liste des modèles disponibles en prévision de son utilisation dans un autre contexte.

Utiliser un modèle de page à cadres

1 Cliquer sur le bouton **Nouveau** 🗋 de la barre d'outils **Standard**.
2 Dans la boîte de dialogue **Nouveau document**, cliquer sur l'onglet correspondant au modèle voulu.
Trois catégories de modèles prédéfinis sont proposées, **Général** (des pages simples), **Entreprise - cadres** et **Entreprise** (des pages à cadres) et **Personnalisé** (modèles créés par l'utilisateur). Chaque catégorie propose différents agencements de couleurs et de propriétés.
L'affichage se présente en deux volets : sur la gauche les modèles appartenant à la catégorie sélectionnée sont énumérés; sur la droite un aperçu du modèle est affiché.

3 Sélectionner sur le modèle voulu et cliquer sur le bouton **OK**.

L'Assistant au nouveau projet apparaît. Si le modèle choisi est une page simple, cette étape n'apparaît pas.

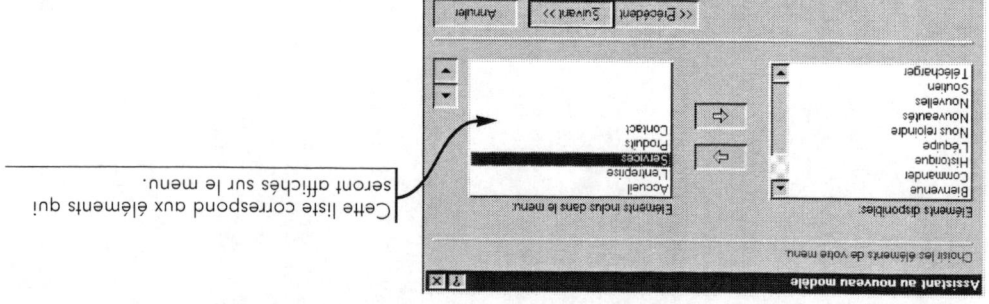

Cette liste correspond aux éléments qui seront affichés sur le menu.

4 Dans la liste **Éléments disponibles**, sélectionner les éléments à faire apparaître sur la page.

Les éléments choisis ici sont les boutons actifs utilisés pour l'élaboration du menu du site.

• Cliquer sur la flèche **Ajouter** ⇨ pour ajouter un élément sélectionné dans la liste **Éléments inclus dans le menu**.

• Pour retirer un élément de la liste **Éléments inclus dans le menu**, le sélectionner et cliquer sur la flèche **Retirer** ⇦ .

5 Réorganiser l'ordre d'apparition des menus.

Les éléments inclus dans le menu seront disposés sur le document dans le même ordre qu'ils sont présentés dans la liste.

• Sélectionner l'élément à déplacer et cliquer sur la flèche correspondant à sa direction ▲ ▼ .

6 Cliquer sur le bouton **Suivant**.

La dernière étape de l'assistant apparaît.

7 Indiquer l'adresse où le nouveau projet doit être enregistré.

8 Cliquer sur le bouton **Fin**.

WebExpert procède à la copie des fichiers nécessaires au modèle dans le répertoire indiqué à la dernière étape. Une arborescence de dossiers est créée pour classer les documents HTML et les fichiers nécessaires aux pages Web.

Tous les fichiers utilisés par le modèle s'ouvrent sur la feuille d'édition. Le document principal, nommé index.html, contient la définition de la page à cadres.

Consulter le chapitre 9 pour plus de détails sur les pages à cadres.

Convertir un site en modèle

1 Cliquer sur le bouton **Nouveau** 🗋 de la barre d'outils **Standard**.

2 Dans la boîte de dialogue **Nouveau document**, afficher le contenu de l'onglet **Personnalisé**.

3 Cliquer sur le bouton **Nouveau**.

4 Dans la zone **Nom du modèle**, saisir le nom identificateur du modèle.

Les fichiers du projet (du nouveau modèle) sont enregistrés dans le dossier C:\Program files\Visicom media\Webexpert5\Modeles\Personnel\.

• Cliquer sur le bouton **Suivant** pour passer à l'étape suivante.

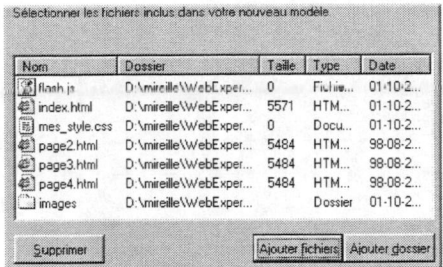

5 Cliquer sur le bouton **Ajouter fichiers** pour choisir des fichiers, ou sur le bouton **Ajouter dossier** pour ajouter un dossier au modèle en création.

L'ajout d'un dossier entraîne l'ajout de tous les fichiers appartenant à l'arborescence sous-jacente. Une boîte de dialogue apparaît permettant la navigation sur les lecteurs de travail de l'ordinateur.

• Utiliser le bouton **Supprimer** pour retirer un fichier ou un dossier de la liste après l'avoir sélectionné.

6 Cliquer sur le bouton **Suivant** pour afficher la dernière étape de l'Assistant.

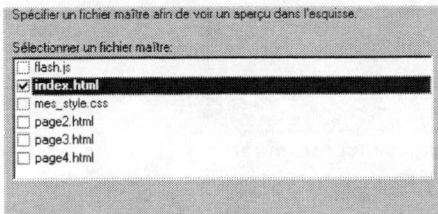

7 Spécifier un fichier maître en ajoutant un crochet dans la case correspondante.

Le document maître est utilisé pour la gestion par projet. Il correspond au fichier principal du site. Il s'agit généralement du fichier nommé index.html ou default.html.

Se référer à la section *Le Gestionnaire de projet* à la page 81 pour plus de détails.

8 Cliquer sur le bouton **Fin**.

Un message apparaît avisant du succès de la création du modèle de site.

Enregistrer un document en tant que modèle

1 S'assurer que le document est actif.

2 Dans le menu **Fichier**, exécuter la commande **Sauvegarder comme modèle**.

La boîte de dialogue **Sauvegarde d'un modèle de page** apparaît.

3 Dans le champ **Nom du modèle de page**, identifier le modèle.

Un message apparaît avisant que la page est enregistrée sur l'onglet **Personnalisé** de la fenêtre **Nouveau Document**.

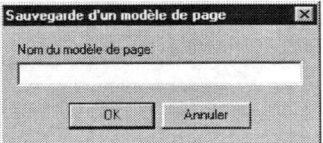

Le Gestionnaire de fichiers

Le Gestionnaire de fichiers de WebExpert présente une interface similaire à l'Explorateur Windows. Les manipulations y sont semblables.

Le Gestionnaire permet :

• d'obtenir un aperçu des fichiers,
• de copier et de déplacer des fichiers ou des dossiers,
• d'explorer les dossiers du poste de travail,
• de rechercher des fichiers,
• d'obtenir des informations sur les propriétés des fichiers,
• d'insérer des images ou des liens hypertextes externes.

Afficher le Gestionnaire de fichiers

1 Cliquer sur le bouton **Gestionnaire de fichiers** 🔍 de la barre d'outils **Standard**.

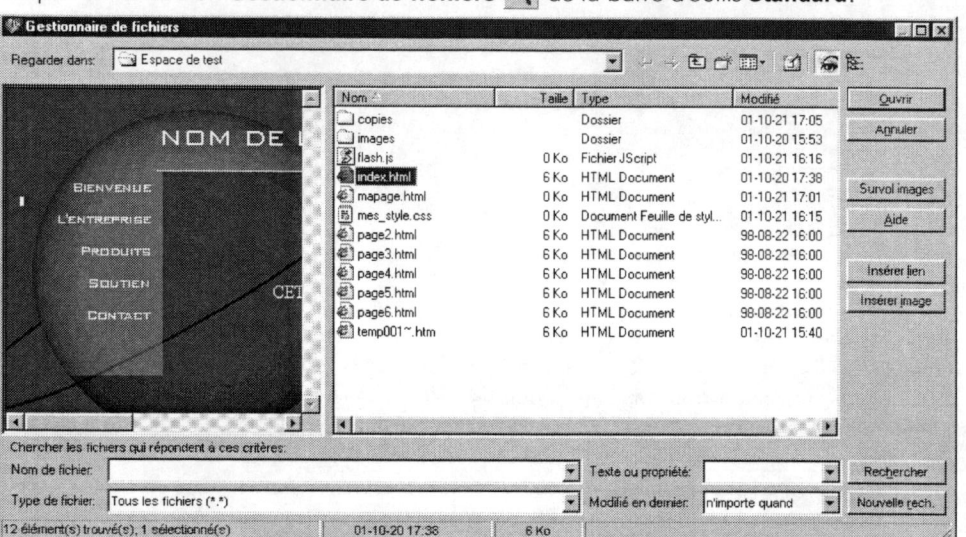

Lorsqu'un fichier est sélectionné, les boutons **Insérer lien** et **Insérer image** deviennent actifs. Utiliser ces boutons pour insérer un lien ou une image dans le document courant (se référer au chapitre 6 et au chapitre 7).

Consulter les fichiers et les dossiers à l'aide du Gestionnaire

1 Afficher le Gestionnaire de fichiers.

2 Dans la liste **Regarder dans**, sélectionner le répertoire à consulter.

3 Modifier l'affichage tel que voulu.

    Boutons standard de Windows permettant de naviguer sur les lecteurs, de créer des dossiers, d'afficher le contenu du bureau Windows ou encore de modifier l'affichage.

    Aperçu du fichier sélectionné, peu importe sa nature.

    Affichage de l'arborescence du dossier.

Gérer les fichiers et les dossiers à l'aide du Gestionnaire

1 Cliquer sur le bouton **Dossiers** 📁 du Gestionnaire de fichiers.
La fenêtre du Gestionnaire se présente sous la forme de l'explorateur Windows.

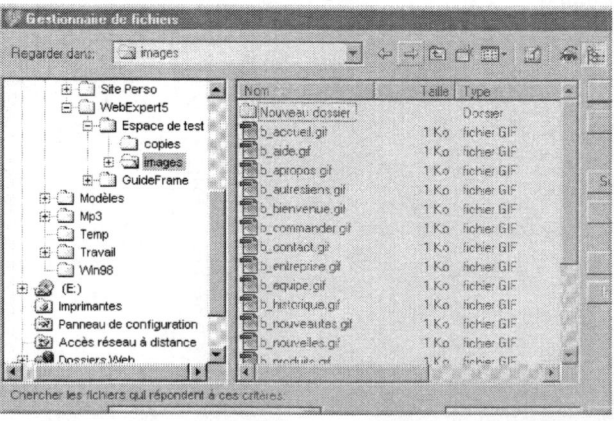

Les fichiers et dossiers peuvent être copiés, déplacés, créés ou supprimés comme ils le seraient sous Windows, entre autres :
- à l'aide des raccourcis **Copier** (**CTRL+C**), **Couper** (**CTRL+X**) et **Coller** (**CTRL+V**),
- à l'aide du glissement de la souris,
- à l'aide des commandes du menu contextuel.

Le Gestionnaire de projet

Un site Web regroupe plusieurs types de fichiers : documents HTML, documents ASP, fichiers son, fichiers image, scripts externes, feuilles de style, etc. Selon la taille du site, il peut être difficile d'effectuer des manipulations efficaces sur les fichiers.

Les problèmes rencontrés lors du travail sur plusieurs fichiers dans un même site sont nombreux mais peuvent se résumer simplement par une reconnaissance confuse des fichiers recherchés et une succession de tâches laborieuses et répétitives.

WebExpert introduit ici la notion de projets. Par définition, un projet est destiné à la gestion d'un ensemble de pages. Un site Web peut être constitué d'un ou de plusieurs projets, selon sa taille. Par exemple, pour le site Web d'une PME, un projet pourrait être prévu pour chaque section du site.

La présence d'un projet ouvert est indiquée sur la barre des titres de l'application.

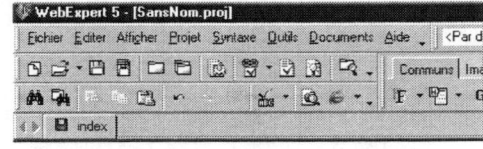

WebExpert propose plusieurs commandes pour travailler sur l'ensemble des fichiers d'un projet, notamment :
- l'ouverture et la sauvegarde des documents,
- les opérations de vérification ou d'évaluation (se référer aux sections *La vérification des documents* à la page 73 et *L'évaluation des documents* à la page 199).
- l'utilisation de la liste des tâches à faire pour un projet (se référer à la section *La liste des tâches* à la page 92).

Afficher le Gestionnaire de projet

1 Cliquer sur le bouton **Afficher le Gestionnaire de projet** 📇 de la barre d'outils **Standard**.
Le Gestionnaire de projet apparaît.

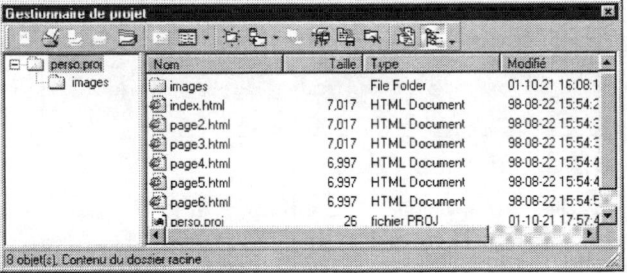

La fenêtre du Gestionnaire de projet peut être ancrée à tout endroit de la surface de travail : sur la feuille d'édition ou sur la fenêtre d'exploration et d'inspection des codes. Exécuter la commande **Ancrer comme onglet** du menu contextuel déroulé sur la fenêtre du projet et glisser la fenêtre à l'endroit voulu.
S'il n'est pas ancré, le Gestionnaire du projet est configuré pour toujours être affiché en superposition des fenêtres. Pour autoriser sa mise en arrière-plan de l'affichage, retirer le crochet devant la commande **Toujours au dessus** du menu contextuel.

Utiliser les outils de gestion de projet

Le Gestionnaire de projet affiche une barre d'outils qui permet la gestion du projet et de ses fichiers. Un projet peut également être géré à partir de l'affichage principal de WebExpert à l'aide de la barre d'outils **Projet**.

> L'affichage de la barre d'outils **Projet** peut être demandé à partir de la commande **Barres d'outils** du menu **Afficher**.
> Les commandes pouvant être exécutées sur les fichiers d'un projet sont également accessibles à partir du menu contextuel déroulé sur la fenêtre du Gestionnaire du projet.

Bouton	Description	Bouton	Description
	Définit le fichier maître du projet actif.		Ajoute des fichiers au projet actif.
	Retire des fichiers du projet actif.		Ouvre le fichier sélectionné.
	Ouvre tous les fichiers du projet actif.		Retourne au dossier parent.
	Modifie l'affichage de la liste des fichiers et des dossiers du projet actif.		Crée un nouveau projet.
	Ouvre un projet existant.		Enregistre les modifications apportées au projet.
	Permet l'enregistrement des fichiers du projet sur un serveur FTP.		Effectue un fichier d'archives avec tous les contenus du projet.
	Ferme le projet actif.		Ajoute une zone à l'affichage permettant l'inscription de commentaires.
	Affiche la structure des fichiers dans le projet.		

La gestion des projets

Créer un nouveau projet à partir de WebExpert

1 Dans le menu **Projet** de l'affichage principal WebExpert, exécuter la commande **Nouveau projet**.
La fenêtre du Gestionnaire de projet apparaît.
2 Organiser les fichiers et enregistrer le projet.
Se référer à la procédure *Enregistrer un projet* à la page 83.

> Si un projet est déjà ouvert avec WebExpert, il se fermera automatiquement pour la création d'un nouveau projet. Un message d'avertissement apparaît si des modifications n'ont pas été sauvegardées.

Créer un nouveau projet à partir du Gestionnaire de projet

1 Cliquer sur le bouton **Nouveau projet** de la barre d'outils du **Gestionnaire**.
Si un projet était déjà ouvert, WebExpert demande la confirmation de sa fermeture et, le cas échéant, de l'enregistrement des modifications. La fenêtre du Gestionnaire de projet se présente à nouveau vide.
2 Organiser les fichiers et enregistrer le projet.
Se référer à la procédure *Enregistrer un projet* à la page 83.

Ajouter des fichiers à un projet

1 Cliquer sur le bouton **Ajouter fichier(s) au projet** du Gestionnaire de projet.
La boîte de dialogue suivante apparaît.

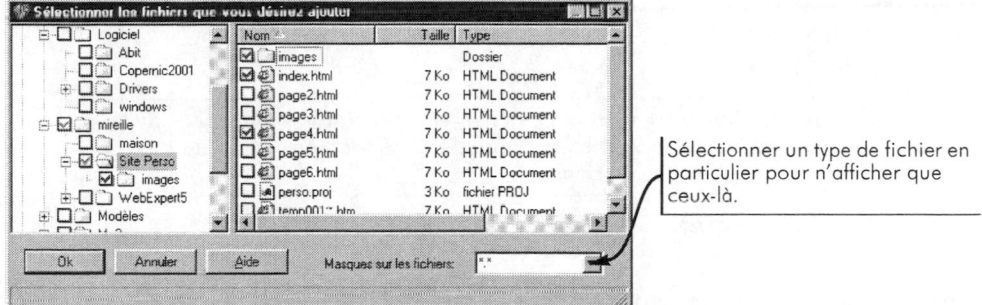

Sélectionner un type de fichier en particulier pour n'afficher que ceux-là.

2 Sur le volet gauche, sélectionner le dossier contenant les fichiers à ajouter.
- Cliquer sur le signe **+** pour déployer l'arborescence du dossier.
- Cliquer sur le signe **-** pour refermer une arborescence.
La liste des fichiers et des sous-dossiers appartenant au dossier sélectionné s'affiche sur le volet droit.

3 Sur le volet droit, sélectionner les fichiers ou les dossiers à ajouter au projet en ajoutant un crochet sur la case correspondante.

4 Cliquer sur le bouton **OK** pour compléter l'opération.
Les fichiers ou dossiers sélectionnés sont ajoutés au projet et apparaissent dans la fenêtre du Gestionnaire.

Définir le document maître d'un projet

Le document maître d'un projet est son document principal. Il s'agira généralement de la page d'accueil du site ou de la section du site (par exemple le fichier index.html).

1 Afficher le Gestionnaire de projet.

2 Sélectionner le fichier principal du projet.

3 Cliquer sur le bouton **Document maître** de la barre d'outils du Gestionnaire de projet.
Le fichier indiqué comme document maître apparaît en caractères gras.

Enregistrer un projet

WebExpert permet d'enregistrer un projet selon trois méthodes :

1 En cliquant sur le bouton **Sauvegarder projet** du Gestionnaire de projet.

2 Sous un autre nom avec la commande du menu **Projet**, **Sauvegarder projet sous**.

3 Directement sur un site FTP à l'aide de la commande du menu **Projet**, **Sauvegarder projet sur FTP**.

Ouvrir un projet

1 Cliquer sur le bouton **Ouvrir projet** du Gestionnaire de projet.
Utiliser la flèche du bouton pour avoir accès aux projets récemment ouverts. Le nombre de fichiers apparaissant dans la liste des projets récents peut être défini à l'aide de la commande **Outils>Préférences générales** - menu **Editeur**.

2 Dans la boîte de dialogue **Ouvrir fichier(s)**, sélectionner le projet à ouvrir.
Les projets portent l'extension .proj.
Tous les fichiers du projet sont affichés dans la fenêtre du Gestionnaire.

Ouvrir un fichier appartenant à un projet

Des fichiers image ou des fichiers scripts peuvent être ajoutés au projet. Toutefois, seul les fichiers interprétables par l'éditeur WebExpert peuvent être ouverts.

1 Ouvrir le projet.
2 Sélectionner le ou les fichiers à ouvrir.
3 Cliquer sur le bouton **Ouvrir fichier(s)** .

> Il est possible d'ouvrir tous les fichiers d'un projet en cliquant sur le bouton de la barre d'outils du Gestionnaire de projet. L'efficacité de cette fonction dépend de la puissance et de la mémoire du poste de travail.

Retirer des fichiers d'un projet

1 Afficher le Gestionnaire de projet.
2 Sélectionner le ou les fichiers à retirer du projet.
3 Cliquer sur le bouton **Enlever fichier(s) du projet** de la barre d'outils du Gestionnaire. Le ou les fichiers ne font plus partie du projet mais n'ont pas été supprimés. Ils appartiennent toujours au répertoire du disque dans lequel ils ont été enregistrés.

Fermer un projet

1 Cliquer sur le bouton **Fermer projet** du Gestionnaire de projet. Si des modifications ont été apportées aux fichiers du projet, WebExpert demande la confirmation de leur sauvegarde avant de fermer le projet.
Si des fichiers appartenant au projet sont ouverts, WebExpert demande la confirmation de leur fermeture.

Supprimer un projet

Les projets créés avec WebExpert doivent être supprimés directement dans le dossier où ils ont été enregistrés : soit à l'aide de l'**Explorateur Windows**, soit à l'aide du Gestionnaire de fichiers.
La suppression d'un projet ne supprime pas les fichiers. Ceux-ci appartiennent toujours aux dossiers à l'intérieur desquels ils ont été enregistrés.

L'archivage d'un projet

WebExpert permet la création d'une copie de sauvegarde du projet sous forme d'archives WinZip (portant l'extension .zip). Aucun logiciel d'archivage n'est nécessaire pour exécuter cette commande. Pour sa récupération, il est toutefois nécessaire qu'un utilitaire de ce type soit installé sur ce poste : WinZip ou Winrar qui interprète ce type d'archives.
En créant le fichier d'archivage, WebExpert conserve le chemin complet des fichiers et des dossiers : chacun des fichiers et dossiers du projet fait partie de l'archives; le fichier du projet lui-même (.proj) n'en fait pas partie.

Archiver un projet

1 Ouvrir le projet à archiver.
2 Cliquer sur le bouton **Archiver dans une copie de sauvegarde** .
La boîte de dialogue **Sauvegarder un fichier** apparaît. La liste **Type de fichier** affiche par défaut l'extension fichier .zip.
3 Au besoin, sélectionner le répertoire de sauvegarde.
4 Dans la zone **Nom de fichier**, donner un nom au fichier d'archives.
5 Cliquer sur le bouton **Sauvegarder**.

Récupérer un fichier d'archives

1 Repérer le fichier d'archives à l'aide de l'Explorateur Windows.

2 Double-cliquer sur le fichier d'archives.

Ce fichier doit nécessairement porter l'extension `.zip`.

La fenêtre du logiciel d'archivage apparaît. Par exemple avec Winzip.

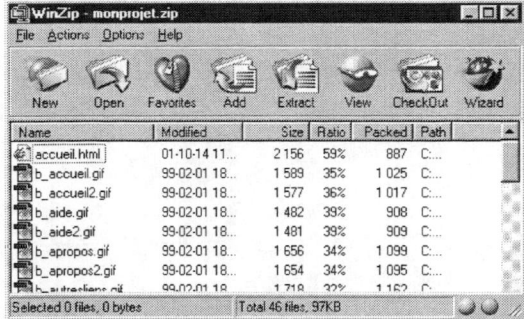

3 Cliquer sur le bouton **Extract** pour récupérer les fichiers dans un répertoire spécifié.

Le chemin d'accès complet des fichiers initiaux (identifié à la colonne **Path** de l'exemple) est reproduit dans le répertoire spécifié.

Le mode d'extraction des fichiers et des dossiers peut varier d'un logiciel de compression à un autre. Au besoin, se référer aux rubriques d'aide du logiciel pour connaître les procédures.

L'utilisation des commandes d'édition avec un projet

Les commandes d'édition du texte peuvent être exécutées sur l'ensemble des fichiers d'un projet ou sur quelques-uns des fichiers qui en font partie. Notamment les fonctionnalités suivantes :

- La recherche et le remplacement de texte sur une chaîne de caractères ou un remplacement par bloc (se référer à la section *La recherche et le remplacement de texte* à la page 86).
- La vérification syntaxique du code HTML (se référer à la section *La vérification des documents* à la page 73).
- L'optimisation des documents (se référer à la section *L'optimisation du document* à la page 180).
- La vérification des liens en ligne (se référer à la section *La vérification des liens en ligne* à la page 196).
- L'évaluation des documents (se référer à la section *L'évaluation des documents* à la page 199).

Ajouter des commentaires à un projet

1 Ouvrir le projet auquel un commentaire doit être ajouté.

2 Cliquer sur le bouton **Afficher les commentaires du projet** 🔲.

Une zone s'affiche au bas de la fenêtre du **Gestionnaire**.

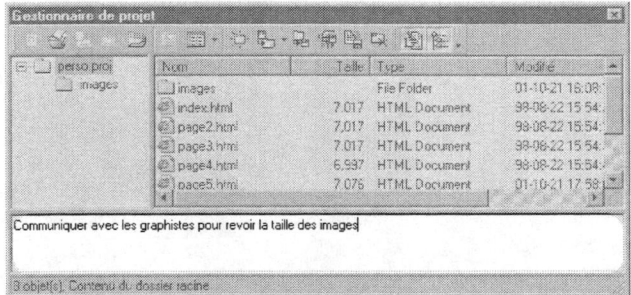

3 Saisir le texte des commentaires directement dans la zone.

4 La saisie, la modification et la suppression du texte s'effectue selon le mode de travail habituel.

La recherche et le remplacement de texte

La recherche et le remplacement de texte s'effectuent aussi bien à l'intérieur du texte standard qu'à l'intérieur du code HTML.

Rechercher du texte dans un document

1 Cliquer sur le bouton **Rechercher** de la barre d'outils **Standard**.

2 Afficher le contenu de l'onglet **Rechercher**.

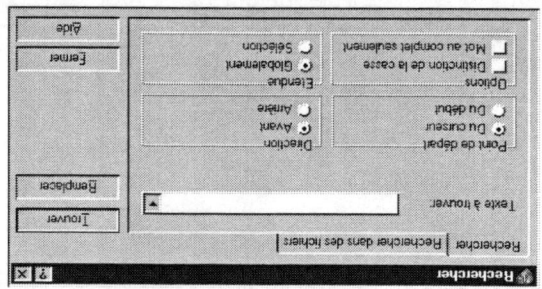

3 Dans la zone **Texte à trouver**, saisir le mot ou la chaîne de caractères à rechercher.
La liste déroulante donne accès aux dernières recherches effectuées. Si une sélection a été préalablement effectuée, le texte est automatiquement inscrit dans le champ **Texte à trouver.**

4 Dans la zone **Point de départ**, préciser l'endroit où la recherche doit débuter. Si la case est active :
- **Du curseur** : la recherche part du point d'insertion sur la feuille d'édition;
- **Du début** : la recherche part au début du document.

5 Dans la zone **Direction**, indiquer le sens de la recherche.

6 Choisir les options nécessaires au type de recherche à effectuer. Si la case est active :
- **Distinction de la casse** : respecte les majuscules et les minuscules.
- **Mot au complet seulement** : limite la recherche à la chaîne de caractères si elle est comprise entre deux espaces.

7 Cliquer sur le bouton **Trouver** pour exécuter la recherche et trouver la première occurrence.
- Cliquer à nouveau sur le bouton pour passer à l'occurrence suivante.
Un message apparaît lorsque tout le document a été parcouru.

> Le bouton **Remplacer** permet de basculer en mode **Recherche/Remplacement** (se référer à la procédure *Remplacer du texte à la page 87*).

Rechercher du texte dans plusieurs fichiers

1 Cliquer sur le bouton **Rechercher** de la barre d'outils **Standard**.

2 Afficher le contenu de l'onglet **Rechercher dans des fichiers.**

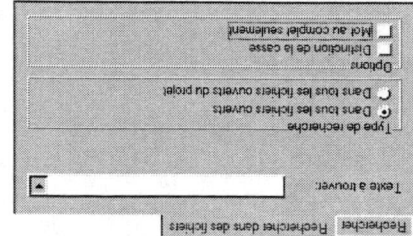

3 Dans le champ de saisie **Texte à trouver**, saisir le mot ou la chaîne de caractères à rechercher.
La liste déroulante donne accès aux dernières recherches effectuées.
Si une sélection a été préalablement effectuée, le texte est automatiquement inscrit dans le champ.

4 Dans la zone **Type de recherche**, choisir l'option appropriée. Si la case est active :
- **Dans tous les fichiers ouverts** : recherche la chaîne de caractères dans l'ensemble des fichiers ouverts.
- **Dans tous les fichiers ouverts du projet** : limite la recherche aux fichiers ouverts qui appartiennent au projet actif, sans tenir compte des autres fichiers ouverts.

5 Choisir les options nécessaires au type de recherche à effectuer. Si la case est active :
- **Distinction de la casse** : respecte les majuscules et les minuscules.
- **Mot au complet seulement** : limite la recherche à la chaîne de caractères spécifiée comprise entre deux espaces.

6 Cliquer sur le bouton **Trouver** pour trouver la première occurrence. Cliquer à nouveau sur le bouton pour passer à l'occurrence suivante.

WebExpert bascule d'un document à l'autre tant qu'il reste des occurrences à trouver. Un message apparaît lorsque tous les documents spécifiés ont été parcourus.

Rechercher du texte dans un projet

La recherche sur des fichiers appartenant à un projet s'effectue de la même manière que la recherche sur l'ensemble des fichiers ouverts (page 86). Certaines règles sont toutefois à retenir :
- Pour effectuer une recherche dans les fichiers d'un projet, ceux-ci doivent être ouverts.
- La recherche ne s'effectue que sur les fichiers appartenant à un projet; si d'autres fichiers sont ouverts, ces derniers ne feront pas partie de la recherche.

> Se référer à la section *Le Gestionnaire de projet* à la page 81 pour plus de détails.

Remplacer du texte

1 Dans le menu **Editer**, exécuter la commande **Remplacer**.
La boîte de dialogue **Remplacer** apparaît.
- L'onglet **Remplacer** permet le remplacement d'une chaîne de caractères dans le document courant.
- L'onglet **Remplacer dans des fichiers** permet le remplacement dans plusieurs documents.

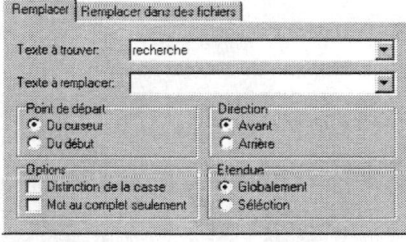

Cet onglet permet entre autres de limiter le remplacement de texte à un groupe de documents appartenant à un même projet. Se référer à la procédure *Rechercher du texte dans plusieurs fichiers* à la page 86.

2 Dans le champ de saisie **Texte à trouver**, saisir la chaîne de caractères à modifier.
La liste déroulante donne accès aux dernières recherches effectuées.
Si une sélection a été préalablement effectuée, le texte est automatiquement inscrit dans le champ.

3 Dans le champ de saisie **Texte à remplacer**, saisir la chaîne de caractères de remplacement.
Pour supprimer l'information recherchée sur la feuille d'édition, ce champ peut rester vide.
La liste déroulante donne accès aux derniers remplacements effectués.

4 Définir les options de recherche telles que définies dans la procédure *Rechercher du texte dans un document* à la page 86.

5 Effectuer la recherche et le remplacement du texte.
- Cliquer sur le bouton **Trouver** pour trouver la première occurrence.
- Cliquer sur le bouton **Remplacer** pour effectuer le remplacement sur l'occurrence trouvée.
- Cliquer sur le bouton **Remplacer tous** pour effectuer le remplacement de cette occurence sur l'ensemble du document sans confirmer les modifications.

> Les balises HTML peuvent être remplacées à l'aide de cette méthode.
> Pour remplacer un bloc de texte, la commande **Rechercher et remplacer étendus** est plus performante.

Effectuer un remplacement par bloc

Cette méthode peut faciliter les modifications répétitives dans un document en remplaçant dans une seule opération à la fois le texte compris entre des balises HTML et les balises elles-mêmes.

1 Cliquer sur le bouton **Rechercher et remplacer étendus** 🔍 de la barre d'outils **Standard**.

La boîte de dialogue suivante apparaît.

2 Dans le champ de saisie **Texte à rechercher**, saisir le bloc de texte à modifier.

Il est possible de coller une sélection à partir du presse-papiers dans le champ de saisie **Texte à rechercher** en utilisant la méthode du copier/coller commune aux applications Windows (raccourcis clavier **Ctrl+C** et **Ctrl+V**).

Si une sélection a été préalablement effectuée, le texte est automatiquement inscrit dans le champ.

• Pour effectuer une recherche sans demander le remplacement, activer la case **Recherche seulement**.

3 Dans le champ de saisie **Texte à remplacer**, saisir le texte de remplacement.

4 Préciser les critères de remplacement. Lorsque la case est active :

• **Distinction de la casse** : tient compte de la casse des caractères dans la recherche.

• **Copie de sauvegarde du fichier** : génère un fichier de sauvegarde du bloc de texte initial portant l'extension .bak dans la structure des dossiers du site.

• **Expressions régulières** : permet l'utilisation d'opérateurs booléens, ou d'imbrication d'opérateurs, pour raffiner la recherche.

Se référer aux rubriques d'aide du logiciel pour plus d'informations sur les opérateurs booléens.

• **Appliquer d'abord sur les fichiers ouverts** : définit l'ordre de priorité de l'application des modifications.

5 Dans la zone **Type de recherche**, préciser le mode de recherche à exécuter.

La zone **Options de recherche** s'actualise au type de recherche choisi.

Fichiers spécifiés	Permet la sélection de seulement quelques fichiers.
	• Cliquer sur le bouton **Ajouter** de la zone **Options de recherche**.
	La boîte de dialogue **Ouvrir fichier(s)** apparaît.
	• Sélectionner le ou les fichiers à ajouter.
	Supprimer
	• Pour retirer un fichier de la liste, le sélectionner et cliquer sur le bouton
	• Cliquer sur le bouton **Restaurer** pour effacer toute la liste.
Dans tous les fichiers du projets	Ce bouton n'est actif que si un projet est ouvert. Si cette option est choisie, la zone **Options de recherche** se désactive.

| **Dans le répertoire spécifié** | Effectue la recherche uniquement dans un répertoire sélectionné. |

- Dans le champ **Répertoire de recherche**, spécifier l'adresse complète du répertoire.

  Au besoin, utiliser le bouton **Ouvrir fichier(s)** pour naviguer sur le poste de travail.

- Activer la case **Inclure les sous-répertoires** pour considérer tous les fichiers et répertoires appartenant au répertoire sélectionné.

- Dans la zone **Masques**, choisir le type de fichiers qui ne doivent pas être pris en compte au moment de la recherche.

  Si aucun filtre n'est appliqué, tous les fichiers feront partie de la recherche.

| **Dans les documents ouverts** | Effectue la recherche uniquement sur les fichiers ouverts au moment de l'exécution de la commande. |

Si cette option est choisie, la zone **Options de recherche** se désactive.

6 Cliquer sur le bouton **Débuter** pour lancer la recherche.
- Cliquer sur le bouton **Arrêter** pour l'interrompre.

À chaque occurence trouvée, une boîte de confirmation apparaît.

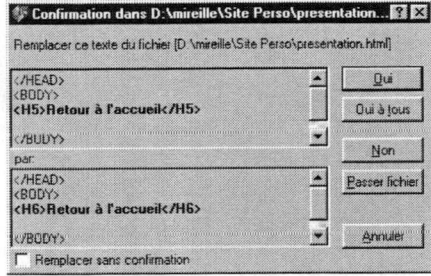

7 Confirmer la modification ou passer à un autre fichier :
- **Oui** : effectue la modification pour l'occurence actuelle.
- **Oui à tous** : effectue la modification dans le document courant pour toutes les occurences trouvées.
- **Non** : n'effectue aucune modification et passe à l'occurence suivante.
- **Passer fichier** : interrompt la vérification du document courant et passe au suivant.
- **Annuler** : interrompt l'opération et ferme la boîte de dialogue.
- Activer la case **Remplacer sans confirmation** pour remplacer toutes les occurences dans tous les fichiers.

Lorsque toute la recherche est complétée, le sommaire indique toutes les corrections qui ont été faites.

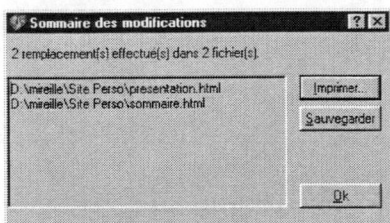

8 Cliquer sur le bouton **OK** pour compléter la procédure.
- Le bouton **Imprimer** lance l'impression du sommaire sur l'imprimante définie par défaut.
- Le bouton **Sauvegarder** enregistre les informations dans un fichier texte (*.txt*) à l'endroit spécifié.

La vérification et la correction du texte

Au-delà de l'édition du code HTML, WebExpert permet le traitement et la mise en forme du texte. Aussi offre-t-il des fonctions de vérification du texte. La commande de vérification orthographique peut être associée à plusieurs des moteurs de correction de texte les plus fréquemment utilisés : Microsoft Word CSAPI, Microsoft Word OLE et Sun StarOffice. Pour utiliser Microsoft Word ou Sun StarOffice, ces derniers doivent d'abord être installés sur le poste de travail.

Outre la vérification usuelle de l'orthographe, WebExpert permet aussi la correction automatique des mots identifiés par l'utilisateur. Lors de la saisie de texte, l'utilisateur a souvent la fâcheuse habitude de répéter les mêmes fautes d'orthographe. Une fois que la liste des erreurs et des corrections a été établie par l'utilisateur, chacune des saisies erronées est automatiquement corrigée. Par exemple, une inversion fréquente de caractères : *attention* à corriger automatiquement pour *attention*.

Paramétrer le vérificateur orthographique

1 Dans le menu **Outils**, exécuter la commande **Préférences générales**.

2 Cliquer sur le menu **Orthographe**.

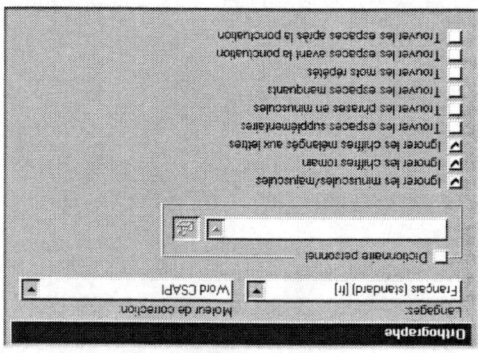

3 Dans la liste **Langages**, choisir le langage à utiliser par défaut.
Le langage choisir doit être utilisable par le dictionnaire spécifié à la zone adjacente.

4 Dans la liste **Moteur de correction**, choisir le dictionnaire de correction.

5 Pour utiliser un dictionnaire personnel, activer l'option correspondante.
• Dans le champ de saisie, saisir l'adresse du fichier du dictionnaire.
Les dictionnaires personnels portent l'extension .dic.

6 Activer la case des options à utiliser lors de la vérification.
Si une case est désactivée, cette option ne sera pas considérée.

Exécuter la vérification orthographique

1 Cliquer sur le bouton **Lancer la vérification de l'orthographe** de la barre d'outils **Standard**.
Lorsqu'un mot n'est pas inclus dans le dictionnaire, une boîte de dialogue apparaît permettant à l'utilisateur de traiter cette occurrence.

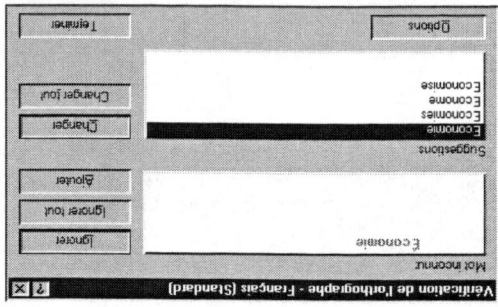

2 Exécuter la commande appropriée en cliquant sur l'un des boutons suivants :
- **Ignorer** : pour ignorer le mot inconnu et trouver le suivant.
- **Ignorer tout** : pour ignorer toutes les occurrences de ce mot jusqu'à la fin de la vérification de la page.
- **Ajouter** : pour ajouter le mot inconnu au dictionnaire personnel.
- **Changer** : pour modifier le mot inconnu par celui sélectionné dans la liste **Suggestions**.
- **Changer tout** : pour modifier tous les mots de la page correspondant à celui trouvé.
- **Options** : pour afficher les options de configuration du vérificateur.

Se référer à la procédure *Paramétrer le vérificateur orthographique* à la page 90.

3 Si aucun mot de la liste **Suggestions** n'est approprié, modifier l'orthographe directement dans la zone **Mot inconnu** et cliquer sur le bouton **Changer** ou **Changer tout**, selon le cas.

Pendant la saisie, le bouton **Refaire** apparaît. Cliquer sur ce bouton permet d'annuler la modification en cours.

4 Cliquer sur le bouton **Terminer** pour quitter la boîte de dialogue.

Paramétrer la correction automatique

1 Dans le menu **Outils**, exécuter la commande **Préférences sur l'éditeur**.

2 Afficher le contenu de l'onglet **Correction automatique**.

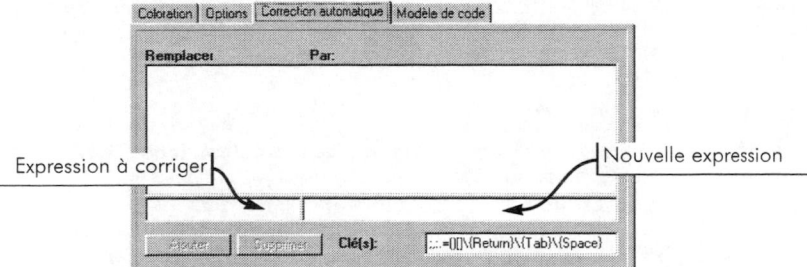

3 Dans la zone inférieure gauche de la boîte de dialogue, saisir le mot à corriger.

4 Dans la zone adjacente, saisir le mot avec la bonne orthographe.

5 Cliquer sur le bouton **Ajouter** maintenant devenu actif.

Le mot et sa correction apparaissent dans la liste.

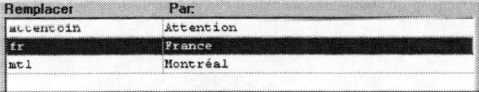

- Pour supprimer un mot de la liste, le sélectionner et cliquer sur le bouton **Supprimer**.

> La correction automatique peut également être utile pour accélérer la saisie du texte. Par exemple, en ne saisissant que l'acronyme *mtl*, la correction automatique insère le nom *Montréal* sur la feuille d'édition.
> Les paramètres de correction automatique sont enregistrés avec les paramètres de WebExpert et peuvent être réutilisés dans les autres documents.
> La correction automatique ne s'applique pas aux balises HTML.

Utiliser les fonctions de correction automatique

Comme son nom le suggère, la correction automatique s'effectue d'elle-même. Sitôt qu'une liste de mots est définie, la correction est activée; il est impossible de désactiver la fonction.

Pour utiliser la commande de correction automatique afin d'accélérer la saisie de texte,

1 Définir l'acronyme voulu dans la liste.

2 Saisir l'acronyme défini sur la feuille d'édition à son point d'insertion.

3 Appuyer sur la touche Espace du clavier.

Le mot complet s'inscrit automatiquement.

La liste des tâches

La conception de pages Web et la gestion de sites nécessitent une multitude de tâches pour lesquels les suivis efficaces peuvent être laborieux. Le Gestionnaire des tâches intégré à WebExpert facilite ce type de gestion en permettant l'élaboration de listes de tâches à faire, l'assignation des tâches à des personnes ressources et en les catégorisant afin de permettre les filtres d'affichage.

Par défaut, WebExpert utilise une liste des tâches générale dont le nom est general.todo. Ce fichier est enregistré à la racine du dossier programme de WebExpert. Il est possible d'obtenir une liste de tâches à faire pour chaque projet créé. Ces fichiers portent le nom du projet avec l'extension .todo; ces fichiers sont enregistrés dans le dossier principal où se trouve le projet.

La gestion des tâches

Afficher la liste des tâches

1 Dans le menu **Afficher**, exécuter la commande **Liste des tâches**.

WebXpert affiche la fenêtre **Liste des tâches à faire** : la liste générale, si aucun projet n'est ouvert, ou la liste du projet qui était ouvert.

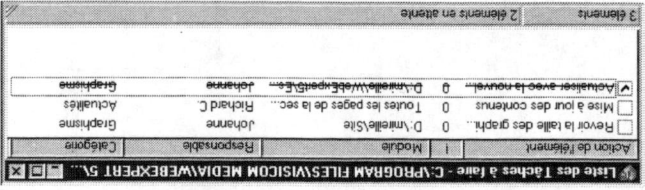

2 Pour basculer d'une liste des tâches à une autre, exécuter la commande **Liste des tâches** (**général** ou **du projet**) du menu contextuel selon la liste initialement affichée.

Pour afficher la liste d'un projet, il est nécessaire que ce dernier soit ouvert.

> La liste des tâches est configurée pour se masquer automatiquement au moment de basculer vers la feuille d'édition. Pour l'avoir toujours visible à l'affichage, sélectionner la commande **Toujours au dessus** du menu contextuel.
> La commande **Ancrer comme onglet** du menu contextuel permet l'affichage de la liste des tâches comme un onglet supplémentaire à la feuille d'édition.

Ajouter une tâche à faire

1 Afficher la liste des tâches appropriée.

2 Exécuter la commande **Ajouter** du menu contextuel.

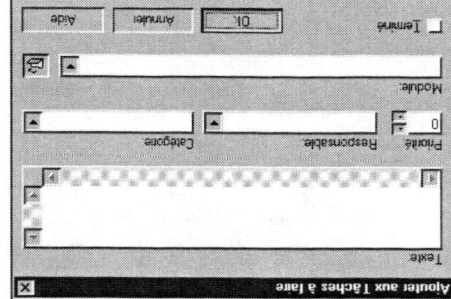

3 Dans la zone **Texte**, saisir un nom permettant d'identifier la tâche.

Il est possible d'ajouter autant de texte que nécessaire. Sur l'affichage de la liste, une info-bulle permet de consulter le texte dans sa totalité.

4 Dans la zone **Priorité**, spécifier le niveau de priorité de la tâche.

Cette information n'est la qu'à titre indicatif.

5 Dans la liste **Responsable**, saisir le nom de la personne responsable de l'exécution de la tâche.
La liste permet de choisir un responsable parmi ceux déjà inscrits.

6 Dans la liste **Catégorie**, spécifier une catégorie de classification.
La liste permet de choisir une catégorie déjà définie.

7 Dans la liste **Module**, saisir un texte explicatif qui identifie les documents de référence.
Le texte peut être libre. Il est possible de spécifier un fichier en particulier en utilisant le bouton **Ouvrir un fichier**. La liste permet de choisir un module déjà défini.

8 Cliquer sur le bouton **OK** pour revenir à la fenêtre **Liste des tâches à faire**.
Il est possible de modifier le statut de la tâche immédiatement en cochant la case **Terminé**.

Modifier ou supprimer une tâche

1 Afficher la liste des tâches qui contient la tâche à modifier.

2 Dérouler le menu contextuel et exécuter la commande appropriée :
- **Editer** : ouvre la boîte de dialogue **Editer un élément des Tâches à faire** et permet d'y apporter des modifications.
- **Effacer** : supprime la tâche.

Marquer une tâche comme terminée

1 Afficher la liste des tâches qui contient la tâche à marquer.

2 Cliquer sur la case à cocher de la tâche complétée.
Le texte de la tâche est maintenant barré. Le statut de la tâche peut être modifié ultérieurement en retirant le crochet.

La manipulation de la liste des tâches

Filtrer la liste des tâches

1 Afficher la liste des tâches appropriée.

2 Dérouler le menu contextuel sur la fenêtre et dérouler la liste de la commande **Filtre** du menu contextuel.

3 Choisir le filtre voulu.
Les tâches peuvent être filtrées par module, par responsable ou par catégorie.

4 Cliquer sur le bouton **OK** pour revenir à la liste des tâches.
Seules les tâches de l'élément sélectionné apparaissent dans la liste.

Trier la liste des tâches

1 Afficher la liste des tâches appropriée.

2 Dérouler le menu contextuel et dérouler la liste de la commande **Trier**.

3 Sélectionner la clé de tri voulue.
Il est aussi possible de définir une clé de tri en cliquant sur la colonne correspondante. Pour modifier l'ordre de tri, cliquer à nouveau sur le titre de la colonne.
Une flèche grisée apparaît sur la colonne qui commande le tri et indique l'ordre de tri, croissant ou décroissant.

Afficher les astuces sur les tâches

1 Afficher la liste des tâches appropriée.

2 Exécuter la commande **Afficher les astuces lorsque coupées**.
Une info-bulle apparaît lorsque la souris pointe une information dont une partie est masquée par manque d'espace.

Récupérer les informations de la liste des tâches

1 Afficher la liste des tâches appropriée.

2 Dérouler le menu contextuel et dérouler la liste de la commande **Copier**.

3 Exécuter la commande correspondant au format de récupération voulu.

Les informations de la liste des tâches sont placées dans le presse-papiers de Windows.

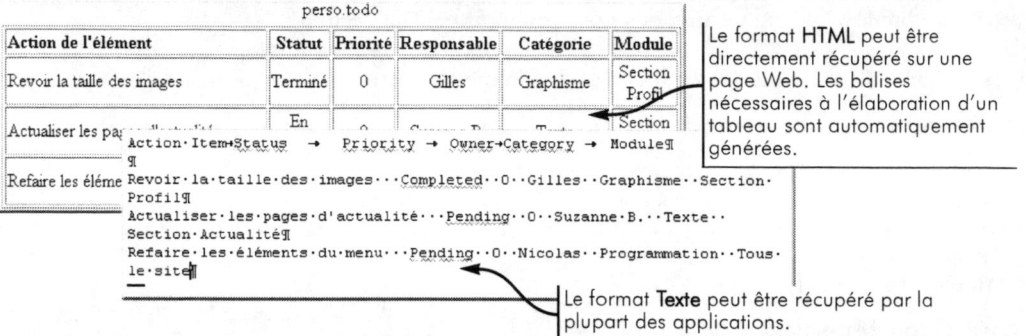

Le format **HTML** peut être directement récupéré sur une page Web. Les balises nécessaires à l'élaboration d'un tableau sont automatiquement générées.

Le format **Texte** peut être récupéré par la plupart des applications.

4 Ouvrir l'application voulue et récupérer le texte à l'aide du raccourci clavier CTRL-V ou de la commande **Editer>Coller**.

Imprimer la liste des tâches

1 Afficher la liste des tâches appropriée.

2 Dérouler le menu contextuel et dérouler la liste de la commande **Imprimer**.

3 Sélectionner le format d'impression voulu.

Ces formats sont les mêmes que pour la récupération (se référer à la procédure précédente). L'impression est automatiquement lancée sur l'imprimante définie par défaut.

6

Les images et les objets multimédias

Les types des fichiers image – Le survol des images – L'insertion d'une image – Les lignes horizontales – Les objets multimédias

Les types des fichiers image

Les images occupent une place importante dans la conception de pages Web car elles améliorent l'aspect esthétique des pages. Le code HTML permet d'utiliser des images statiques ou des images animées, ou encore des objets multimédias spéciaux conçus avec des logiciels spécialisés (un objct Flash par exemple).

Une image peut servir de marqueur pour un lien hypertexte (se référer au chapitre 7). On peut également y définir des zones réactives pointant chacune vers un lien spécifique (se référer à la section *Les images en coordonnées* à la page 109).

Le concepteur de la page doit toutefois prendre garde à l'utilisation abusive d'objets graphiques : certains ordinateurs sont mal équipés pour supporter ces aspects techniques. Il convient de valider la pertinence du type d'objet ajouté à un document.

En ce qui concerne les images statiques ou animées, le format HTML supporte un nombre limité de formats.

Format	Description
`.gif`	Image compressée à 8 bits affichant 256 couleurs. Les effets de transparence sont possibles.
`.jpeg` ou `.jpg`	Image compressée à 24 bits et affiche jusqu'à 16,7 millions de couleurs. Les effets de transparence ne sont pas possibles.

Format	Description
.png	Format graphique spécialement conçu pour Internet. Compression sans perte de résolution. Définition en 24 bits pour un affichage en 16,7 millions de couleurs. Ce format est destiné à remplacer progressivement le format GIF pour Internet mais pour l'instant il n'est pas interprété par tous les navigateurs.
.wbmp	Format graphique à 1 bit, noir et blanc, utilisé dans la conception de document WML (*Wireless Markup Language*) (se référer à la section *Les scripts WML* à la page 40 pour plus de détails).

Le survol des images

L'affichage **Survol d'images**, incorporé à WebExpert, permet d'obtenir en un coup d'œil toutes les images appartenant à un dossier. Cet affichage permet également d'insérer des images dans un document.

Afficher les images sous forme de miniatures

1 Cliquer sur le bouton **survol des images** 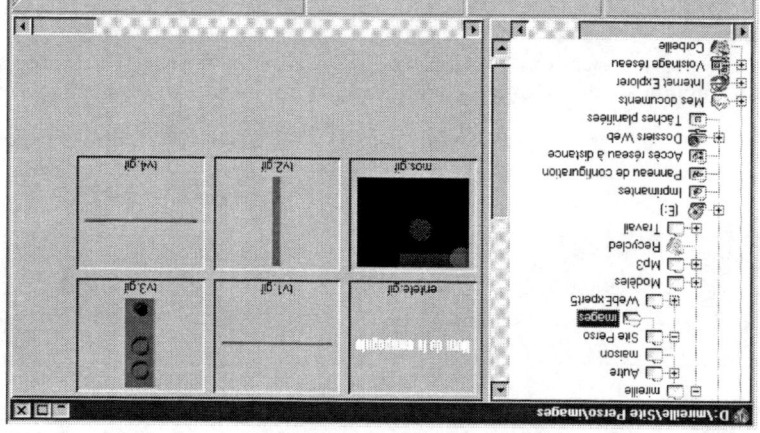 de l'onglet **Images**.
Une fenêtre se superpose à la feuille d'édition.

La fenêtre **Survol d'images** affiche sous forme de miniatures les images de format .jpg, .gif, .png et .bmp contenues dans le dossier.

2 Sélectionner le dossier à consulter sur le volet gauche de l'affichage.
Les miniatures apparaissent dans le volet droit.

> La fenêtre **Survol d'images** peut également être affichée à partir du Gestionnaire de fichiers à l'aide du bouton **Survol d'images** (se référer à la section *Le Gestionnaire de fichiers* à la page 79).

L'insertion d'une image

Les commandes d'insertion et de modification des images se retrouvent sur l'onglet **Images**.

> Le fichier image doit appartenir à la même unité de disque que les documents auxquels il est lié. Il est possible d'effectuer une copie automatique des fichiers liés à un document (se référer à la procédure *Copier automatiquement les fichiers* à la page 104).

Insérer une image

1 Cliquer sur le bouton **Image** 🏛 de l'onglet **Images**.
La boîte de dialogue suivante apparaît.

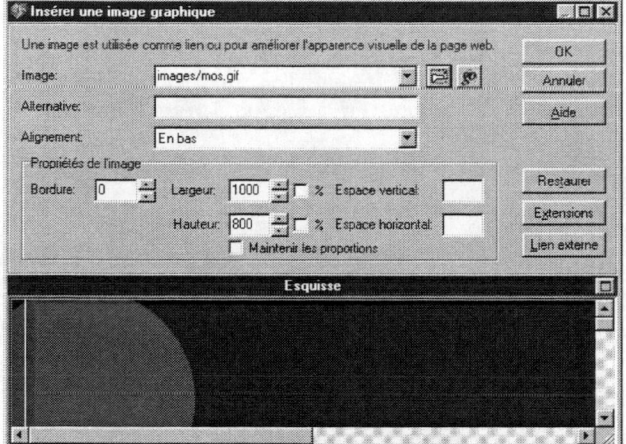

2 Dans le champ de saisie **Image**, saisir le chemin d'accès pour retrouver l'image.
  • Utiliser le bouton **Ouvrir** 🖼 pour trouver l'image sur l'ordinateur.
  • Utiliser le bouton **GOGraph** 🕸 pour rechercher une image sur Internet.

3 Dans le champ de saisie **Alternative**, saisir un texte de remplacement.
Si, pour une raison quelconque, le navigateur ne peut interpréter cette image, le texte apparaît en remplacement. Ce texte apparaît également en info-bulle sur l'image avec Internet Explorer.

4 Dans la liste déroulante du champ **Alignement**, sélectionner l'alignement de l'image.
L'alignement de l'image détermine les caractéristiques d'habillage du texte autour de celle-ci.

5 Dans la zone **Propriétés de l'image**, définir les bordures de l'image et l'espace qui doit la distancer du texte.

6 Modifier la taille de l'image en précisant les nouvelles dimensions en pixels dans les champs **Largeur** et **Hauteur**.
  • Activer la case **Maintenir les proportions** pour éviter les distortions.

Une ligne de commandes similaire à celle-ci est insérée dans le document :

```
<img src="grenouille.gif" border=6 width=100 height=75 hspace=8
vspace=5 align="middle">
```

> La zone **Esquisse** donne un aperçu de la mise en forme de l'image au fur et à mesure des modifications.
> Il est recommandé de modifier la taille de l'image avec un logiciel d'édition d'images; la modification de ses dimensions avec un éditeur HTML peut altérer de manière importante sa qualité.
> Pour préserver l'intégrité de la liaison vers le fichier image, le document doit obligatoirement être sauvegardé. Le cas échéant, un message de confirmation apparaît.

Insérer une image rapide

L'insertion d'une image avec cette méthode évite l'affichage de la boîte des propriétés de l'image.

1 Positionner le pointeur là où l'image doit être insérée.
2 Afficher le menu contextuel avec le bouton droit de la souris.
3 Exécuter la commande **Image rapide**.
La boîte de dialogue **Ouverture d'un fichier graphique** apparaît.
4 Sélectionner le fichier image et cliquer sur le bouton **OK**.

Insérer une image dans le document à partir de la fenêtre Survol d'images

1 Sur la feuille d'édition, se positionner où l'image doit être insérée.
2 Sur la fenêtre **Survol d'images,** se positionner sur la miniature de l'image à insérer, cliquer sur le bouton droit de la souris pour dérouler le menu contextuel.
Il est possible de basculer de la fenêtre **Survol d'images** à la feuille d'édition. Au besoin, activer la commande **Toujours au dessus** du menu contextuel obtenu sur la fenêtre **Survol d'images.**
3 Exécuter la commande **Insérer image.**
WebExpert renvoie un message de confirmation et indique la ligne de commandes ajoutée au document actif.
4 Cliquer sur le bouton **OK** pour revenir à la feuille d'édition.

Insérer une image à partir du Gestionnaire de fichiers

1 Positionner le point d'insertion à l'endroit où l'image doit être insérée sur la page.
2 Cliquer sur le bouton **Gestionnaire de fichiers** de la barre d'outils **Standard.**
3 Repérer l'image et la sélectionner.
4 Cliquer le bouton **Insérer image.**

Pour plus d'information sur l'utilité du Gestionnaire de fichier, se référer à la section *Le Gestionnaire de fichiers à la page 79.*

La modification des propriétés d'une image

Modifier les propriétés d'une image

Deux méthodes permettent la modification des propriétés des images :

1 Modifier les nouvelles valeurs des propriétés de l'image directement sur le code de la feuille d'édition.
2 Exécuter la commande **Propriétés de la balise: IMG** du menu contextuel obtenu sur le code IMG de la ligne de code.

Les lignes horizontales

Pour diviser des portions de texte sur une page Web, l'auteur peut insérer des images. Il peut également utiliser la balise <hr> qui génère une ligne horizontale dont les propriétés peuvent être facilement modifiées.

Insérer une ligne horizontale

1 Cliquer sur le bouton **Ligne horizontale** 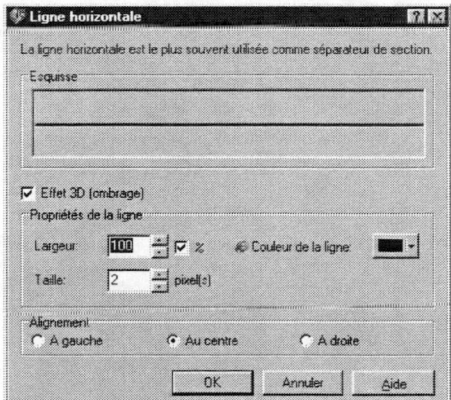 de l'onglet **Spécialisés**.
La boîte de dialogue suivante apparaît.

2 Définir les propriétés de la ligne :

   • **Effet 3D** : donne un effet tridimensionnel à la ligne.

   • **Propriétés de la ligne** : permet de définir la largeur et l'épaisseur (taille) de la ligne.

   Il est fortement suggéré de préciser la taille de la ligne horizontale en pourcentage pour lui permettre de s'ajuster automatiquement à l'espace libre de l'écran.

   • **Alignement** : permet de préciser l'alignement de la ligne sur la page.

   L'alignement de la ligne horizontale se fait toujours en fonction des marges gauche et droite de la page.

> Les options de couleurs de lignes sont spécifiques à Internet Explorer; Netscape ne les interprète pas.
>
> La zone **Esquisse** donne un aperçu de la mise en forme de la ligne horizontale au fur et à mesure des modifications apportées dans la boîte de dialogue.

Modifier les propriétés d'une ligne horizontale

Deux méthodes permettent la modification des propriétés des images :

1 Modifier les nouvelles valeurs des propriétés de la ligne horizontale directement sur le code de la feuille d'édition.

2 Exécuter la commande **Propriétés de la balise: HR** du menu contextuel obtenu sur le code HR de la ligne de code.

Les objets multimédias

Selon l'objectif visé par les concepteurs des sites Web, les pages Web peuvent présenter une information statique ou dynamique. Outre les images animées et les clips vidéo qui peuvent être ajoutés à une page Web, le code HTML fait souvent appel à des objets extérieurs au code. Il peut s'agir de code inséré directement dans le document, comme un JavaScript ou un DHTML, ou de petites applications ou des procédures externes, comme les applets Java (Se référer au chapitre 2).

L'ajout de fichiers son ou de fichiers graphiques dynamiques peut également être une méthode intéressante pour amener un complément d'information. En langage HTML, on parle d'emboîter des objets ou de les enchâsser (EMBED).

Insérer un module Enchâssé

1 Cliquer sur le bouton **Module enchâssé** 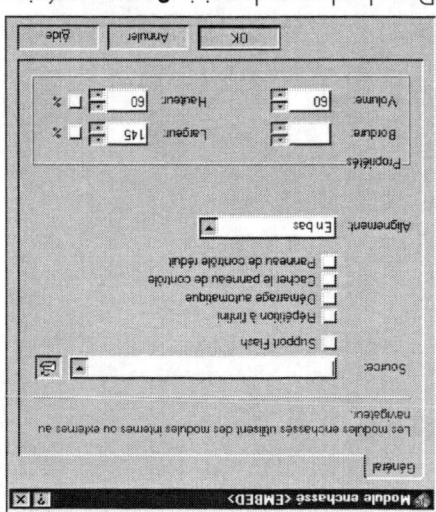 de l'onglet **Spécialisés**.

La boîte de dialogue suivante apparaît.

2 Dans le champ de saisie **Source**, préciser le chemin d'accès du fichier.

Le fichier peut être de format **WAV** ou **MID** pour des fichiers sonores, ou **WRL** ou **AVI** pour les animations graphiques ou les vidéos.

• Activer la case **Support Flash** pour insérer un module Flash à la page.

Se référer à la procédure *Insérer un objet Flash* à la page 101.

3 Définir le comportement de l'objet :

• **Répétition à l'infini** : le fichier s'exécute tant que la page est affichée (LOOP).

• **Démarrage automatique** : le fichier s'exécute au chargement de la page (AUTOSTART).

• **Cacher le panneau de contrôle** : le panneau de contrôle est masqué (HIDDEN).

• **Panneau de contrôle réduit** : le panneau de contrôle n'affiche que la barre des commandes (CONTROLS).

4 Dans la zone **Alignement**, préciser la disposition de l'objet.

5 Dans la zone **Propriétés**, définir l'apparence de l'objet et son niveau sonore.

6 Cliquer sur le bouton **Ok**.

Des lignes de commandes similaires à celles-ci sont insérées dans le document :

```
<EMBED SRC="Fleches/FLCH B5.AVI" WIDTH=100% HEIGHT=100% BORDER=3
VOLUME=25 ALIGN="middle" HIDDEN="true" CONTROLS="smallconsole"
LOOP="true" AUTOSTART="true">
```

Les objets Flash

Les objets Flash sont de plus en plus utilisés dans la conception de pages Web. Les objets Flash appartiennent à la technologie Macromédia et sont conçus avec un logiciel auteur particulier. Ces objets dynamiques nécessitent l'installation d'un module supplémentaire sur le poste pour fonctionner. C'est pourquoi, lorsque ce logiciel n'est pas présent sur le poste de travail, le navigateur affiche un message permettant la possibilité de télécharger le *plug-in*.

L'intégration de ce type d'objet doit se faire avec jugement ; le profil des visiteurs sera déterminant de cette décision : puissance du poste de travail, type de connexion Internet, navigateur utilisé, résolution, etc.

Insérer un objet Flash

1 Cliquer sur le bouton **Module enchâssé** 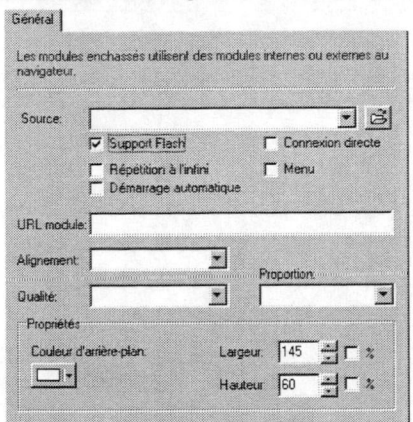 de l'onglet **Spécialisés**.

2 Activer la case **Support Flash**.

La boîte de dialogue s'actualise et présente les commandes de l'objet Flash.

3 Identifier le chemin d'accès du fichier dans le champ de saisie **Source**.

4 Définir le comportement de l'objet :

- **Connexion directe** : lorsqu'un JavaScript est associé au Flash son chargement est automatique (SRCSWLIVECONNECT).
- **Répétition à l'infini** : le fichier s'exécute tant que la page est affichée (LOOP).
- **Menu** : modifie le contenu du menu contextuel sur l'objet (MENU).
- **Démarrage automatique** : le fichier s'exécute au chargement de la page (AUTOSTART).

5 Dans la zone **URL module**, préciser l'emplacement du module (PLUGINSPAGE).

Cette adresse dirige les utilisateurs qui n'ont pas le programme d'interprétation Flash vers un site de téléchargement.

6 Dans la zone **Qualité**, préciser le niveau de qualité voulu.

La qualité de l'affichage de l'objet est déterminante du rapport performance (vitesse)/qualité : plus la qualité graphique est élevée, moins l'objet est performant. L'option **Élevé** est définie par défaut. Cette option permet une qualité graphique importante.

7 Dans la zone **Proportion**, préciser l'affichage de l'objet.

- **Voir tout** : préserve la taille originale de l'objet.

Si l'espace d'affichage au navigateur n'est pas suffisant, des barres de défilement apparaissent.

- **Aucune bordure** : redimensionnement proportionnel de la zone de l'objet en fonction de l'espace d'affichage disponible.
- **Ajuster** : redimensionnement automatique de la zone de l'objet sans tenir compte de ses proportions.

8 Dans la zone **Propriétés**, définir l'apparence de l'objet.

9 Cliquer sur le bouton **OK**.

Des lignes de commandes similaires à celles-ci sont insérées dans le document :

```
<EMBED SRC="espoir.swf" WIDTH="100%" HEIGHT="60%" TYPE="application/
x-shockwave-flash" SWLIVECONNECT="false" MENU="false"
PLUGINSPAGE="http://active.macromedia.com/flash4/cabs/
swflash.cab#version=4,0,0,0" AUTOSTART="true">
</EMBED>
```

Les principaux éléments HTML pour la manipulation des objets

Les images et les objets graphiques utilisent peu d'éléments HTML. Ce sont principalement les attributs, les propriétés et les événements scripts associés qui définissent le comportement et l'apparence de ces objets.

> Consulter la section *Les éléments de mise en forme des caractères* à la page 213 pour obtenir la liste détaillée des éléments.

* Les images et les éléments graphiques utilisent les éléments suivants :

```
IMG, EMBED, HR, OBJECT, PARAM
```

7

Les liens hypertextes

Les catégories de liens hypertextes

Un lien hypertexte (aussi appelé hyperlien) est un pointeur ciblant un objet (une page ou un marqueur) qui se trouve sur la même page ou sur une autre page. Le lien hypertexte peut également appeler un programme tel un logiciel de courrier électronique ou un programme de gestion de formulaire. Il peut être défini sur un texte, une image ou une portion d'image (images en coordonnées).

Deux catégories de liens hypertextes peuvent être définies :

- **Internes** : qui pointent vers des références internes à une page Web.
- **Externes** : qui pointent vers une autre page du site, vers un autre site ou vers une application externe à la page.

En utilisant les liens hypertextes pour lier des objets appartenant à plusieurs fichiers (pages Web) d'un site, on réalise l'importance d'accorder une attention particulière à l'organisation des dossiers.

Les adresses de fichiers

Les liens sont définis à l'aide d'adresses (URL). Ces dernières indiquent le chemin pour accéder aux objets ciblés par les hyperliens. Il existe deux types d'adressage : relatif et absolu.

Lorsque des fichiers sont liés entre eux et qu'ils sont destinés à un transport vers des destinations souvent méconnues (sur un serveur Web, par exemple), il est essentiel d'utiliser des adresses relatives.

> WebExpert propose des mesures de sécurité concernant l'adressage des fichiers. Il est notamment possible de définir les options de copie automatique des fichiers liés (se référer à la procédure *Copier automatiquement les fichiers* à la page 104), de vérifier l'intégrité des liens entre les pages HTML (se référer à la section *La vérification des documents* à la page 73) et de vérifier les liens pointant vers l'extérieur du site (se référer à la section *La vérification des liens en ligne à la page 196*).

L'adressage relatif

Dans ce cas-ci, l'adresse décrit le chemin à parcourir pour atteindre la cible à partir du point de départ (document contenant l'hyperlien). Ce type d'adressage est utilisé pour définir les liens hypertextes entre les documents résidant dans une même arborescence ou sur un même site.

```
images/fond.gif
```

Ici, l'adresse indique qu'il faut passer par le sous-répertoire images afin d'accéder au fichier fond.gif.

```
../textes/index.html
```

Cette adresse indique qu'il faut remonter d'un niveau dans l'arborescence (identifier par ../) puis passer par le répertoire textes pour accéder au fichier index.html.

L'adressage absolu

L'adressage absolu ne tient pas compte de l'emplacement du document contenant l'hypertlien. Le chemin indiqué contient la référence complète de l'emplacement de la cible.

Le chemin d'accès vers un document sur le Web utilise toujours un adressage absolu pour permettre au navigateur de repérer le document recherché.

```
http://www.domaine.com/textes/index.html
http://www.domaine.com/images/fond.gif
C:\Mes documents\Mes images\maphoto.gif
```

Dans le dernier exemple, le lien hypertexte ira chercher le fichier sur le disque C: de l'utilisateur qui l'activera. Si un tel lien fait partie d'un document diffusé sur le Web, le lien sera invalide puisque de toute évidence l'image n'appartient pas au disque C: de l'utilisateur.

Copier automatiquement les fichiers

Cette option permet de prévenir les problèmes de liaison entre les fichiers lors du transport du site pour publication en forçant son enregistrement dans les dossiers du site.

1 Dans le menu **Outils**, exécuter la commande **Préférences générales**.

2 Exécuter la commande **Fichiers** sous le menu **Environnement**.

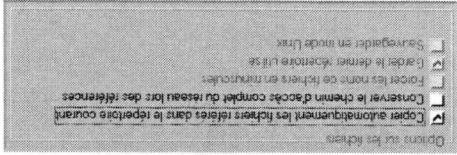

3 Dans la zone **Options sur les fichiers**, activer la case **Copier automatiquement les fichiers référés dans le répertoire courant**.

L'option **Conserver le chemin d'accès complet du réseau lors des références** conserve en mémoire l'adresse absolue des fichiers. Cette option est utile lorsque la page Web est destinée à un Intranet local.

> L'utilisation de cette option risque de provoquer la duplication de fichiers si ceux-ci sont utilisés à l'intérieur de plusieurs répertoires sur un même site.

Les protocoles d'adressage

Pour que le navigateur interprète adéquatement le lien, il est important de respecter les protocoles utilisés sur Internet. Parmi les plus utilisés :

Protocole	Description
aucun	Lien hypertexte interne au site (à l'intérieur d'une page ou vers une autre page du site).
http:	Lien vers un autre site sur le Web.
ftp:	Lien vers une adresse FTP (serveur de gestion de fichiers).
mailto:	Lien vers un service de messagerie électronique.
file:	Lien vers des fichiers locaux.
news:	Lien vers un service de groupe de nouvelles.
nntp:	Lien vers des nouvelles Usenet.
gopher:	Lien vers une adresse Gopher.
telnet:	Lien vers une adresse Telnet.

La vérification des liens entre les documents

WebExpert permet d'évaluer et de vérifier l'intégrité des documents HTML à l'aide de plusieurs fonctionnalités, entre autres :

- le vérificateur de syntaxe HTML et l'évaluateur de document qui permettent d'obtenir un rapport complet sur la performance des pages;
- l'outil de vérification de lien en ligne qui permet de valider l'intégrité des liaisons à l'extérieur du site (sur le Web par exemple).
- L'Explorateur graphique permet également de visualiser les relations entre les pages d'un site Web et de détecter les erreurs éventuelles, notamment en obtenant un rapport sur les liens morts.

> Pour plus d'information sur les fonctionnalités de vérification, se référer à la section *La vérification des documents* à la page 73, à la section *La fenêtre des outils* à la page 184, ainsi qu'aux sections *La vérification des liens en ligne* et *L'évaluation des documents* du chapitre 14.

Les liens hypertextes internes

Un lien hypertexte interne est un lien qui pointe à l'intérieur du document actif.

Il est fortement suggéré d'éviter l'utilisation de caractères spéciaux, de caractères accentués, de majuscules et de caractères d'espacement dans le nom des marqueurs : certains serveurs et navigateurs peuvent avoir du mal à interpréter ces caractères.

Définir un lien hypertexte interne

1 Sélectionner l'objet sur lequel le lien doit être activé.

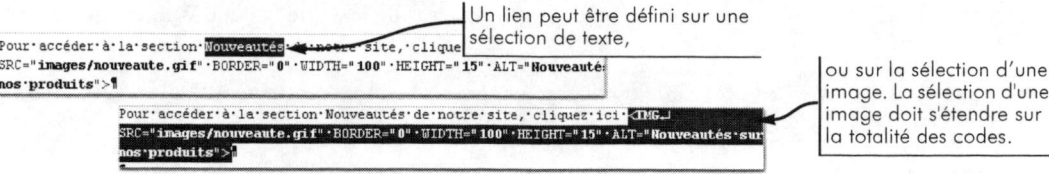

Un lien peut être défini sur une sélection de texte,

ou sur la sélection d'une image. La sélection d'une image doit s'étendre sur la totalité des codes.

2 Cliquer sur le bouton **Lien interne** 🖼 de l'onglet **Spécialisés**.
La boîte de dialogue suivante apparaît.

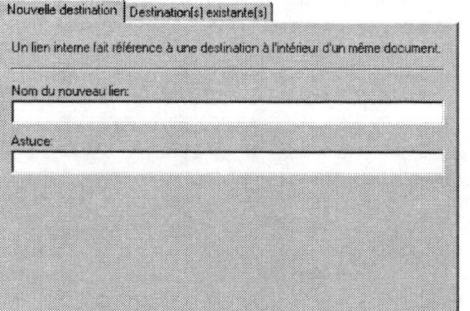

3 Dans le champ de saisie **Nom du nouveau lien**, saisir un nom pour identifier la cible.
La boîte de dialogue se transforme. La zone **Choisir la ligne de destination du lien** affiche le contenu du document courant.

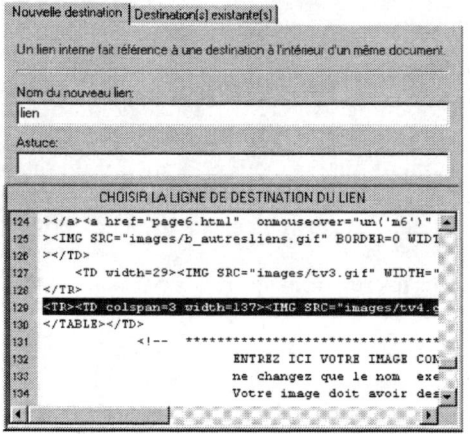

4 Sur la marge de la zone d'aperçu, cliquer sur le numéro de la ligne contenant la cible du lien. WebExpert sélectionne la ligne entière.

5 Cliquer sur le bouton **OK** pour fermer la boîte de dialogue et revenir à la feuille d'édition.
Des lignes de commandes similaires à celles-ci sont insérées dans le document :
Sur le lien hypertexte (la source du lien); le # étant le code pour identifier le marqueur :

```
<A HREF="#formation">Lien vers formation</A>
```

Sur le marqueur lui-même (la cible du lien) :

```
<A NAME="formation">Formation</A>
```

> Le marqueur peut être réutilisé autant de fois que nécessaire lors de la création de liens hypertextes internes ou externes.
> Pour définir un cadre de destination pour un lien interne, saisir l'attribut `target` à l'intérieur de la balise A HREF.
> Par exemple : `<A HREF="#formation" target="_blank">`; dans lequel `_blank` force l'affichage de la cible du lien dans une nouvelle fenêtre du navigateur superposée à la fenêtre active (se référer à la section *Les cadres de destination* à la page 127).

Définir un lien vers une destination existante

1 Sélectionner l'objet sur lequel le lien doit être activé.

2 Cliquer sur le bouton **Lien interne** 📳 de l'onglet **Spécialisés**.

3 Afficher le contenu de l'onglet **Destination(s) existante(s)**.

La liste **Destination(s) existante(s)** affiche les marqueurs déjà définis dans le document.

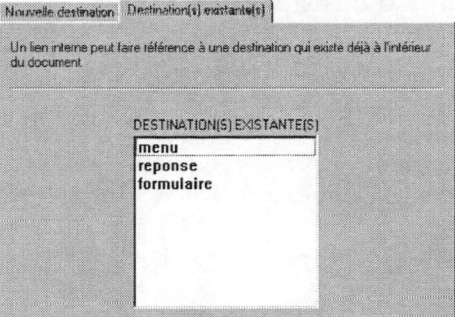

4 Sélectionner la cible.

5 Cliquer sur le bouton **OK**.

Une ligne de commandes similaire à celle-ci est insérée dans le document :

```
<A HREF="#experience">Expérience de travail</A>
```

Les liens hypertextes externes

Un lien hypertexte externe est un lien qui pointe à l'extérieur du document actif : vers un autre document du même site, vers une adresse Web, vers une adresse électronique, etc.

Définir un lien hypertexte externe vers une autre page du site

1 Sélectionner l'objet sur lequel le lien doit être activé.

2 Cliquer sur le bouton **Lien externe** 🕸 de l'onglet **Spécialisés**.

La boîte de dialogue suivante apparaît.

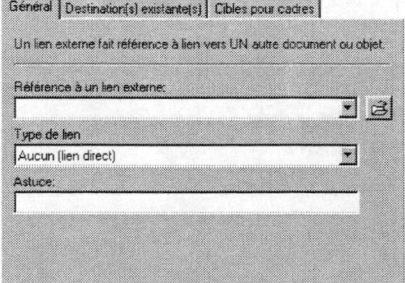

3 Dans le champ de saisie **Référence à un lien externe**, saisir l'adresse relative de la cible.

• Utiliser le bouton **Ouvrir** 🖻 pour parcourir les dossiers du site.

4 Pour identifier un marqueur, afficher le contenu de l'onglet **Destination(s) existante(s)**.
Les destinations existantes doivent avoir été préalablement créées.

5 Pour définir un cadre de destination, afficher le contenu de l'onglet **Cibles pour cadres**.
Se référer à la section *Les cadres de destination* à la page 127.

Des lignes de commandes similaires à celles-ci sont insérées dans le document :
sur la page en édition, lorsque le lien est précisé sur du texte.

`<A HREF="syntaxe.html">recherché</A>`

sur la page en édition, lorsque le lien est précisé sur une image,

`<A HREF="syntaxe.html"><IMG SRC="logo.gif"></A>`

sur la page en édition, lorsque le lien pointe vers un marqueur à l'intérieur du document externe,

`<A HREF="curriculum.html#experience">Expérience de travail</A>`

Définir un lien hypertexte externe vers une adresse à l'extérieur du site

1 Sélectionner l'objet sur lequel le lien doit être activé.
La sélection d'une image doit s'étendre sur toute la ligne de commange (`<IMG SRC=" ">`) du début de la balise d'ouverture à la fin de la balise de fermeture.

2 Cliquer sur le bouton **Lien externe** [icon] de l'onglet **Spécialisés**.

3 Dans la zone **Type de lien**, choisir le protocole du lien à établir.
Le champ de saisie **Référence à un lien externe** propose un exemple de la syntaxe correspondant au type de lien.

4 Dans le champ de saisie **Référence à un lien externe**, saisir l'adresse appropriée selon la syntaxe présentée.

5 Pour définir un cadre de destination, afficher le contenu de l'onglet **Cibles** pour cadres.
Se référer à la section *Les cadres de destination* à la page 127.

Des lignes de commandes similaires à celles-ci sont insérées dans le document. Par exemple, pour identifier un lien vers un service de messagerie.

`<A HREF="mailto:email@adresse.com">Contactez nous</A>`

Pour indiquer un lien vers une page sur le Web.

`<A HREF="http://www.domaine.com/">Cliquez ici</A>`

Définir un lien externe rapidement

1 Sélectionner l'objet sur lequel le lien doit être activé.

2 Avec le bouton droit de la souris, afficher le menu contextuel.

3 Exécuter la commande **Lien externe rapide**.
La boîte de dialogue **Ouvrir fichier(s)** apparaît.

4 Sélectionner la page représentant la cible du lien.

> Cette méthode ne permet pas de définir une destination dans la page, ni un cadre de destination par défaut. Utiliser la commande **Propriétés de la balise: A** du menu contextuel obtenu sur l'ouverture de la balise pour modifier les propriétés du lien à l'aide de la boîte de dialogue.

Insérer un lien externe à partir du Gestionnaire de fichiers

1 Positionner le point d'insertion à l'endroit où le lien doit être inséré sur la page.

2 Cliquer sur le bouton **Gestionnaire de fichiers** [icon] de la barre d'outils **Standard**.

3 Repérer le document à lier et le sélectionner.

4 Cliquer le bouton **Insérer Lien**.

> Pour plus d'information sur l'utilité du Gestionnaire de fichier, se référer à la section *Le Gestionnaire de fichiers* à la page 79.

Les cadres de destination des liens

La définition d'un cadre de destination sur un lien permet de préciser l'endroit où le lien doit apparaître sur un affichage ou sur une nouvelle fenêtre. Le code HTML prévoit des cadres de destinations par défaut : par exemple, sur le cadre parent (_parent), dans une nouvelle fenêtre (_blank) ou en remplacement du contenu actif (_self). Le concepteur peut également définir ses propres cadres de destination au moment de la création des pages à cadres.

> Pour plus d'information sur les pages à cadre et les cadres de destination se référer au chapitre 9.

Définir les cadres de destination sur un lien

1 Dans la boîte de dialogue **Lien externe**, afficher le contenu de l'onglet **Cibles pour cadres**.

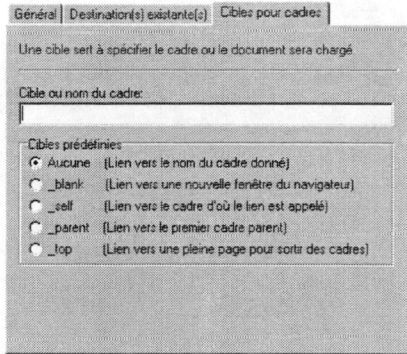

2 Dans le champ de saisie **Cible ou nom du cadre**, saisir le nom identificateur du cadre.

Ce champ est utilisé uniquement lorsqu'il s'agit d'un nom de cadre défini par le concepteur.

• Pour utiliser les cadres de destination par défaut du code HTML, sélectionner la cible où doit apparaître le contenu de la page liée dans la zone **Cibles prédéfinies**.

Les images en coordonnées

Les images en coordonnées sont des images sur lesquelles sont définies des zones réactives, chacune correspondant à un lien hypertexte. Chaque zone réactive est identifiée par sa forme, son positionnement sur l'image initiale (ses coordonnées numériques) et la cible du lien hypertexte.

```
<AREA SHAPE="RECT" COORDS="0,4,37,37" HREF="couleur.htm">
```

Créer une image en coordonnées

1 Cliquer sur le bouton **Image en coordonnées** de l'onglet **Images**.

La boîte de dialogue suivante apparaît.

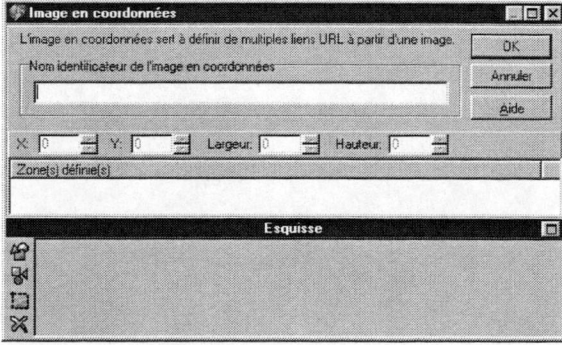

2 Dans le champ de saisie **Nom identificateur de l'image en coordonnées**, saisir le nom de l'image (USEMAP).

Le nom de l'image est obligatoire. Chaque image coordonnée définie sur une image représente une ligne de code indépendante l'une de l'autre. C'est grâce au nom identificateur que les coordonnées sont reliées à l'image.

```
<IMG SRC="../images/image.gif" USEMAP="#coordonne">
```

3 Dans la boîte de dialogue **Image en coordonnées**, cliquer sur le bouton **Insérer une image** de la zone **Esquisse** pour choisir l'image.

La boîte de dialogue **Insérer un fichier graphique** apparaît.

4 Sélectionner l'image à utiliser selon la procédure habituelle.

Au besoin, se référer à la procédure *Insérer une image* à la page 97.

5 Cliquer sur le bouton **OK** pour retourner à la boîte de dialogue **Image en coordonnées**.

6 Dessiner les coordonnées sur l'image et définir les liens hypertextes.

Dessiner les coordonnées sur l'image

1 Dans la boîte de dialogue **Image en coordonnées**, cliquer sur le bouton **Forme géométrique** de la zone **Esquisse** et choisir la forme voulue dans le menu déroulant.

2 Dessiner la forme sur l'image dans la zone **Esquisse**.

Cercle Trace un cercle parfait.

- Cliquer dans le coin supérieur gauche de la zone réactive à dessiner.
- Glisser la souris en direction du coin inférieur droit en maintenant le bouton enfoncé.

Le cercle se trace à partir du point de départ.

Rectangle Trace une forme à quatre côtés.

- Cliquer sur l'un des coins de la zone réactive à dessiner.
- Glisser la souris en maintenant le bouton enfoncé vers l'extrémité opposée.

Polygone Permet de tracer les contours d'une forme par traits de différentes dimensions.

- Positionner le pointeur à l'une des extrémités de la zone réactive à dessiner et cliquer une fois avec le bouton gauche de la souris.
- Pointer un autre point de la forme sur l'image et cliquer une fois avec le bouton gauche de la souris. Une ligne en surbrillance indique les contours de la forme.
- Tracer autant de segments que nécessaire.

Il est nécessaire de s'assurer que la forme soit partiellement fermée.

3 Définir les liens hypertextes sur chacune des formes à l'aide du bouton **Ajouter la zone**.

Il est possible de définir des liens internes, des liens externes ou encore une zone insensible.

4 Dans la boîte de dialogue correspondant au type de lien à définir, spécifier l'URL du lien.

5 Pour ajouter des coordonnées supplémentaires, tracer la forme et définir le lien correspondant.

À chaque zone définie, les coordonnées apparaissent dans la partie centrale de la boîte de dialogue. Dérouler le menu contextuel pour modifier la zone.

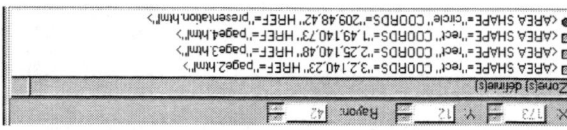

6 Cliquer sur le bouton **OK** pour revenir à la feuille d'édition.

Une fois l'image en coordonnées définie, des lignes de commandes similaires à celles-ci sont insérées dans le document :

```
<MAP NAME="quebec">
 <AREA SHAPE="rect" COORDS="134,8,342,97" HREF="#quebec">
 <AREA SHAPE="circle" COORDS="357,233,74" HREF="#montreal">
 <AREA SHAPE="poly" COORDS="24,177,239,178,201,279,92,301,92,222"
HREF="#3rivieres">
</MAP>
<IMG SRC="quebec.gif" BORDER=0 WIDTH=512 HEIGHT=374
USEMAP="#quebec">
```

Les lignes de commandes introduites par la balise `<MAP NAME="quebec">` représentent les zones réactives définies sur l'image.

La balise `<IMG SRC="quebec.gif" ...>` identifie l'image utilisée.

`USEMAP` fait référence au nom identificateur de l'élément `MAP`.

Modifier les coordonnées d'une zone

1 Exécuter la commande **Propriétés de la balise: MAP** du menu contextuel obtenu sur l'élément `MAP`.

La boîte de dialogue **Images en coordonnées** apparaît.

2 Dans la zone **Zone(s) définie(s)**, double-cliquer sur la zone à modifier.

Les coordonnées de la zone apparaissent dans les champs de saisie **X**, **Y**, **X2**, et **Y2**.

• Modifier les coordonnées directement dans les champs de saisie ou avec la souris sur l'image de la zone **Esquisse**.

3 Modifier la zone sur la zone **Esquisse**.

Sur la zone **Esquisse**, les contours de la zone sélectionnée sont pointillés; les autres zones sont en lignes continues.

• Pour déplacer une zone, la pointer jusqu'à ce que le pointeur ait la forme d'une main. En maintenant le bouton gauche de la souris enfoncé, glisser la zone à l'endroit voulu.

• Pour modifier la taille de la zone, pointer l'une de ses bordures jusqu'à ce que le pointeur ait la forme d'une double flèche. En maintenant le bouton gauche de la souris enfoncé, glisser la bordure jusqu'à ce que la zone ait la forme voulue.

4 Créer une nouvelle zone à partir d'une coordonnée existante.

• Dérouler le menu contextuel sur les coordonées à utiliser dans la zone **Zones(s) définie(s)**.

• Dérouler la liste du menu **Ajouter la zone** et sélectionner le type de lien à associer aux coordonnées.

• Modifier les coordonnées de la zone pour éviter les chevauchements avec les autres.

En cours de modification, il est possible de modifier les coordonnées de la zone tel que précédemment expliqué, d'ajouter une zone, d'en modifier la taille. Toutefois, le remplacement de l'image utilisée avec la boîte de dialogue entraîne la suppression des coordonnées. Pour modifier l'image utilisée, modifier son adresse ou son nom directement sur la feuille d'édition.

Supprimer une zone réactive

1 Exécuter la commande **Propriétés de la balise: MAP** du menu contextuel obtenu sur l'élément `MAP`.

2 Avec le bouton droit de la souris, cliquer sur la coordonnée à modifier dans la zone **Zones(s) définie(s)** de la boîte de dialogue.

3 Exécuter la commande **Supprimer la zone**.

Une zone réactive peut être supprimée directement sur la feuille d'édition avec la touche **Del** du clavier. Pour que la suppression soit complète, il est nécessaire de supprimer la totalité de la ligne de commandes de la balise `<AREA SHAPE=...>` :
`<AREA SHAPE="RECT" COORDS="3,119,32,145" HREF="index.html">`

Développer avec WebExpert 5

Les éléments pour la définition des liens

Les liens hypertextes et les images en coordonnées utilisent peu d'éléments. Les attributs et propriétés de ces éléments permettent de définir des comportements particuliers; des événements scripts associés peuvent toutefois venir modifier les comportements des liens.

Les liens sont considérés comme des éléments intralignes puisqu'ils n'affectent qu'une chaîne de caractères en particulier, à l'intérieur d'un bloc de texte.

Consulter les sections *Les éléments intralignes des paragraphes* à la page 211 et *Les éléments pour la définition des liens* à la page 215 pour obtenir la liste détaillée des éléments.

- Les liens hypertextes et les images en coordonnées utilisent les éléments suivants :

A HREF, AREA, MAP, LINK

8

Les tableaux

Présentation des tableaux – La création d'un tableau – L'imbrication de tableaux – La saisie et la manipulation du contenu des cellules – L'édition d'un tableau et de ses éléments – Les propriétés du tableau et de ses éléments

Présentation des tableaux

Traditionnellement, les tableaux servent à organiser l'information. Pour la conception de pages Web, ils sont des outils particulièrement utiles pour raffiner la mise en page. Certains concepteurs utilisent le tableau à cellule unique pour disposer les marges internes d'une page et forcer un positionnement précis du texte. Avec la possibilité d'imbriquer plusieurs tableaux, cette méthode de mise en page représente plusieurs avantages.

Pour bien manipuler les tableaux avec le code HTML, il importe d'identifier chaque objet qui le compose.

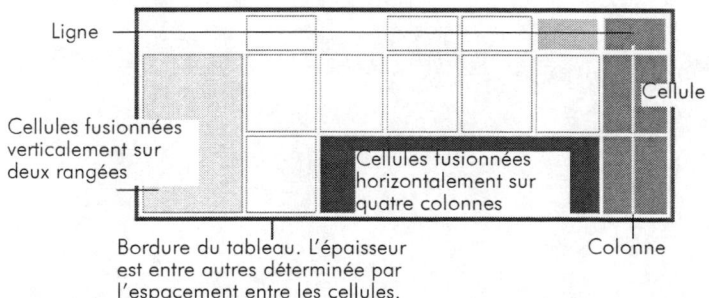

Ligne

Cellule

Cellules fusionnées verticalement sur deux rangées

Cellules fusionnées horizontalement sur quatre colonnes

Bordure du tableau. L'épaisseur est entre autres déterminée par l'espacement entre les cellules.

Colonne

Chaque élément du tableau peut être traité indépendamment l'un de l'autre; certains peuvent aussi avoir un traitement groupé, par exemple les rangées (tr) et les colonnes (col).

La création d'un tableau

Les fonctions de création et de manipulation des tableaux se retrouvent sur l'onglet **Tableaux, Cadres et Listes**.

Deux méthodes permettent la création de tableaux :
* insertion d'un tableau à l'aide de la boîte de dialogue **Tableau**,
* insertion d'un tableau rapide, méthode qui évite l'affichage de la boîte de dialogue **Tableau**. Les propriétés du tableau et des éléments doivent être modifiées subséquemment.

La balise TABLE peut inclure plusieurs attributs dans sa définition :

```
<TABLE ALIGN="center" BORDER="3" BORDERCOLOR="#C0dcc0" HEIGHT="280"
WIDTH=600">
 <TR>
 <TD><IMG SRC=grenouille.gif"</TD>
 <TD>Texte</TD> </TR>
 <TR>
 <TD><IMG SRC="crapaud.gif"</TD>
 <TD>Texte</TD> </TR>
</TABLE>
```

Configurer la création du tableau rapide

1 Dans le menu **Outils**, exécuter la commande **Préférences générales**.

2 Sous le menu **Editeur**, cliquer sur le menu **Tableaux**.

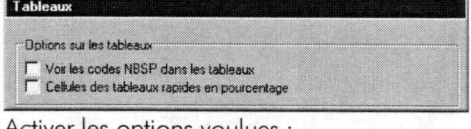

3 Activer les options voulues :

* **Cellules des tableaux rapides en pourcentage** : la largeur des cellules est calculée en pourcentage (WIDTH=" ").

Si cette option n'est pas active, aucune dimension particulière n'est affectée aux cellules. Le pourcentage de chaque cellule est calculé en fonction de leur nombre, proportionnellement à la largeur totale du tableau. Si aucune largeur n'est spécifiée pour le tableau, le pourcentage est calculé selon l'espace disponible sur la fenêtre du navigateur.

* **Voir les codes NBSP dans les tableaux** : force l'inscription des codes d'espacement insécable.

Les codes d'espacement insécable sont nécessaires pour forcer la reconnaissance d'une cellule vide par le navigateur.

Si les deux options sont activées, WebExpert insère des lignes similaires aux suivantes à la création d'un tableau rapide.

```
<TABLE SUMMARY="" WIDTH="100%">
  <TR>
    <TD WIDTH="100%"> </TD>  </TR>
  <TR>
    <TD WIDTH="100%"> </TD>  </TR>
</TABLE>
```

Créer un tableau rapide

1 Cliquer sur le bouton **Insérer un tableau rapide** 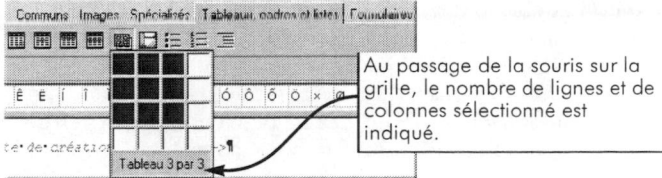 de l'onglet **Tableaux, cadres et listes**.
Une représentation des lignes et des colonnes du tableau s'affiche sous le bouton.

Au passage de la souris sur la grille, le nombre de lignes et de colonnes sélectionné est indiqué.

2 Cliquer dans la case supérieure gauche du tableau et, en tenant le bouton de la souris enfoncé, glisser le pointeur jusqu'à ce que le bon nombre de lignes et de colonnes soit indiqué dans la zone inférieure.

Par exemple, pour un tableau de une colonne sur deux lignes, des lignes de commandes similaires à celles-ci sont insérées dans le document :

```
<TABLE SUMMARY="" BORDER="0">
  <TR>
    <TD></TD>  </TR>
  <TR>
    <TD></TD>  </TR>
</TABLE>
```

Dans l'exemple précédent, le tableau et les cellules ne possédant aucun attribut particulier, leurs dimensions s'ajusteront en fonction du contenu. WebExpert permet de configurer ce comportement pour affecter une dimension en pourcentage aux éléments du tableau.
Une cellule vide dans un tableau est reconnue comme inexistante, ce qui risque d'entraîner un décalage du contenu. Pour éviter cela, il faut insérer un espace insécable ( ). Le code HTML utilise le caractère spécial   à cet effet.

Insérer un tableau à l'aide de la boîte de dialogue Tableau

1 Cliquer sur le bouton **Insérer un tableau** 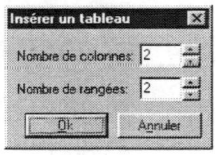 de l'onglet **Tableau, cadres et listes**.
La boîte de dialogue **Insérer un tableau** apparaît.

2 Préciser le nombre de colonnes et de rangées et cliquer sur le bouton **OK**.
Une boîte de dialogue permettant de modifier les propriétés du tableau et des cellules apparaît.

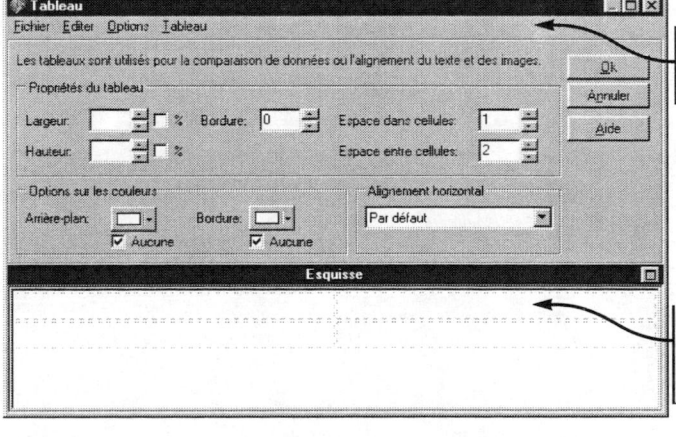

La boîte de dialogue **Tableau** est munie d'une barre de menus qui facilite l'accès aux commandes.

Le contenu des cellules peut être saisi directement dans la zone **Esquisse**. Utiliser le menu contextuel pour accéder aux commandes.

3 Dans la zone **Propriétés du tableau**, préciser les dimensions du tableau et la disposition des cellules.

• Pour définir une dimension en pourcentage, activer la case **%**. Autrement, la taille de la largeur et de la hauteur du tableau est en pixels.

Le tableau dimensionné en pourcentage s'ajuste proportionnellement à l'espace disponible à l'écran, selon la résolution de l'utilisateur. Le tableau dimensionné en pixels est de taille fixe. Ceci peut éventuellement entraîner l'apparition d'une barre de défilement horizontale.

Les attributs WIDTH et HEIGHT sont ajoutés à la balise TABLE.

• Dans le champ **Bordure**, spécifier l'épaisseur de la bordure en pixels.

La bordure s'applique à toutes les cellules du tableau. Les bordures ne peuvent être traitées de manière indépendante pour chaque élément du tableau. L'imbrication de tableaux permet de contourner cette contrainte.

L'attribut BORDER est ajouté à la balise TABLE.

• Dans le champ **Espacement dans cellules**, spécifier la distance du texte par rapport à la bordure de chaque cellule.

L'attribut CELLPADDING est ajouté à la balise TABLE.

• Dans le champ **Espace entre cellules**, spécifier la distance entre chaque cellule.

Cet espacement s'applique directement sur l'épaisseur de la bordure. Il peut être à zéro, toutefois si une bordure est appliquée, l'espace restera toujours visible.

L'attribut CELLSPACING est ajouté à la balise TABLE.

4 Dans la zone **Options sur les couleurs**, utiliser les flèches des boutons couleurs pour afficher la palette de couleurs.

Il est possible de choisir une couleur d'arrière-plan et de bordure qui s'appliquera à toutes les cellules du tableau. Cet arrière-plan peut par la suite être modifié cellule par cellule.

L'attribut BGCOLOR est ajouté à la balise TABLE.

Pour la couleur de la bordure, l'attribut BORDERCOLOR est ajouté à chaque élément TD qui indique la présence d'une cellule.

5 Dans la zone **Alignement horizontal**, indiquer la disposition du tableau sur la page.

L'attribut ALIGN est ajouté à la balise TABLE.

6 Dans la zone **Esquisse**, saisir le texte directement dans les cellules du tableau.

Le texte peut également être saisi sur la feuille d'édition ou dans la fenêtre d'édition du contenu de la cellule (se référer à la section *La saisie et la manipulation du contenu des cellules* à la page 117).

L'imbrication de tableaux

Imbriquer des tableaux signifie insérer un tableau à l'intérieur d'un autre tableau. Ceci facilite l'organisation de l'information et permet d'effectuer des mises en page complexes. Il n'y a pas de limite aux niveaux d'imbrication de tableaux permis; évidemment, plus il y en a, plus la page risque d'être lourde à gérer.

Imbriquer des tableaux

1 Positionner le point d'insertion à l'intérieur de la cellule où doit être imbriqué le tableau.

<TD>insérer un tableau ici</TD>

2 Insérer un nouveau tableau selon les étapes énumérées à la procédure *Insérer un tableau* à l'aide de la boîte de dialogue *Tableau* à la page 115.

La modification des tableaux imbriqués

La modification de tableaux imbriqués se fait de la même manière que la modification des tableaux simples. Il est toutefois important de considérer la hiérarchie des balises <TABLE> pour appliquer les modifications au bon tableau.

```
<TABLE SUMMARY="" WIDTH="100%">
  <TR>
  <TD WIDTH="50%"></TD> </TR>
  <TR>

  <TABLE>
  ...
   <TD SUMMARY="" WIDTH="50%">
     <TABLE WIDTH="100%">        <TR>
      <TD WIDTH="50%"></TD>
      <TD WIDTH="50%"></TD>
     </TR>

     </TABLE>
   </TD>
   ...
</TABLE>
```

Début du tableau principal. En reprenant cette balise, le tableau principal est modifié.

Reprise du début du tableau précédent

Début du tableau secondaire inséré dans la première cellule du tableau principal. En reprenant cette balise, le tableau secondaire est modifié.
Fin du tableau secondaire.

Fin du tableau principal.

Éditer un tableau imbriqué

Il y a deux méthodes pour éditer un tableau imbriqué :

1 Dérouler le menu contextuel sur l'élément TABLE qui appartient au tableau à éditer.
  • Exécuter la commande **Propriétés de la balise: TABLE**.
  La fenêtre **Tableau** apparaît.
  • Effectuer les modifications voulues.
2 Dérouler le menu contextuel sur l'élément TABLE principal.
  • Exécuter la commande **Propriétés de la balise: TABLE**.
  La fenêtre **Tableau** apparaît.
  • Dans la zone **Esquisse**, dérouler le menu contextuel sur la cellule qui contient le tableau imbriqué.
  • Exécuter la commande **Éditer tableau imbriqué**.
  Une nouvelle fenêtre **Tableau** se superpose à l'affichage.
  • Effectuer les modifications voulues et cliquer sur le bouton **OK** pour revenir à la fenêtre tableau initiale.
  La commande **Éditer tableau imbriqué** peut être exécutée tant qu'un tableau imbriqué est présent.

La saisie et la manipulation du contenu des cellules

Le contenu de la cellule peut être saisi directement sur la feuille d'édition. Toutefois, si le tableau est constitué de plusieurs cellules, il peut être laborieux d'identifier une cellule en particulier, à plus forte raison s'il s'agit de l'imbrication de plusieurs tableaux.

La zone **Esquisse** de la boîte de dialogue **Tableau** permet la plupart des modifications possibles mais masque une partie du contenu de la cellule. Aussi, WebExpert propose une fonctionnalité qui permet l'édition du contenu de la cellule sur un espace plus grand. Cette commande donne également accès aux fonctions d'édition, comme la mise en forme des caractères et des paragraphes, l'insertion des images et de liens hypertextes.

Insérer des données dans un tableau sur la feuille d'édition

Chaque cellule du tableau est délimitée par les balises <TD> </TD>; chaque rangée, par les balises <TR> </TR>.

1 Saisir le texte entre les balises <TD> </TD> de la cellule appropriée.

2 Pour laisser une cellule vide et que sa présence soit considérée par le navigateur, saisir le caractère d'espacement insécable

> La balise <TABLE> peut être modifiée facilement à l'aide de la boîte de dialogue en exécutant la commande **Propriétés de la balise: TABLE** du menu contextuel.

Ajouter des données à l'aide de l'affichage Tableau

1 Afficher la fenêtre **Tableau.**

2 Cliquer sur la cellule à modifier.

3 Saisir le texte voulu.

4 Pour choisir une mise en forme ou insérer une image ou un lien hypertexte, demander le menu contextuel sur la cellule et dérouler la liste de la commande **Balises.**

Éditer le contenu d'une cellule

1 Afficher la fenêtre **Tableau.**

2 Dans la zone **Esquisse** de l'affichage, cliquer avec le bouton droit de la souris sur la cellule à éditer pour afficher le menu contextuel.

3 Exécuter la commande **Éditer cellule.**
Une fenêtre similaire à la suivante apparaît.

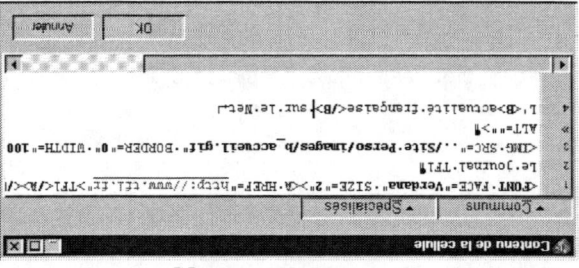

• Saisir ou modifier le texte de la même manière que s'il s'agissait de la feuille d'édition.
• Dérouler la liste du bouton **Communs** et choisir la commande de mise en forme voulue.
• Dérouler la liste du bouton **Spécialisés** pour atteindre les fonctionnalités d'insertion d'images et de liens hypertextes.

4 Cliquer sur le bouton **OK** pour revenir à la fenêtre **Tableau.**

L'édition d'un tableau et de ses éléments

Avec sa barre de menus, la boîte de dialogue **Tableau** se présente comme l'affichage d'une application et donne accès à plusieurs commandes.

Lorsque le tableau est édité, ce sont tous les éléments du tableau qui peuvent être traités : les cellules, les rangées, les colonnes et le tableau en entier.

> Le menu contextuel déroulé dans la zone **Esquisse**, sur une cellule ou une sélection de cellules, donne accès à certaines commandes de manipulation des éléments d'un tableau. Toute manipulation est visible dans la zone **Esquisse** de la boîte de dialogue aussitôt que la commande est exécutée. Certaines manipulations peuvent se faire directement dans cette zone, par exemple la sélection de cellules.

La sélection des éléments

Sélectionner une cellule

1 Cliquer sur une cellule dans la zone **Esquisse**.
Une cellule est sélectionnée dès que le point d'insertion se trouve à l'intérieur.

Effectuer une sélection multiple

1 Cliquer sur une extrémité de la sélection.
2 En maintenant le bouton gauche de la souris enfoncé, glisser jusqu'à l'autre extrémité.

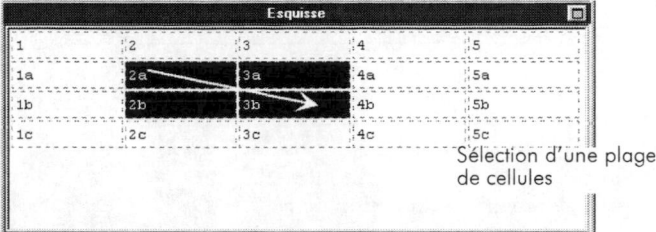

Sélection d'une plage de cellules

Sélectionner une colonne ou une rangée

1 Afficher la boîte de dialogue **Tableau**.
2 Dans le menu **Editer**, exécuter la commande **Sélectionner <nom de l'élément>**.

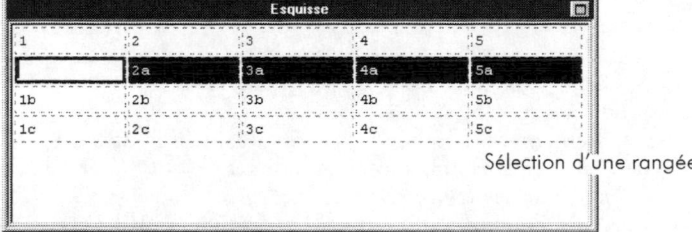

Sélection d'une rangée

L'insertion des éléments

Une colonne, une rangée ou une cellule s'insère à la suite du point d'insertion. Par exemple, si le point d'insertion se situe sur la deuxième colonne, la nouvelle colonne sera ajoutée en troisième place.

Insérer une cellule

1 Afficher la boîte de dialogue **Tableau**.
2 Se positionner là où la cellule doit être insérée, ou effectuer une sélection de cellules.
Le nombre de cellules insérées correspond au nombre de cellules sélectionnées préalablement à l'exécution de la commande.

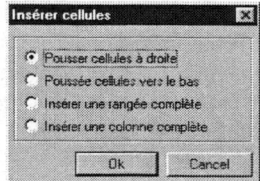

3 Dans le menu **Tableau**, exécuter la commande **Insérer cellules**.
La boîte de dialogue **Insérer cellules** apparaît.
4 Sélectionner l'option pour définir la disposition du tableau après l'ajout de la cellule.
5 Cliquer sur le bouton **OK**.

Il est possible d'insérer une cellule rapidement sur la feuille d'édition à l'aide du bouton **Insérer une cellule de tableau** 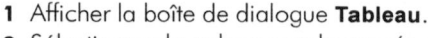 de l'onglet **Tableaux, cadres et listes**. Faire un retour de chariot avant l'insertion et cliquer sur le bouton.

```
····<TR>¶
······<TD></TD>¶
······<TD></TD>¶
······<TD></TD>¶
→ ··Après·avoir·fait·un·retour·de·chariot,·se·positionner·ici,·par·exemple¶
······<TD></TD>¶
····</TR>¶
····<TR>¶
```

Insérer des rangées et des colonnes

1 Afficher la boîte de dialogue **Tableau**.
2 Sélectionner la colonne ou la rangée qui précède ou qui suit celle à insérer. Le nombre de colonnes et de rangées insérées correspond au nombre de colonnes et de rangées sélectionnées préalablement à l'exécution de la commande
3 Dans le menu **Tableau**, exécuter la commande **Insérer colonnes** ou **Insérer rangées**.
La boîte de dialogue **Insérer rangée** apparaît.
4 Sélectionner l'option pour définir la disposition du tableau après l'ajout de la rangée ou de la colonne.
5 Cliquer sur le bouton **OK**.

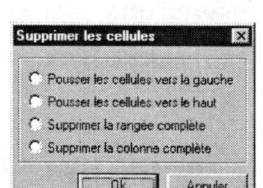

Pour ajouter une rangée à la fin du tableau, se positionner sur la dernière cellule du tableau et appuyer sur la touche **Tab** du clavier.
Il est possible d'insérer une rangée rapidement sur la feuille d'édition à l'aide du bouton **Insérer une rangée de tableau** de l'onglet **Tableaux, cadres et listes**. Se positionner à l'extérieur d'une rangée existante (à l'extérieur des balise <TR> et </TR> et cliquer sur le bouton. De nouvelles balises <TR></TR> s'ajoutent.
Les cellules du rang peuvent être ajoutées une à une avec l'inscription des balises <TD></TD> ou à l'aide de la fenêtre tableau.

La suppression des éléments

Supprimer une cellule

1 Afficher la boîte de dialogue **Tableau**.
2 Sélectionner la cellule à supprimer.
3 Dans le menu **Tableau**, exécuter la commande **Supprimer cellules**.
Si la suppression est exécutée sur une plage de cellules et non une rangée ou une colonne entière, la boîte de dialogue suivante apparaît.
4 Sélectionner l'option pour définir la disposition du tableau après la suppression de la cellule.
5 Cliquer sur le bouton **OK**.

Supprimer des rangées et des colonnes

1 Afficher la boîte de dialogue **Tableau**.
2 Se positionner sur l'une des cellules appartenant à la colonne ou à la rangée à supprimer.
• Pour supprimer plusieurs éléments, selectionner plusieurs cellules leur appartenant.
3 Dans le menu **Editer**, exécuter la commande **Supprimer <nom de l'élément>**.

La fusion et la division des cellules

Les cellules peuvent être fusionnées horizontalement ou verticalement.

Fusionner des cellules

1 Afficher la boîte de dialogue **Tableau**.
2 Sélectionner les cellules à fusionner.
3 Dans le menu **Tableau**, exécuter la commande **Fusionner cellules**.

Diviser des cellules

1 Afficher la boîte de dialogue **Tableau**.
2 Placer le point d'insertion dans la cellule à diviser.
   Effectuer une sélection multiple pour appliquer le fractionnement sur plusieurs cellules.
3 Dans le menu **Tableau**, exécuter la commande **Diviser cellules**.

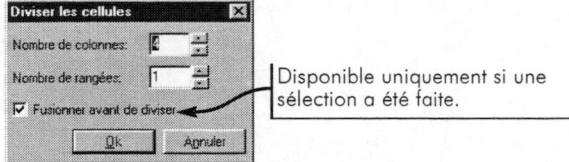

Disponible uniquement si une sélection a été faite.

4 Indiquer le nombre de colonnes et de rangées qui doit résulter de la division.
5 Cliquer sur le bouton **OK**.

Les propriétés du tableau et de ses éléments

Chacun des éléments qui composent un tableau a ses propriétés spécifiques qui sont indépendantes les unes des autres. Les attributs doivent être ajoutés à l'intérieur de la balise d'ouverture de chaque élément modifié :

	Balise utilisée	*Exemple*
Tableau	`<TABLE>`	`<TABLE WIDTH="100%" CELLPADDING="1" >`
Cellule	`<TD>`	`<TD WIDTH="50%"></TD>`
Rangée	`<TR>`	`<TR BGCOLOR="#008080">`
Colonne	`<COL>`	`<COL ALIGN="center">`

Définir les propriétés des cellules du tableau

1 Afficher la boîte de dialogue **Tableau.**

2 Dans la zone **Esquisse**, sélectionner l'ensemble des cellules touchées par les modifications.

3 Dans le menu **Tableau**, exécuter la commande **Propriétés de la cellule.**
- Ou sélectionner un groupe de cellules à l'aide des commandes de sélection sous le menu **Éditer.**

La boîte de dialogue **Propriétés de la cellule** apparaît.

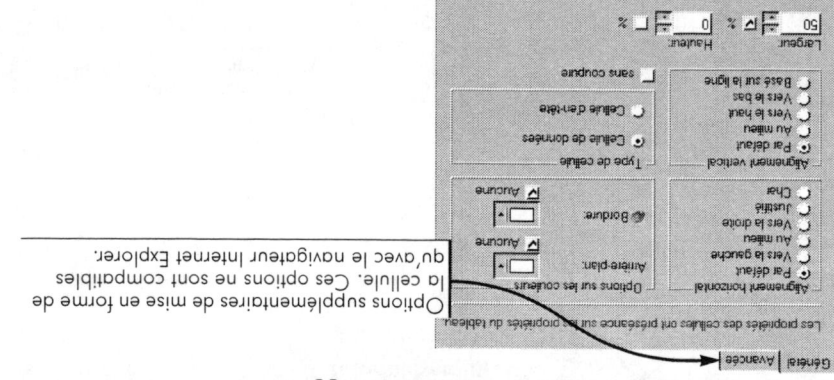

Options supplémentaires de mise en forme de la cellule. Ces options ne sont compatibles qu'avec le navigateur Internet Explorer.

4 Dans les zones **Alignement horizontal** et **Alignement vertical**, indiquer l'alignement que doit prendre le contenu de la cellule.

WebExpert ajoute à l'élément TD les attributs pour les alignements horizontal et vertical :

```
<TD ALIGN="left" VALIGN="middle"></TD>
```

5 Dans les zones **Largeur** et **Hauteur**, préciser la taille de la cellule en pixels.
- Activer la case **Pourcentage** pour indiquer une mesure en pourcentage.

Si définie en pourcentage, la taille de la cellule s'ajuste selon la largeur du tableau.

WebExpert ajoute à l'élément TD les attributs pour la largeur et la hauteur :

```
<TD WIDTH=25% HEIGHT=15></TD>
```

6 Dans la zone **Options sur les couleurs**, utiliser la liste déroulante du bouton pour modifier la couleur des bordures de la cellule ou de son arrière-plan.

WebExpert ajoute à l'élément TD les couleurs d'arrière-plan et de bordures intérieures :

```
<TD BGCOLOR="#800000" BORDERCOLOR="#FFFF00"></TD>
```

L'attribut de couleur des bordures internes aux cellules n'est compatible qu'avec Internet Explorer. La couleur des bordures n'est effective que si une bordure a été appliquée au tableau.

7 Pour définir des cellules d'en-tête, activer l'option **Cellule d'en-tête.**

Cette option a pour effet d'appliquer un caractère gras et un alignement centré au texte. Les balises utilisées pour identifier une cellule de données est `<TD></TD>`; pour une cellule d'en-tête, `<TH></TH>`.

8 Pour empêcher les sauts de ligne automatiques dans une cellule, activer la case **Sans coupure.**

WebExpert ajoute à l'attribut TD l'attribut :

```
<TD NOWRAP></TD>
```

9 Cliquer sur le bouton **OK** pour revenir à la boîte de dialogue **Tableau.**

Définir les propriétés des rangées et des colonnes

Modifier les propriétés sur des rangées et des colonnes a pour avantage d'uniformiser la mise en forme sur un groupe de cellules appartenant à une même colonne ou une même rangée.

Les attributs représentant les propriétés des rangées d'un tableau sont insérés à l'intérieur de la balise d'ouverture <TR> pour s'appliquer à l'ensemble des cellules du rang. Lorsque des attributs s'appliquent à une colonne, la balise <COL> est ajoutée à la définition du tableau. C'est à l'intérieur de ces balises que les attributs sont insérés pour modifier l'apparence de chaque cellule de la rangée ou de la colonne.

1   Afficher la boîte de dialogue **Tableau**.

2   Sélectionner la rangée ou la colonne à modifier.

3   Dans le menu **Tableau**, sélectionner la commande **Propriétés de la <nom de l'élément>**.

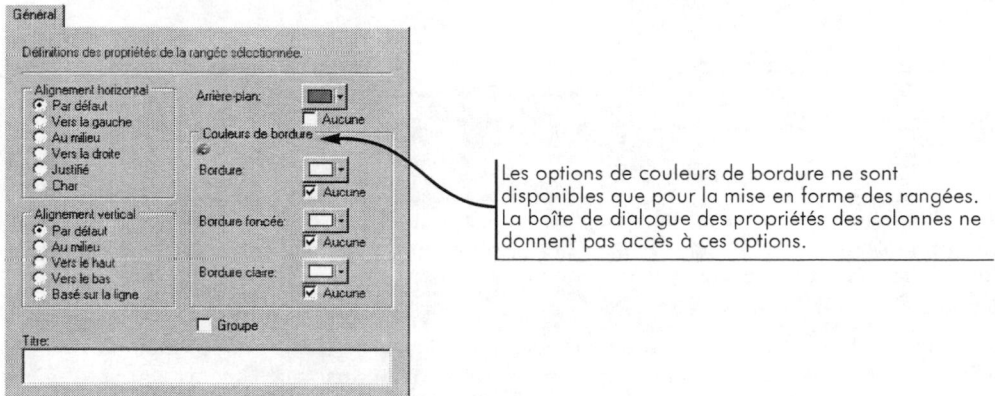

Les options de couleurs de bordure ne sont disponibles que pour la mise en forme des rangées. La boîte de dialogue des propriétés des colonnes ne donnent pas accès à ces options.

4   Dans les zones **Alignement horizontal** et **Alignement vertical**, indiquer l'alignement que doit prendre le contenu des cellules.

Lors de la modification d'une rangée, WebExpert modifie la ligne de commandes de la balise <TR> :

```
<TR ALIGN="center"> pour l'alignement horizontal;
<TR VALIGN="top"> pour l'alignement vertical.
```

Lors de la modification d'une colonne, WebExpert modifie la ligne de commandes de la balise <COL> :

```
<COL ALIGN="center"> pour l'alignement horizontal;
<COL VALIGN="top"> pour l'alignement vertical.
```

5   Dans la zone **Arrière-plan**, utiliser la liste déroulante du bouton **Couleur** pour choisir une couleur.
Lors de la modification d'une rangée, WebExpert modifie la ligne de commandes de la balise <TR> :

```
<TR BGCOLOR="#800000">
```

Lors de la modification d'une colonne WebExpert modifie la ligne de commandes de la balise <COL> :

```
<COL BGCOLOR="#800000">
```

6   Pour grouper les cellules de la rangée ou de la colonne, activer l'option **Groupe**.
Lorsque les cellules d'une rangée sont groupées, WebExpert ajoute l'élément TBODY qui contient tous les attributs qui modifient les cellules de la rangée.

```
<TBODY BGCOLOR="#800000" BORDERCOLORDARK="#800000">
```

Lorsque les cellules d'une colonne sont groupées, WebExpert modifie l'élément COL pour COLGROUP. C'est cette balise qui contient les attributs qui modifient les cellules de la colonne.

```
<COLGROUP ALIGN="justify" BGCOLOR="#FF0000">
```

Définir les propriétés supplémentaires du tableau

1 Afficher la boîte de dialogue **Tableau**.

2 Dans le menu **Tableau**, exécuter la commande **Propriétés additionnelles du tableau**.

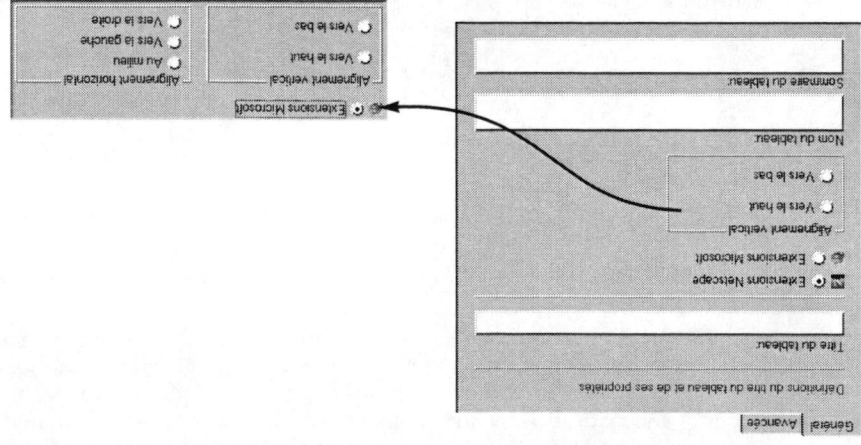

3 Dans le champ de saisie **Titre du tableau**, saisir le texte voulu.

Le titre du tableau est affiché dans le navigateur au-dessus du tableau. Une ligne de commandes similaire à celle-ci est insérée dans le document :

`<CAPTION>titre du tableau</CAPTION>`

4 Choisir l'option correspondant au navigateur qui sert de plate-forme de développement.

La boîte de dialogue s'actualise selon le choix : Netscape n'autorise que l'alignement vertical, alors qu'Internet Explorer permet l'alignement horizontal et vertical du titre du tableau.

Une ligne de commandes similaire à celle-ci est insérée dans le document :

`<CAPTION ALIGN="bottom">titre du tableau</CAPTION>`

5 Dans le champ de saisie **Nom du tableau**, saisir le nom identificateur.

Ce nom est utilisé entre autres par les JavaScripts. WebExpert ajoute à l'élément table :

`<TABLE TITLE="Nom du tableau">`

6 Dans le champ de saisie **Sommaire du tableau**, saisir l'information pertinente.

Cette information n'est présente qu'à titre indicatif pour l'auteur. WebExpert ajoute à l'élément TABLE :

`<TABLE SUMMARY="Description du tableau">`

Les éléments pour la définition des tableaux

Chaque portion du tableau, et le tableau lui-même, ont leurs propres éléments HTML qui définissent leur apparence. Le tableau peut aussi être divisé en niveaux de bloc pour faciliter la manipulation de chaque section et, le cas échéant, faciliter la prise en charge d'un bloc d'informations par un programme externe.

> Consulter la section *Les éléments pour la définition des tableaux* à la page 215 pour obtenir la liste détaillée des éléments.

- Les tableaux et leurs éléments utilisent les éléments suivants :

`TABLE, CAPTION, COL, COLGROUP, TD, TR, TBODY, THEAD, TFOOT`

9

Les pages à cadres

Le principe de « cadre » – Les cadres de destination – La création d'une page à cadres – La modification de la structure des cadres – Les propriétés des cadres

Le principe de « cadre »

Une page à cadres est un fichier HTML de description : il ne contient essentiellement que la définition d'un ensemble de « cadres » devant être affichés par le logiciel de navigation du visiteur. Ces cadres découpent la fenêtre de lecture en plusieurs fenêtres, chacune ayant sa taille, sa position, ses propriétés et sa page Web à afficher. Les cadres sont entre autres utiles pour faire visiter le site Web à l'aide d'outils ergonomiques tels les barres de navigation, les menus des sections du site, les boutons de navigation, les liens importants devant être affichés en permanence, etc.

Chacun des cadres porte un nom identificateur utilisé pour indiquer le « cadre de destination » d'un lien hypertexte. Par exemple, si l'affichage présente une page à deux cadres, dont celui de gauche contient un menu et celui de droite le contenu, chaque lien hypertexte du menu pourrait avoir le cadre de droite comme « cadre de destination ».

Certaines pages à cadre sont conçues avec un cadre unique. On parle alors de IFRAME. La page à cadre unique peut être intéressante pour présenter de l'information dans une zone à part à l'intérieur d'une page principale; cette zone pouvant présenter une barre de défilement.

Bien que les pages à cadres soient très utiles pour concevoir une interface conviviale, elles peuvent alourdir considérablement la gestion des fichiers appartenant à un site Web et rendre la mise à jour complexe, car elles nécessitent la multiplication des fichiers.

Les spécialistes en référencement de site n'encouragent pas les concepteurs à utiliser les pages à cadre : les moteurs d'indexations excluent parfois les pages conçues avec cette méthode; les pages affichées dans le contenu des résultats sont parfois l'« enfant » d'un cadre ne donnant plus accès à la navigation du site, etc. Pour plus d'information sur les problèmes de référencement reliés à l'utilisation des cadres, se référer au site Web http://www.abondance.com.

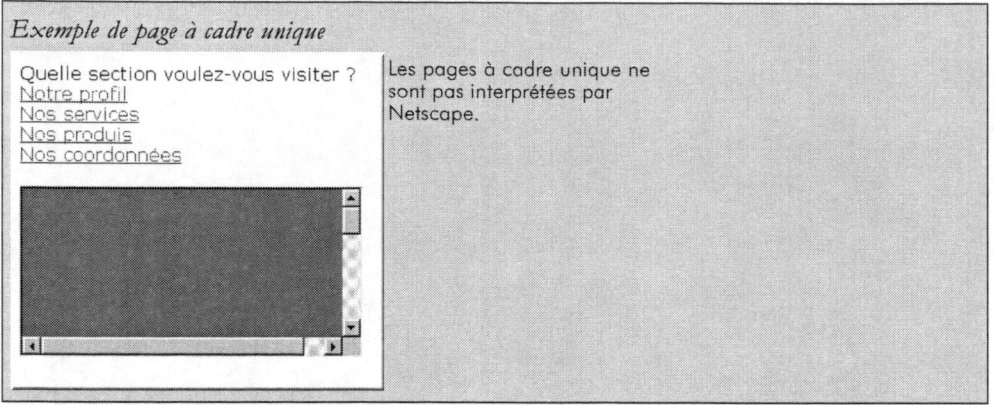

Exemple de page à cadre unique

Quelle section voulez-vous visiter ?
Notre profil
Nos services
Nos produis
Nos coordonnées

Les pages à cadre unique ne
sont pas interprétées par
Netscape.

Un exemple de page à cadres

La structure d'une page à cadres est similaire à celle d'un tableau. Prenons l'exemple d'une page composée de deux cadres horizontaux :

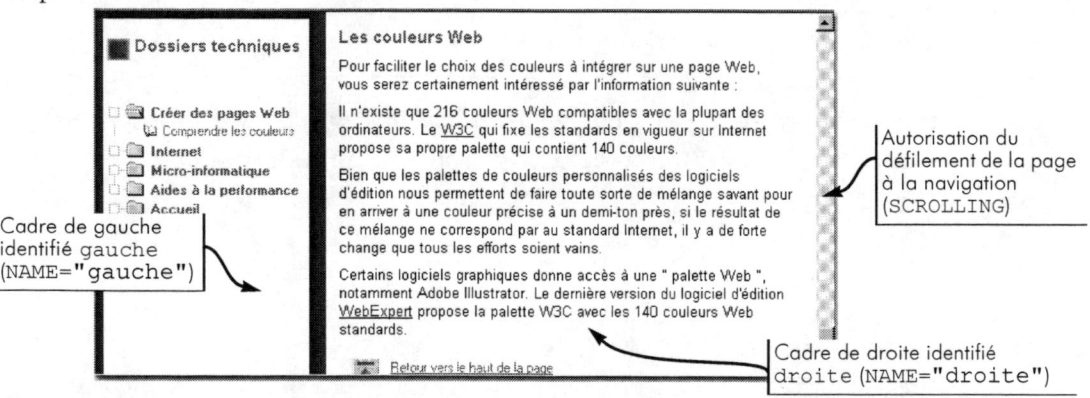

Cadre de gauche identifié gauche (NAME="gauche")

Autorisation du défilement de la page à la navigation (SCROLLING)

Cadre de droite identifié droite (NAME="droite")

Pour cette page, le code HTML utilisé est :

```
<FRAMESET COLS="24%,*" FRAMESPACING="0" BORDER="0" FRAMEBORDER="no"
COLS="202,*">

<NOFRAMES>
```

Début du code de définition des cadres.
Ni la page ni les cadres n'affichent de bordures (FRAMEBORDER="no"). COLS indique la présence d'une division verticale : la dimension du premier cadre, celui de gauche, est de 202 pixels; celle de la seconde s'ajuste en fonction de l'espace d'affichage restant (identifié par l'astérisque - * -).

```
<FRAME NAME="gauche" SRC="menu.html" TARGET="droite" SCROLLING="no"
NORESIZE>
```

Définition du cadre de gauche. Le nom donné au cadre est « gauche », le nom du fichier affiché par défaut (SRC="menu.html") ainsi que le cadre de destination par défaut (TARGET="droite").
SCROLLING="no" est présent pour interdire l'affichage d'une barre de défilement.
NORESIZE empêche le redimensionnement manuel du cadre avec le navigateur.

```
<FRAME NAME="droite" SRC="accueilDossier.htm" SCROLLING="auto">
```

Définition du cadre de droite. Le nom donné au cadre est « droite ». SCROLLING="auto" demande l'apparition d'une barre de défilement lorsque nécessaire.

```
<NOFRAMES>
 <BODY>
 <P>Cette page utilise des cadres, mais votre navigateur ne les
prend pas en charge.</P>
 </BODY>
</NOFRAMES>
```

NOFRAMES est l'élément qui identifie un message qui doit apparaître si le navigateur n'interprète pas les cadres (le texte compris entre les balises <BODY>...</BODY>).

```
</FRAMESET>
```

Fin de la définition de la page à cadres.

> Certains éléments et attributs spécifiés dans l'exemple précédent doivent être ajoutés manuellement sur la page à cadres, notamment l'attribut TARGET et le contenu de l'élément NOFRAMES.

Les cadres de destination

Le code HTML prévoit plusieurs cadres de destination par défaut. Toutefois, comme dans l'exemple cité plus haut, il est souvent nécessaire au concepteur de la page de définir lui-même les noms de ces cadres pour renvoyer la cible d'un lien à un endroit particulier sur l'écran.

Balise HTML	Cadre de destination
Nom identificateur du concepteur	La cible du lien apparaît dans le cadre dont le nom correspond à celui défini par le concepteur. On privilégiera un nom composé de peu de caractères, sans espace ni caractère accentué ou symbole.
_top	La cible remplace le contenu actif de la page.
_blank	La cible apparaît dans une nouvelle fenêtre du navigateur se superposant à la précédente.
_self	La cible apparaît dans le cadre courant. La balise _self est utilisée par défaut si aucun cadre de destination n'est défini.
_parent	Cette balise est utile lors de l'utilisation de cadres imbriqués (plusieurs niveaux). Elle fait apparaître le lien dans le cadre « père » de celui où le lien hypertexte est présent (là où était insérée la source du lien).

Identifier la destination des cadres sur un lien

1 Cliquer sur le bouton **Lien externe** 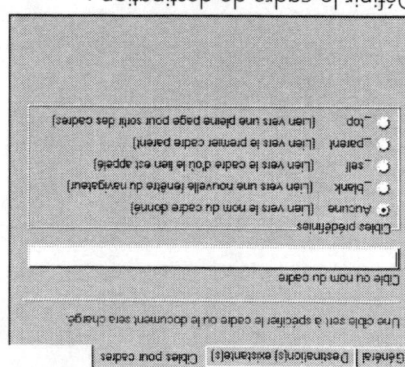 de l'onglet **Spécialisés**.
2 Sur l'onglet **Général** de la boîte de dialogue **Lien externe**, définir le lien hypertexte.
3 Afficher le contenu de l'onglet **Cibles pour cadres**.

Général	Destination(s) existante(s)	Cibles pour cadres

Une cible sert à spécifier le cadre où le document sera chargé.

Cible ou nom du cadre

```
Cibles prédéfinies
(•) Aucune      [Lien vers le nom du cadre donné]
( ) _blank      [Lien vers une nouvelle fenêtre du navigateur]
( ) _self       [Lien vers le cadre d'où le lien est appelé]
( ) _parent     [Lien vers le premier cadre parent]
( ) _top        [Lien vers une pleine page pour sortir des cadres]
```

4 Définir le cadre de destination :

• Dans le champ de saisie **Cible ou nom du cadre**, saisir le nom identificateur du cadre.
Ce champ doit contenir un nom uniquement si le concepteur a créé une page à cadres portant des noms spécifiques.

• Si le cadre n'a pas de nom identificateur, sélectionner la cible où doit apparaître le contenu de la page liée dans la zone **Cibles prédéfinies**.

WebExpert insère une ligne de commandes semblable à celle-ci :

`<A HREF="service.html" TARGET="gauche">À propos de nos services</A>`

Un lien interne peut également avoir un cadre de destination particulier. Toutefois, WebExpert ne prévoit pas de commande à cet effet ; cette destination doit donc être définie directement sur la feuille d'édition.
Le cadre de destination est annoncé par l'attribut TARGET comme dans la déclaration suivante : `<A HREF="#lien" TARGET="_blank">texte de la source du lien</A>`

Identifier le cadre de destination par défaut pour tous les liens de la page

Par défaut, l'activation d'un lien hypertexte fait apparaître la cible sur la fenêtre active du navigateur (TARGET="_self"). Pour définir une même destination pour l'ensemble des liens d'une page Web, il est nécessaire de modifier les propriétés d'en-tête de la page directement sur la feuille d'édition.

• À l'intérieur des balises `<head>` `</head>` saisir la balise suivante :

`<base target="Nom du cadre de destination">`

Le nom ou la cible de destination doit correspondre à un nom défini par l'utilisateur ou à une cible interprétée par le code HTML.

```
<head>
<title></title>
<meta name="Description" content="">
<base target="_blank">
</head>
<body>
</body>
```

Dans cet exemple, la destination _blank fait apparaître la cible du lien dans une nouvelle fenêtre du navigateur qui se superpose à la fenêtre active.

L'inspecteur de code peut être utilisé pour ajouter des attributs à un élément HTML (se référer à la section *L'inspecteur de code* à la page 185).

La création d'une page à cadres

Créer un document à cadres

1 Créer un nouveau document HTML.

2 Cliquer sur le bouton **Insérer des cadres ou cadre unique** 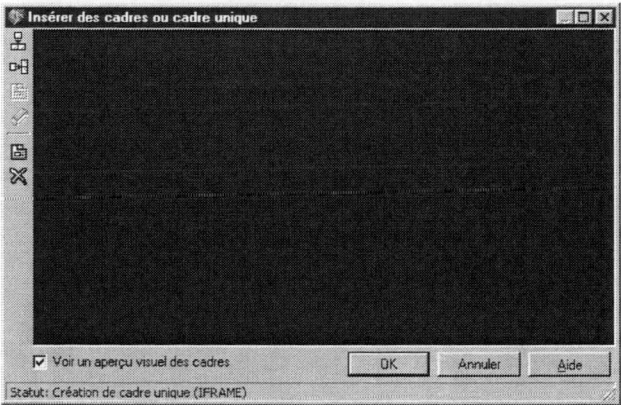 de l'onglet **Tableaux, cadres et listes**.

La fenêtre suivante apparaît.

La barre d'état de la fenêtre indique le statut de la page à cadre en création : plusieurs cadres ou cadre unique.

3 Diviser le cadre pour composer la mosaïque de la page à l'aide des boutons appropriés :

Crée une division verticale dans le cadre sélectionné.

Crée une division horizontale dans le cadre sélectionné.

Chaque partie de la mosaïque est destinée à afficher une page Web particulière. Une section de la fenêtre peut être divisée autant de fois que nécessaire.

4 Définir les propriétés de chacun des cadres ainsi que celles de la page à cadres selon les procédures de la section *Les propriétés des cadres* à la page 130.

L'identification d'un fichier source et d'un nom identificateur est obligatoire.

> Dans la fenêtre **Insérer des cadres**, les cadres sont identifiés par un fond blanc; le cadre en édition, c'est-à-dire celui sur lequel les modifications sont appliquées, est bleu.
> Il est impossible de quitter la fenêtre **Insérer des cadres** si les propriétés obligatoires ne sont pas adéquatement définies (nom du cadre, fichier source).

La modification de la structure des cadres

La boîte de dialogue **Propriétés des cadres ou cadre unique** permet de fixer une dimension en pixels. Sur la feuille d'édition, il est possible de préciser une dimension en pourcentage pour forcer un ajustement proportionnel à l'espace d'affichage du navigateur.

Lorsqu'un cadre existant est subdivisé en un ou plusieurs cadres, il est préférable de vérifier les propriétés de chacun d'eux.

Modifier la taille des divisions

1 Dans la fenêtre **Insérer des cadres,** pointer la barre de division à déplacer.

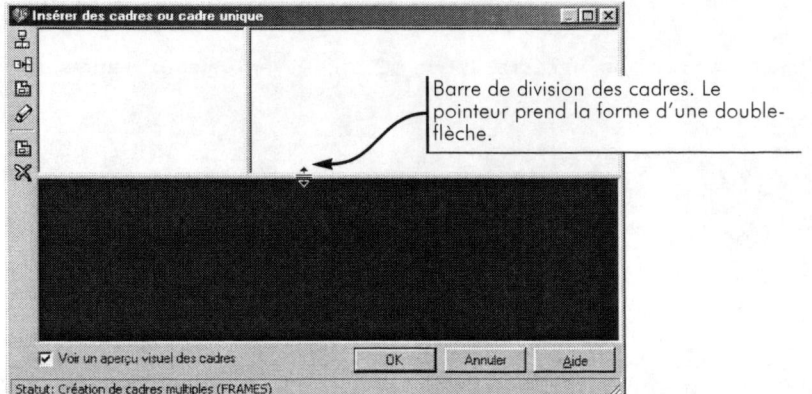

Barre de division des cadres. Le pointeur prend la forme d'une double-flèche.

2 Cliquer et glisser jusqu'à ce que le cadre obtienne la taille appropriée.

3 Répéter l'opération pour disposer tous les cadres de l'affichage.Supprimer un cadre

4 Dans la fenêtre **Insérer des cadres ou cadre unique**, sélectionner le cadre à supprimer.

5 Cliquer sur le bouton **Supprimer le cadre** 🖉 .

Supprimer tous les cadres

1 Cliquer sur le bouton **Supprimer l'ensemble des cadres** 🗙 .
Tous les cadres ainsi que les propriétés de la page à cadre sont supprimés.

Les propriétés des cadres

Les propriétés de chaque cadre sont indépendantes des propriétés du document à cadres.

Modifier les propriétés d'un cadre

1 Dans la fenêtre **Insérer des cadres**, sélectionner le cadre à modifier.
La balise `<frameset>` peut être éditée.

2 Cliquer sur le bouton **Propriétés du cadre** 🖬 .

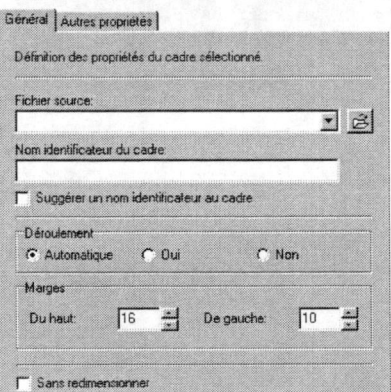

3 Dans le champ de saisie **Fichier source**, saisir l'adresse du fichier source.

Le fichier source est celui qui doit être affiché par défaut dans le cadre au moment du chargement de la page.

• Utiliser le bouton **Ouvrir** ⬔ pour sélectionner le fichier dans le répertoire du site.

L'attribut suivant est ajouté à l'élément FRAME :

```
SRC="cadre.html"
```

4 Dans le champ de saisie **Nom identificateur du cadre**, saisir un nom pour identifier le cadre.

• Activer la case **Suggérer un nom identificateur au cadre** pour utiliser le nom suggéré par WebExpert.

Cette information est obligatoire. WebExpert propose un nom semblable à celui du fichier.

Le nom identificateur est utilisé lors de la définition des cadres de destination pour un lien hypertexte et peut éventuellement être utilisé par un script. L'attribut suivant est ajouté à l'élément FRAME :

```
NAME="menu"
```

5 Dans la zone **Déroulement**, indiquer le comportement que doit avoir la barre de défilement.

• **Automatique** : la barre de défilement apparaît uniquement si le contenu déborde de l'espace qui lui est alloué (SCROLLING="auto").

• **Oui** : la barre de défilement apparaît toujours (SCROLLING="yes").

Elle prend une apparence inactive (estompée) si elle n'est pas nécessaire.

• **Non** : la barre de défilement n'apparaît jamais, même si le contenu déborde (SCROLLING="no").

Si la propriété est **Non** et que le contenu déborde de l'espace alloué, le visiteur n'aura plus aucun moyen de consulter ce qui est masqué.

6 Dans la zone **Marge**, indiquer le positionnement de la page dans la fenêtre du navigateur.

L'un des attributs suivants est ajouté à l'élément FRAME :

```
MARGINWIDTH="5" MARGINHEIGHT="5"
```

7 Activer l'option **Sans redimensionner** pour empêcher le redimensionnement des cadres.

Le cadre peut être redimensionné sur le navigateur en glissant sa bordure. Si l'option est désactivée, l'utilisateur ne pourra pas modifier la taille du cadre. L'attribut suivant est ajouté à l'élément FRAME :

```
NORESIZE
```

8 Afficher le contenu de l'onglet **Autres propriétés** de la boîte de dialogue.

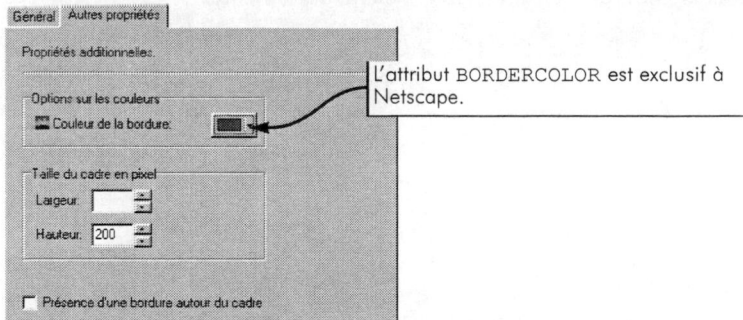

L'attribut BORDERCOLOR est exclusif à Netscape.

9 Dans la zone **Taille du cadre en pixel**, préciser les dimensions du cadre.

Il est possible de définir la taille du cadre en pourcentage en faisant la modification sur la feuille d'édition. L'attribut suivant est ajouté à l'élément FRAME :

```
ROWS="250,*"
```

10 La case **Présence d'une bordure autour du cadre** autorise l'affichage d'une bordure qui sépare distinctement chacun des cadres (une bande grise).

Cette option n'empêche pas l'affichage de la barre de défilement si elle est nécessaire et si cet attribut n'a pas été désactivé (SCROLLING). Cette option retire la bordure mais conserve son espacement. Pour la retirer complètement, modifier les propriétés de la page à cadres. L'attribut suivant est ajouté à l'élément FRAME :

FRAMEBORDER="yes"

Modifier les propriétés de la page à cadres

1 Cliquer sur le bouton **Propriétés de l'ensemble des cadres** .
La boîte de dialogue suivante apparaît.

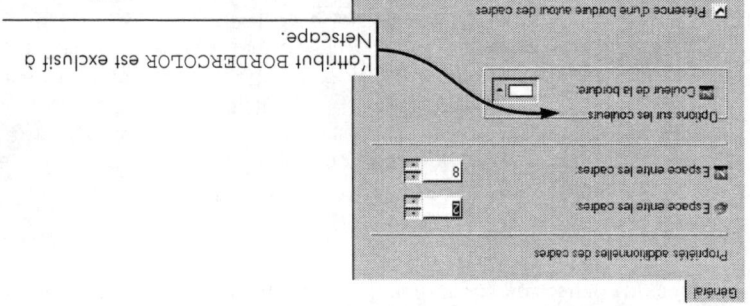

Général

Propriétés additionnelles des cadres

Espace entre les cadres:

Espace entre les cadres: 8

Options sur les couleurs

Couleur de la bordure:

L'attribut BORDERCOLOR est exclusif à Netscape.

Présence d'une bordure autour des cadres

2 Modifier les options voulues en tenant compte des spécificités propres à chaque navigateur.
3 Désactiver la case **Présence d'une bordure autour des cadres** pour enlever la bordure et son espacement pour tous les cadres de la page.

Les éléments pour la définition des pages à cadres

Les éléments des pages à cadres peuvent aussi être manipulés par des scripts.

Consulter la section *Les éléments pour la définition des pages à cadres* à la page 216 pour obtenir la liste détaillée des éléments.

• Les pages à cadres et les pages à cadre unique utilisent les éléments suivants :
FRAMESET, FRAME, IFRAME, NOFRAMES

10

Les feuilles de style

*Les versions de feuilles de style – Les types de feuilles de style – La
terminologie utilisée par les règles CSS – Les éléments d'une feuille de
style – La syntaxe d'une déclaration CSS – L'Assistant à la feuille de style
– Les feuilles de style internes – Les feuilles de style externes – La gestion
des liens des feuilles de style externes – Les styles intralignes*

Les feuilles de style

Les utilisateurs de traitements de texte n'auront aucune difficulté à comprendre l'utilité d'une feuille
de style. Son principal avantage est d'automatiser les opérations de mise en forme d'un document.
Elle contient des informations qui doivent être exécutées afin d'appliquer une mise en forme
particulière sur des éléments d'une page. Le contenu d'une page Web se trouve ainsi séparé de son
contenant.

Un style est basé sur un élément du code déjà existant, un *sélecteur*. Pour chaque style défini sur un
sélecteur (<H1><H2><Il><Li><P>), une définition de l'apparence et des attributs des caractères
(gras, italique, taille) ou des paragraphes (espacement, marge, puces ou numérotation) peut être
attribuée.

Les feuilles de style sont essentiellement utilisées pour la mise en forme et la mise en page d'un
document HTML. Elles peuvent également être utilisées de concert avec des éléments programmés
comme les JavaScripts.

L'utilisation des feuilles de style est aujourd'hui devenue nécessaire. Les plus récents langages de
conception de pages Web, tel que le XML et le XHTML, effectuent une division distincte entre le
contenu du document et sa forme; cette dernière étant assurée par les feuilles de style.

Le code HTML utilise une feuille de style implicite qui définit l'apparence de certains
éléments textuels (liste à puces, titre, etc.)

Les versions de feuilles de style

Les feuilles de style se basent sur un concept appelé « feuilles de style en cascades » (*Cascading Style Sheets*). Deux versions de feuilles de style sont actuellement en vigueur : CSS1 et CSS2; une troisième version est actuellement en développement (consulter le site Web du Web Consortium pour en savoir plus sur les feuilles de style et les distinctions entre les versions).

Le concepteur aura avantage à prêter attention à l'environnement de navigation de ses visiteurs potentiels avant de déterminer quelles versions de langage .css utiliser.

Pour la gestion des feuilles de style internes ou externes, WebExpert se réfère à la version CSS2 (cette dernière incluant la plupart des codes CSS1).

> Le Web Consortium, organisme déterminant les standards en vigueur pour la conception de sites Web, est une ressource importante sur les feuilles de style (www.w3.org/Style/CSS/).
>
> Il est important de préciser ici que les navigateurs Internet disposent de leur propre standard de développement : c'est pourquoi il arrive fréquemment que certaines règles CSS sont incompatibles avec l'un ou l'autre. Des logiciels permettant de vérifier la syntaxe des feuilles de style et leur compatibilité aux environnements de navigation sont disponibles (notamment le logiciel TopStyle -www.bradsoft.com/topstyle/)
> On peut consulter sur le Web la référence CSS proposant les propriétés de Microsoft à l'URL www.msdn.microsoft.com/workshop/author/css/reference/attributes.asp.
> La référence CSS de WebExpert, disponible à partir du menu **Aide** du logiciel, propose des définitions du langage CSS basées sur les spécifications du W3C et de Microsoft.

Les types de feuilles de style

Il existe deux types de feuilles de style :

- La **feuille de style interne** qui permet de générer des styles à l'intérieur d'un document HTML. La feuille de style interne doit être insérée à l'intérieur des balises d'en-tête et encadrée par la balise de commentaire :

```
<HEAD>
<META ...>
<TITLE></TITLE>
<STYLE TYPE="text/css">
<!--
p {font: gros; font-size: 15px}
/* Fin de la section de style généré par WebExpert le 01-11-03
18:56:05 */
-->
</STYLE>
</HEAD>
```

- La **feuille de style externe**, fichier portant l'extension .css (*Cascading Style Sheets*), qui peut être liée à plusieurs pages HTML. Cette dernière est particulièrement utile pour s'assurer de l'uniformisation de la présentation des pages HTML sur un site.
L'appel de la feuille de style externe doit être insérée à l'intérieur des balises d'en-tête par un lien de relation :

```
<HEAD>
<META ...>
<TITLE></TITLE>
<LINK REL="StyleSheet" type="text/css" href="messtyle.css">
</HEAD>
```

- Il est également possible d'utiliser les descriptions de style à l'intérieur du document avec la **feuille de style intraligne**.
À ce moment la description du style est directement inscrite à l'intérieur de la balise d'ouverture.

```
<SPAN STYLE="font-family: verdana; letter-spacing: 4px">texte mis en
forme</SPAN>
```

La terminologie utilisée par les règles CSS

Terme	Définition
Boîte	Surface sur laquelle sont appliquées les propriétés de styles. Les boîtes sont délimitées par des séparateurs de bloc (voir **Niveau-bloc** ci-après).
Boîte englobante	Boîte contenant d'autres boîtes.
Classe	Identification du style.
Déclaration	Règle du style.
Élément	Élément HTML utilisé en tant que sélecteur de style. L'élément peut être associé à une classe.
Élément parent	Élément contenant du texte ou des sous-éléments.
Feuille de style externe	Document texte contenant des descriptions de styles qui affectent la mise en forme d'un contenu. Le fichier .css est lié au document HTML.
Feuille de style interne	Ensemble de règles de style contenues dans l'en-tête d'un document HTML. Ces re'gles sont destinées à modifier la mise en forme du contenu.
Niveau-bloc	Élément dont le contenu est précédé et suivi d'une coupure de ligne (par exemple les éléments P, H1..H2, BLOCKQUOTE.
Propriété	Commande ayant un effet de mise en forme.
Sélecteur	Élément HTML utilisé dans la règle de style.
Style intraligne	Description de styles définie à l'intérieur d'une balise HTML. Ces règles sont destinée à modifier l'apparence de la balise associée.
Unité de couleurs	La couleur est identifiée par son nom ou sa valeur hexadécimale. • Le nom des couleurs est son identification réelle. Les plus standard sont : aqua, black, fuschia, gray, green, lime, maroon, navy, olive, purple, red, silver, teal, white et yellow. • La valeur hexadécimale de la couleur est l'expression numérique du triplet RGB. Le RGB est un système de couleurs conçu expressément pour les écrans. Ce système utilise des processus de mélange de couleurs par l'intégration plus ou moins forte des couleurs rouge, vert et bleu (RGB : *Red*, *Green*, *Blue*). Chaque valeur est comprise entre 0 et 255 : 0 étant d'intensité nulle et 255, d'intensité maximale). La valeur hexadécimale peut être identifiée selon trois syntaxes : • #rrggbb • rgb(x,x,x) dans lequel x = une valeur d'intensité. • rgb(%,%,%) dans lequel % = le pourcentage d'utilisation de la couleur dans le mélange.
Unités de mesure	Unités qui servent à préciser la valeur donnée à une priorité. Les unités de mesure peuvent être relatives, absolues ou spécifiées en pourcentage. **Unités relatives** dont la longueur est calculée relativement aux dimensions du support (écran). Les unités relatives peuvent utiliser les abbréviations : • em : taille de caractère employée / ex : en fonction de la valeur de la hauteur du caractère / px : (pixels) en fonction de la résolution du support écran. **Unités absolues** dont la longueur est une mesure fixe. Les unités absolues peuvent utiliser les abbréviations : • in : pouces / cm : centimètres / mm : millimètres / pt : points / pc : picas. **Pourcentage** dont la longueur est calculée par rapport à une autre valeur. L'unité exprimée en pourcentage utilise le signe %.
Valeur	Identification de la manière dont la propriété doit être appliquée.

Les éléments d'une feuille de style

Élément	Description
Le sélecteur	Élément du code utilisé. Il s'agit de l'élément « parent » qui détermine les attributs et les propriétés de base. Le sélecteur est toujours suivi d'une déclaration. Il peut être composé uniquement du nom de l'élément HTML ou être accompagné d'une classe de style.
	`p {..}` `p.retrait {..}`
	Tout le contenu utilisant la balise `<P></P>` prend l'apparence définie dans le style.
La classe du style	Identification du style. La classe rend le style indépendant de l'élément du code; à ce moment, la classe fait partie du sélecteur. La classe permet de regrouper des éléments ayant les mêmes propriétés. Une même balise peut se voir attribuer plusieurs classes. Cet élément est optionnel.
	`h1.rouge {..}` `h1.bleu {..}`
	La balise qui appelle le style se rédige : `<H1 class="rouge"></H1>`.
Les accolades	Limite de la règle de style (la déclaration).
	`h1.bleu {..}`
La déclaration	Règle du style. La déclaration suit le sélecteur. La déclaration est composée du nom de la propriété et des valeurs associées à la propriété. Chaque valeur doit être séparée du signe point-virgule (;).
	`p.retrait {font-family: arial; padding: 100px}`
La propriété	Commande ayant un effet de mise en forme.
	`text-align ou size`
Les valeurs	Précision sur la manière dont les attributs et les propriétés doivent être appliqués sur le contenu. La valeur est séparée de la propriété par le signe des deux-points (:).
	`text-align: center ou font-family: arial`

Des manipulations particulières peuvent être effectuées avec une feuille de style, notamment, en utilisant des pseudo-classes et des pseudo-éléments.

- Les **pseudo-classes** sont des classes spéciales utilisées pour appliquer des effets particuliers.
- Les **pseudo-éléments** sont des effets typographiques attribués soit à la première ligne de texte d'un paragraphe (first-line) ou à la première lettre (first-letter), à la manière d'une lettrine.
- Par le regroupement de sélecteurs, par exemple H1, H2, H3, H4 {font-family: Arial}.
- Avec l'utilisation des règles spéciales : @import, @media, @page (voir la référence CSS de WebExpert, à partir du menu **Aide**, pour en savoir davantage sur les règles spéciales).

La syntaxe d'une déclaration CSS

Une déclaration CSS respecte une syntaxe rigoureuse :

`sélecteur.classe {attributs: propriétés; attributs: propriétés}`

La classe étant facultative.

Les styles peuvent utiliser une grande quantité d'attributs - appelés ici **propriétés** - et valeurs pour modifier l'apparence du texte et certains comportements. Se référer aux rubriques d'aide de WebExpert pour en savoir plus à ce sujet, sous la rubrique **Feuilles de style - Liste des propriétés**.

Dans l'exemple suivant, les propriétés de l'élément P, c'est-à-dire le style **Normal** de la page Web, sont modifiées. Chaque nouveau paragraphe créé avec l'élément P prendra cette apparence.

```
p {font-family: MS Sans Serif; font-size: 12pt; color:
rgb(102,102,153); font-weight: bold}
```

Dans ce nouvel exemple, une classe retrait est donnée à l'élément P en lui attribuant un retrait à la marge de gauche. Chaque nouveau paragraphe auquel on associera la classe retrait prendra cette apparence.

```
p.retrait {font-family: ms sans serif; font-size: 12pt; color:
rgb(102,102,153); margin-left: 25px; font-weight: bold}
```

Sur le document HTML, on attribue la classe à l'élément P de cette manière :

```
<P CLASS="retrait"></P>
```

L'Assistant à la feuille de style

Afin de faciliter l'élaboration des feuilles de style, de tout type, WebExpert a développé l'Assistant à la feuille de style. Cet assistant permet de définir les sélecteurs et les classes à attribuer aux propriétés.

Afficher l'Assistant à la feuille de style

L'Assistant à la feuille de style apparaît dès qu'une modification de style est demandée :

- En intégrant un style intraligne, la fenêtre de l'Assistant à la feuille de style apparaît après avoir cliqué sur le bouton **Éditer un style intraligne** de l'onglet **CSS**.
  Se référer à la section *Les styles intralignes* à la page 143.
- À la création d'une feuille de style interne.
  Se référer à la section *Les feuilles de style internes* à la page 138.
- À l'édition ou à la modification d'un fichier .css externe.
  Se référer à la section *Les feuilles de style externes* à la page 140.

Utiliser l'Assistant à la feuille de style

1 Afficher l'Assistant à la feuille de style.

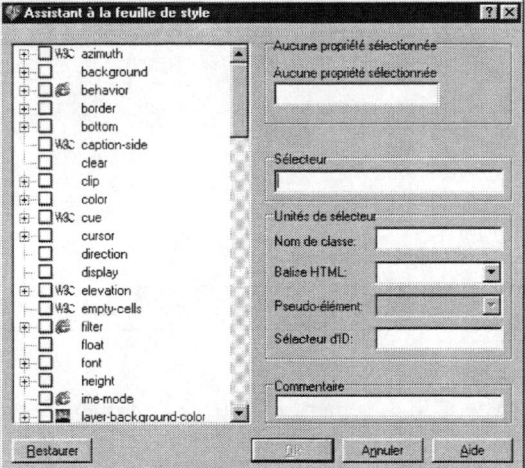

2 Dans la liste des propriétés de l'Assistant à la feuille de style, sur le volet gauche de la fenêtre, sélectionner la propriété à modifier.
- Cliquer sur le signe **+** pour afficher la liste des propriétés individuelles sous-jacentes à une propriété globale; cliquer sur le signe **-** pour refermer la liste.

3 Utiliser le champ supérieur du volet droit pour définir la valeur de la propriété.

Les options de cette zone diffèrent selon la propriété sélectionnée sur le volet gauche. Par exemple :

Permet de choisir parmi une liste d'options prédéfinies.

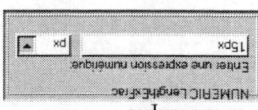

Permet de choisir une unité de mesure et de spécifier une taille.

4 Dans la liste déroulante du champ **Balise HTML**, choisir l'élément HTML qui doit être modifié.

L'association d'une balise est optionnelle.

La zone **Sélecteur** prend automatiquement la valeur de l'élément spécifié.

5 Dans le champ **Nom de la classe**, spécifier le nom du style.

Si aucune balise HTML n'est spécifiée, cette option est obligatoire. Si le style est associé à une balise HTML, la classe est optionnelle.

La valeur de la zone **Sélecteur** se voit ajouter l'extension de la classe.

La classe sert à distinguer le style en édition des autres styles d'une même feuille. Par exemple, on peut utiliser plusieurs fois l'élément H1 pour définir une apparence particulière à plusieurs titres; la classe de l'élément servira à rendre chaque élément unique.

    h1.premiertitre h1.secondtitre h1.troistitre

6 Si nécessaire, identifier le pseudo-élément et le sélecteur d'identification.

Le pseudo-élément permet de définir l'apparence de la portion d'un contenu : la première lettre (first-letter) ou la première ligne d'un paragraphe (first-line). Ils permettent d'agir sur du contenu impossible à identifier avec le langage HTML.

Le sélecteur d'identification ne s'applique qu'à un seul et unique élément.

> Le champ **Sélecteur** se met à jour au fur et à mesure de l'élaboration du style en prenant les valeurs de la balise HTML et de la classe.
> Il est aussi possible de saisir directement l'élément et sa classe directement dans le champ.

Une fois le style défini, un crochet apparaît dans la case de la propriété correspondante sur le volet droit.

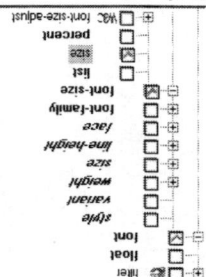

7 Définir les autres propriétés de la règle CSS en édition.

8 Cliquer sur le bouton **OK** pour fermer l'Assistant à la feuille de style.

> La zone **Unités de sélecteur** n'est pas active lors de la définition d'un style intraligne.

Les feuilles de style internes

Les feuilles de style internes sont incluses dans l'en-tête du document HTML (à l'intérieur des balises <HEAD>) à l'aide de l'élément STYLE. Les styles sont ensuite appliqués dans le document à l'aide de l'attribut class à l'intérieur de la balise d'ouverture de l'élément.

Dans le cas où la description du style est définie directement sur le sélecteur de l'élément, pour un style intraligne par exemple, l'attribut CLASS n'est pas nécessaire.

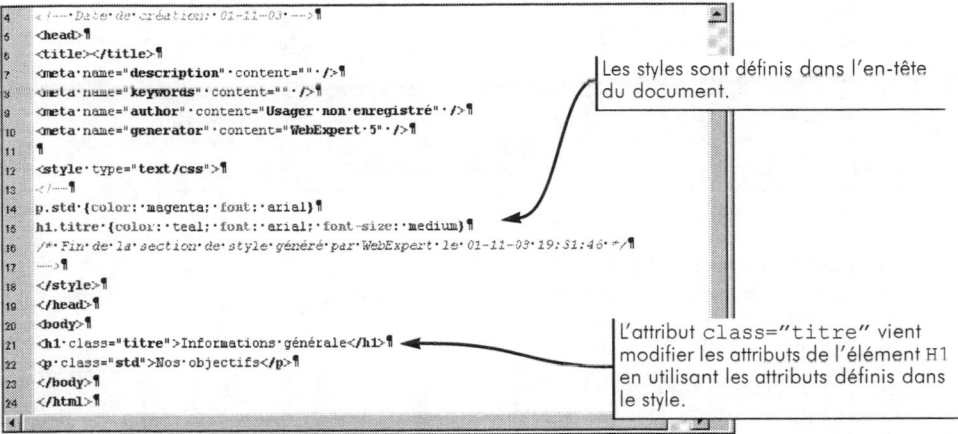

Les styles sont définis dans l'en-tête du document.

L'attribut class="titre" vient modifier les attributs de l'élément H1 en utilisant les attributs définis dans le style.

Définir une feuille de style interne

1 Cliquer sur le bouton **Éditer le document** de l'onglet **CSS**.

La fenêtre suivante apparaît. Les styles internes déjà définis dans le document sont énumérés sur le volet supérieur de la fenêtre.

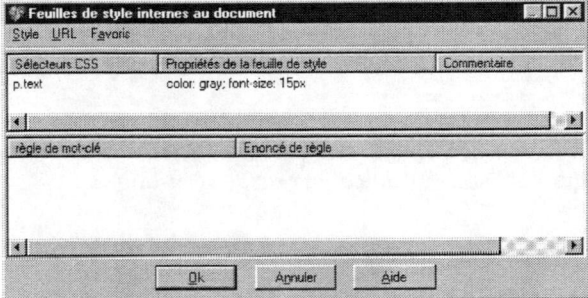

2 Dans le menu **Style**, exécuter la commande **Nouveau**.

L'Assistant à la feuille de style apparaît.

3 Une à la fois, sélectionner la propriété de tous les styles à créer et définir leurs paramètres (valeur, classe, etc.) tel que vue à la procédure *Utiliser l'Assistant à la feuille de style* à la page 137.

4 Cliquer sur le bouton **OK** pour revenir à la fenêtre **Feuilles de style internes au document**.

5 Cliquer sur le bouton **OK** pour revenir à la feuille d'édition.

À l'intérieur des balises <HEAD> </HEAD> du document HTML en édition, WebExpert insère les règles de style définies. Par exemple :

```
...
<style type="text/css">
<!--
p.text {color: gray; font-size: 15px}
/* Fin de la section de style généré par WebExpert le 01-11-03
19:59:00 */-->
</style>
</head>
```

Modifier une feuille de style interne

1 Cliquer sur le bouton **Éditer le document** de l'onglet **CSS**.

La fenêtre **Feuilles de style internes au document** apparaît. Les styles définis dans le document sont énumérés sur le volet supérieur de la fenêtre.

2 Sélectionner la règle de style à modifier.

3 Dans le menu **Style**, exécuter la commande **Modifier**.

L'Assistant à la feuille de style apparaît.

4 Effectuer les modifications voulues tel que vu à la procédure *Utiliser l'Assistant à la feuille de style* à la page 137.

> Les paramètres de la feuille de style peuvent également être modifiés à l'aide de l'onglet **Styles** de l'Inspecteur de code. Se référer à la prodécure *Modifier l'application d'un style à l'aide de l'Inspecteur de code* à la page 143 et à la section *L'Inspecteur de code* à la page 185.

Supprimer une règle de style

1 Cliquer sur le bouton **Éditer le document** de l'onglet **CSS**.

La fenêtre **Feuilles de style internes au document** apparaît. Les styles définis dans le document sont énumérés sur le volet supérieur de la fenêtre.

2 Sélectionner la règle de style à supprimer.

3 Appuyer sur la touche Supprimer du clavier.

Une boîte de dialogue apparaît demandant la confirmation de la suppression.

4 Cliquer sur le bouton **Oui** pour supprimer la règle.

• Cliquer sur le bouton **Non** pour annuler l'opération.

Supprimer une feuille de style

1 Sur la feuille d'édition, sélectionner les lignes de commandes qui définissent la feuille de style. Situées à l'intérieur des balises <HEAD> </HEAD>, les lignes de commandes de la feuille de style sont encadrées par les balises <STYLE> </STYLE>.

2 Appuyer sur la touche **DEL** du clavier.

Les feuilles de style externes

La feuille de style externe est définie dans un fichier de format texte portant l'extension .css. Le fichier .css est lié aux documents HTML qui l'utilisent à l'aide d'un lien de relation (<LINK REL=...>) placé en en-tête du document.

> Se référer à la procédure *Définir un lien de relation vers un fichier* à la page 56.

À l'instar d'une feuille de style interne, les styles sont ensuite appliqués dans le document à l'aide de l'attribut CLASS dans la balise d'ouverture de l'élément. Dans le cas où la description du style est directement définie sur le sélecteur de l'élément, l'attribut CLASS n'est pas nécessaire.

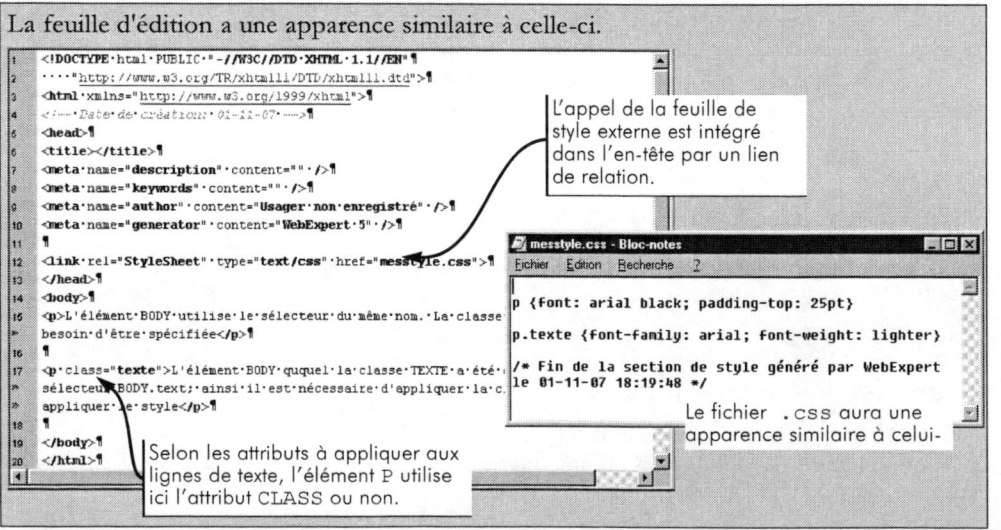

La feuille d'édition a une apparence similaire à celle-ci.

Créer une feuille de style externe

1 Cliquer sur le bouton **Éditer fichier externe** ![icône] de l'onglet **CSS**.
La fenêtre suivante apparaît.

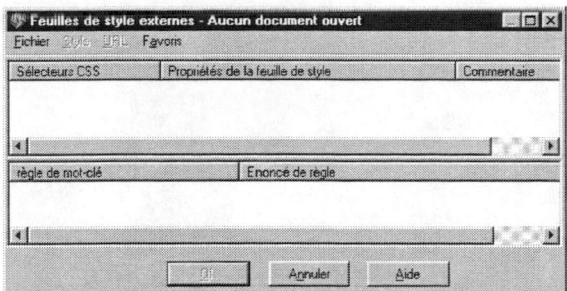

2 Dans le menu **Fichier**, exécuter la commande **Nouvelle feuille CSS**.
Les menus deviennent actifs et le nom de la fenêtre est modifié pour **Feuille de style définies**.

3 Dans le menu **Style**, exécuter la commande **Nouveau** pour définir une nouvelle règle.
Au besoin, se référer à la procédure *Utiliser l'Assistant à la feuille de style* à la page 137.
  • Exécuter la commande **Modifier** sur une règle sélectionnée pour afficher l'Assistant à la feuille de style.
  • Exécuter la commande **Supprimer** pour supprimer la règle sélectionnée.

4 Pour enregistrer la feuille de style, exécuter la commande **Sauvegarder une feuille CSS** du menu **Fichier**.
  • Utiliser la commande **Sauvegarder une feuille CSS sous** pour changer le nom du fichier.
WebExpert attribue automatiquement l'extension .css au fichier en enregistrement. Il est nécessaire de conserver cette extension.

5 Pour quitter la fenêtre **Feuilles de style définies**, exécuter la commande **Quitter** du menu **Fichier**.

> Les paramètres de la feuille de style peuvent également être modifiés à l'aide de l'onglet **Styles** de l'Inspecteur de code (se référer à la prodécure *Modifier l'application d'un style à l'aide de l'Inspecteur de code* à la page 143 et à la section *L'Inspecteur de code* à la page 185).
> Il est possible de créer une feuille de style avec WebExpert en choisissant le format **Document CSS** de la commande **Fichier>Nouveau**. Les règles peuvent ensuite être définies à l'aide du bouton **Éditer le document** ![icône] (se référer à la procédure *Définir une feuille de style interne* à la page 139).
> Une fois enregistrée, la feuille de style n'est pas encore liée au fichier. Il est nécessaire de créer la liaison à l'aide du bouton **Éditer les liens** ![icône] de l'onglet **CSS** ou d'un lien de relation tel que vu à la procédure *Définir un lien de relation vers un fichier* à la page 56.

Modifier une feuille de style externe

1 Cliquer sur le bouton **Éditer fichier externe** ![icône] de l'onglet **CSS** pour afficher la fenêtre **Feuilles de style Externes**.

2 Dans le menu **Fichier**, exécuter la commande **Ouvrir une feuille CSS**.
La boîte de dialogue **Ouvrir fichier(s)** apparaît.

3 Sélectionner le fichier .css à modifier et cliquer sur le bouton **Ouvrir**.
Les styles définis dans le document .css apparaissent. Le nom de la fenêtre est modifié pour **Feuilles de style définies**.

4 Modifier ou supprimer les règles de style à l'aide des commandes du menu **Style**.
Au besoin, se référer à la procédure *Modifier une feuille de style interne* à la page 139.

> Le fichier .css peut également être modifié à l'aide d'un éditeur de texte simple de type NotePad.

La gestion des liens des feuilles de style externes

On peut effectuer une liaison vers une feuille de style externe par un lien de relation tel que vu à la procédure *Définir un lien de relation vers un fichier* à la page 56 ou directement à l'aide de l'éditeur de feuilles de style intégré à WebExpert. Cette dernière méthode a l'avantage de montrer en un coup d'œil les feuilles de style attachées au document.

Lier une feuille de style externe

1 Cliquer sur le bouton **Éditer les liens** 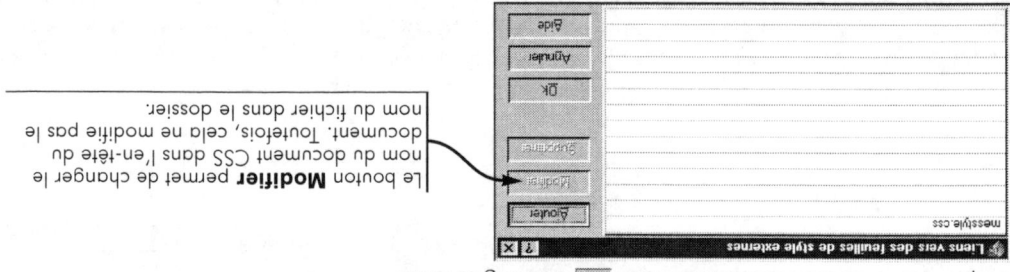 de l'onglet CSS.

Le bouton **Modifier** permet de changer le nom du document CSS dans l'en-tête du document. Toutefois, cela ne modifie pas le nom du fichier dans le dossier.

2 Cliquer sur le bouton **Ajouter.**

La boîte de dialogue **Ouvrir fichier(s)** apparaît.

3 Sélectionner le fichier CSS à lier au document HTML courant et cliquer sur le bouton **Ouvrir.**

4 De retour à la boîte de dialogue **Liens vers des feuilles de style externes**, cliquer sur le bouton **Ajouter** pour ajouter la liaison à la liste.

5 Au besoin, effectuer la liaison vers d'autres fichiers CSS.

6 Cliquer sur le bouton **OK** pour revenir à la feuille d'édition.

À l'intérieur des balises <HEAD> </HEAD> du document HTML en édition, autant de lignes de commandes que de feuilles de style liées sont insérées :

```
<LINK REL="Stylesheet" type="text/css" href="mestyle.css">
<LINK REL="Stylesheet" TYPE="text/css" HREF="../monmenu.css">
</HEAD>
```

Supprimer un lien vers une feuille de style externe

1 Cliquer sur le bouton **Éditer les liens** 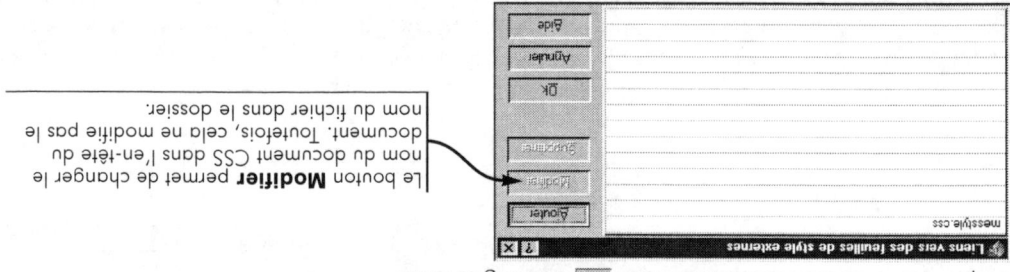 de l'onglet CSS.

2 Sélectionner la feuille de style à supprimer.

3 Cliquer sur le bouton **Supprimer.**

Aucun message de confirmation n'apparaît et l'opération ne peut être annulée. La ligne de commande est retirée des balises d'en-tête. Seul le lien de relation est supprimé; le fichier .css est toujours présent dans le dossier.

> Le lien peut également être supprimé en effaçant la ligne de commandes de la balise <LINK REL=...> sur la feuille d'édition.

L'application des styles provenant d'une feuille de style

L'application des styles provenant d'une feuille de style interne ou externe n'est pas une opération automatisée. L'affectation des styles doit se faire manuellement sur la feuille d'édition.

Si l'utilisateur s'est contenté de modifier les attributs des styles par défaut du code HTML (<h1>, <h2>, <ul>, <p>, etc.), les nouvelles propriétés sont automatiquement appliquées lors de l'utilisation de ces styles.

> Pour automatiser l'application des styles définis par le concepteur, l'utilisateur peut recourir à la définition d'un bouton d'action personnalisé (se référer à la section *Les boutons personnalisés* à la page 12).

Appliquer un style à un paragraphe

1 Insérer la balise d'ouverture devant le texte à mettre en forme.

La balise d'ouverture doit respecter la syntaxe suivante :

```
<balise_html class="nom_de_la_classe">
```

2 À la suite du texte, saisir la balise de fermeture.

Par exemple, pour mettre un texte en retrait sur une page Web, une classe retrait a été définie dans la feuille de style.

La règle est rédigée ainsi :

```
p.retrait {margin-left:1cm;}
```

La balise est rédigée ainsi :

```
<P CLASS="retrait">Ce style a été défini par le concepteur de la page</p>
```

Modifier l'application d'un style à l'aide de l'Inspecteur de code

1 Cliquer sur le bouton **Inspecteur de code** [icon] sur la fenêtre gauche de l'affichage.

2 Sur la feuille d'édition, se positionner sur l'élément à modifier.

Les paramètres associés à l'élément apparaissent sur l'Inspecteur de code.

3 Cliquer sur la propriété **class**.

4 Dans la liste déroulante, sélectionner la classe de style voulue ou la saisir directement dans le champ de saisie.

> Se référer à la section *La fenêtre des outils* à la page 184 pour plus de détails sur les onglets de cette fenêtre.

Les styles intralignes

Le style intraligne est utile pour modifier l'apparence d'une ligne de texte sans affecter le reste du document. Il peut être appliqué sur un style standard ou sur un style déjà utilisé par une feuille de style interne ou externe.

La description du style intraligne est insérée au moment de son application au contenu, à l'intérieur de la balise d'ouverture de l'élément HTML, et ne requiert aucune inscription dans l'en-tête.

Plusieurs types de feuilles de style peuvent être utilisés dans un même document HTML.

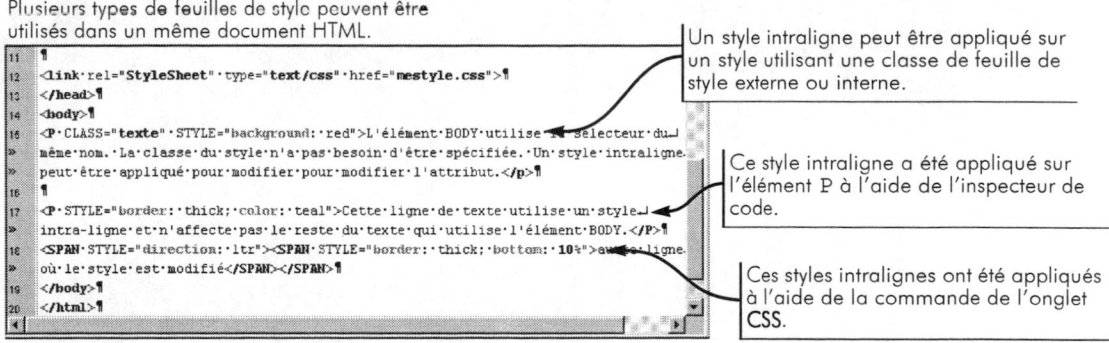

Un style intraligne peut être appliqué sur un style utilisant une classe de feuille de style externe ou interne.

Ce style intraligne a été appliqué sur l'élément P à l'aide de l'inspecteur de code.

Ces styles intralignes ont été appliqués à l'aide de la commande de l'onglet CSS.

Définir un style intraligne à l'aide de l'Assistant

1 Sélectionner le texte à modifier.

2 Cliquer sur le bouton **Éditer un style intraligne** [icon] de l'onglet **CSS**.

La boîte de dialogue de l'Assistant à la feuille de style apparaît.

3 Choisir la propriété dans la liste.

4 Spécifier la valeur de la propriété dans la zone supérieure du volet droit.

Plusieurs propriétés peuvent être définies à la fois. Les autres champs du volet droit, servant à choisir le sélecteur et définir la classe, sont inactifs. WebExpert encadre le texte sélectionné des balises `<span>` `</span>`.

```
<SPAN STYLE="font: 18 px">Style intraligne défini</SPAN>
```

Définir un style intraligne à l'aide de l'Inspecteur de code

1 Se positionner sur l'élément à définir avec un style intraligne.

```
<H1>Mon texte à redéfinir avec un style intraligne</H1>
```

2 Afficher le contenu de l'onglet **Style** de l'Inspecteur de code.

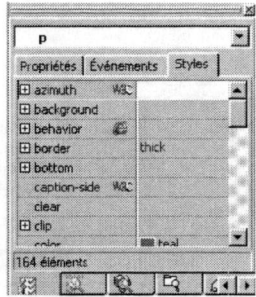

3 Sélectionner l'attribut à modifier et définir sa valeur dans la deuxième colonne.

Le style s'ajoute à l'intérieur de la balise de l'élément sélectionné.

```
<H1 STYLE="background: teal; color: white">Mon texte à redéfinir avec un
style intraligne</H1>
```

L'apparence du contenu est modifiée.

11

Les formulaires

Le fonctionnement de formulaires sur une page Web – La structure des formulaires HTML – La création d'une feuille de formulaire

Le fonctionnement de formulaires sur une page Web

Le formulaire est un objet dynamique et interactif très intéressant pour le concepteur désirant communiquer avec les visiteurs de son site. Il peut entre autres être utilisé pour recueillir de l'information ou pour contrôler l'accès à une section particulière d'un site.

Outre les éléments HTML utilisés pour l'élaboration du formulaire et des contrôles (champs de saisie, cases à option, etc.), le formulaire peut utiliser plusieurs langages.

Certains formulaires Web utilisent un langage complexe, par exemple les requêtes ASP qui permettent notamment d'interfacer des objets VBScript avec un serveur Web. Ce type de formulaire est généralement utilisé pour les applications fonctionnant sur le Web (*Web based*). D'autres types de formulaires utilisent des langages moins complexes tels que les scripts Perl (*Practical Extraction and Report Language*) qui mettent à profit les fonctions PERL ou CGI.

Peu importe le type de langage utilisé par les formulaires Web, les principes qui sont à la base de leur conception sont sensiblement les mêmes.

WebExpert propose plusieurs commandes qui permettent l'aménagement de la zone de formulaire, et qui facilitent l'insertion des contrôles de formulaire (zones ou champs permettant à l'utilisateur de spécifier l'information à transmettre ou à récupérer).

La circulation de l'information

Les informations provenant d'un formulaire peuvent être renvoyées sous différents formats :

- Sous le format d'un fichier de format texte (.txt) ou de pages HTML sur le serveur qui accumulent les informations - appelé fichier de résultat.

    Dans ce cas, un seul fichier est requis, lequel cumule les informations les unes à la suite des autres. Le fichier est enregistré sur le serveur Web.

- Par courrier électronique. À ce moment, les résultats (le contenu du formulaire une fois rempli) sont envoyés les uns à la suite des autres par courriels indépendants.

- Par relation avec une base de données. Cette dernière méthode est de loin la plus complexe, mais sans doute la plus performante. Les requêtes ASP ou PHP exécutent ce type d'action.

    Les plus récentes versions de base de données permettent de plus en plus une interaction directe sur le Web. Ce ne sont toutefois pas tous les serveurs Web qui les acceptent et les gèrent, cela dépend de la configuration.

    Le formulaire répond à une technologie client/serveur :

- Le formulaire est conçu sur une page HTML, laquelle est publiée sur un serveur d'hébergement.
- Le visiteur complète avec son navigateur Internet (logiciel client) les informations demandées par le formulaire, lesquelles informations sont transmises ensuite au serveur.
- Les informations sont traitées par le programme approprié selon la configuration de la feuille de formulaire et le type de langage utilisés.

> Le type des langages utilisés, ainsi que les différentes versions de ces langages, constituent une contrainte pour le concepteur voulant utiliser un formulaire Web. Puisque les formulaires font appel à une technologie client/serveur, des problèmes importants de compatibilité peuvent se poser. De plus, un serveur peut être habilité à héberger une base de données mais non configuré pour cette utilisation, selon le fournisseur de services Internet.

La structure des formulaires HTML

Le contenu d'un formulaire HTML est sensiblement le même que celui d'un formulaire conçu avec une base de données. On y retrouve notamment :

- Le **contenu** : texte explicatif ou descriptif, l'étiquette d'un contrôle (son utilité).
- Le **nom identificateur** des champs : l'étiquette des différentes zones.
- Les **contrôles** : champs du formulaire correspondant à un type donné. Les contrôles sont le plus souvent identifiées par les éléments INPUT TYPE (cases à cocher, boîtes de saisie, boutons radio et boutons d'envoi et d'initialisation). Les éléments TEXTAREA (zone de texte à ligne multiple) ou SELECT (sélection) sont également utilisés.
- Les **paramètres** de contrôle : identification de l'action ou de la valeur d'un contrôle. En langage HTML, les paramètres des contrôles sont représentés par les attributs TYPE, NAME, VALUE, etc.

La création d'une feuille de formulaire

Ce que l'on appelle « feuille de formulaire » est en réalité une zone intégrée dans un document HTML. La feuille de formulaire se distingue du contenu du document par les balises <FORM> </FORM>. L'élément FORM définit un niveau de bloc, à l'instar des éléments HTML ou FRAMESET qui délimitent un document HTML ou un document de pages à cadres.

Les contrôles du formulaire, ou les champs de l'information demandée, sont insérés à l'intérieur des balises de l'élément FORM. Une page Web peut contenir plusieurs feuilles de formulaire ainsi que d'autres objets faisant ou non partie des formulaires.

Créer une feuille de formulaire

1 Sur la feuille d'édition, se positionner là où la zone du formulaire doit être insérée.

2 Cliquer sur le bouton **Feuille de formulaire** 🖹 de l'onglet **Formulaires**.
La boîte de dialogue **Feuille de formulaire** apparaît.

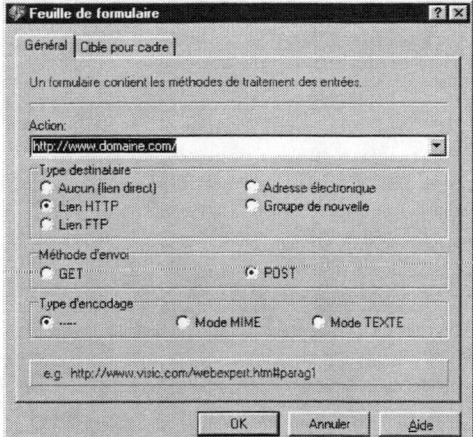

3 Dans la zone **Type destinataire**, sélectionner l'action du formulaire.
Un exemple de la syntaxe correspondant au type de destinataire apparaît dans la zone **Action**.

4 Dans la zone **Action**, saisir l'adresse où les résultats du formulaire doivent être renvoyés par le serveur.

5 Dans la zone **Méthode d'envoi**, choisir l'option appropriée.
- **GET** utilise la variable QUERY_STRING pour interpréter les données. Cette méthode est utilisée lorsque l'objet de la demande est d'obtenir de l'information du serveur.
- **POST** permet de renvoyer les informations (le contenu des champs du formulaire) vers le serveur.

6 Au besoin, afficher le contenu de l'onglet **Cible pour cadres** pour préciser un cadre de destination.
Se référer à la section *Les cadres de destination* à la page 127.

7 Cliquer sur le bouton **OK**.
Des lignes de commandes similaires à celles-ci sont insérées dans le document :

```
<FORM ACTION="mailto:email@adresse.com" METHOD="post">
</FORM>
```

Les contrôles du formulaire

Les contrôles de formulaire sont les champs à l'intérieur desquels l'utilisateur (le visiteur) pourra spécifier les informations demandées. Des modes de validation peuvent être attribués aux contrôles, par exemple pour obliger l'ajout d'information dans un champ, ou pour s'assurer que le type d'information fournie correspond à ce qui est attendu (date, numérique, entier, etc.)

Il est possible de définir les champs obligatoires du formulaire à l'intérieur du script externe en utilisant la variable prédéfinie REQUIRED. Cette variable doit d'abord être définie dans le script associé (un CGI, par exemple) avant d'être utilisée par le formulaire.

REQUIRED identifie les contrôles où la saisie de données est obligatoire. Le type de champ HIDDEN peut être utilisé pour contenir ces champs de manière à ce que la requête ne soit pas visible au navigateur.

```
<input type="HIDDEN" name="required" value="nom,prenom,envoye_par">
```

Le champ rendu obligatoire dans le script doit obligatoirement être le même que celui de l'attribut NAME du contrôle de formulaire utilisé.

Définition des contrôles de formulaire

Une bonne diversité de contrôles peuvent être utilisés selon la nature de l'information à recueillir.

Contrôle	Valeur	Description
Cases à cocher	type="checkbox"	Cases à choix multiple (inclusif).
Case radio ou Case à options	type="radio"	Cases ne permettant qu'un seul choix (exclusif).
Boîte liste et Boîte liste déroulante	`<select name="champ1" size="3"> <option value="d"> premier</option> </select>`	Liste de choix. Le contrôle Boîte liste affiche par défaut plusieurs lignes; le contrôle Boîte liste n'affiche qu'une seule ligne. Le nombre de lignes à l'affichage peut être modifié.
Boîte texte	type="text"	Champ de saisie de texte libre. Le nombre de caractères affichés peut être précisé.
Boîte mot de passe	type="password"	Champ de saisie de texte libre utilisé comme mot de passe. Un script doit être associé à ce contrôle. Le nombre de caractères affichés peut être précisé. Voir l'exemple sous la procédure *Valider le mot de passe d'une boîte mot de passe* à la page 152.
Boîte texte multiligne	type="textarea"	Champ de saisie permettant la saisie de plusieurs lignes de texte libre.
Bouton	type="button"	Bouton cliquable permettant une action lorsqu'il est associé à un script. Le libellé du bouton peut être personnalisé.
Bouton recommencer	type="reset"	Bouton préprogrammé exécutant la réinitialisation du formulaire (mise à zéro des champs).
Bouton soumettre	type="submit"	Bouton préprogrammé exécutant l'envoi des informations.
Bouton image	type="image"	Bouton d'action dont le libellé est représenté par une image choisie. L'action associée à ce bouton doit provenir d'un script.
Entrée cachée	type="hidden"	Contrôle qui permet de spécifier des informations non visibles au navigateur. Ce contrôle est notamment utilisé en lien avec les scripts externes.
Fichier attaché	type="file"	Bouton d'action qui permet de naviguer dans les répertoires du disque pour éventuellement y sélectionner un fichier. Un script doit être associé à ce contrôle.

Si aucun formulaire n'a été préalablement défini au moment de l'insertion d'un contrôle, WebExpert affiche la boîte de dialogue **Feuille de formulaire** pour forcer sa définition.

Insérer un contrôle Case à cocher ou un contrôle Case radio

1 Sur la feuille d'édition, se positionner où le contrôle doit être inséré, à l'intérieur des balises <FORM> et </FORM>.

2 Cliquer sur le bouton **Case à cocher** ☑ ou **Case radio** ⊙ de l'onglet **Formulaires**.
La boîte de dialogue **Éléments du formulaire** apparaît.

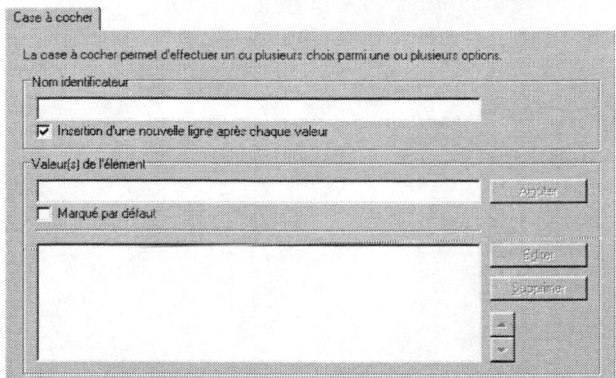

3 Inscrire le nom du contrôle dans la zone **Nom identificateur**.
Celui-ci servira à identifier le contrôle, notamment lors de l'utilisation de scripts.

4 Activer la case **Insertion d'une nouvelle ligne après chaque valeur** pour afficher chaque choix sur une ligne indépendante.
L'absence d'un crochet dans cette case entraîne l'affichage des choix sur la même ligne.

5 Dans la zone **Valeur(s) de l'élément**, inscrire un à la fois, le texte pour chaque case et cliquer sur le bouton **Ajouter** pour l'afficher dans la zone inférieure de la boîte de dialogue.
La zone d'aperçu affiche les éléments ajoutés. C'est l'exacte représentation de l'apparence de la zone de cases à cocher ou de cases à option au navigateur. Le texte de la valeur apparaît toujours à droite de la case.

6 Activer la case **Marqué par défaut** pour qu'une valeur soit active par défaut dans le navigateur.
Il est également possible de cocher la valeur par défaut dans la zone d'aperçu.

7 Utiliser les flèches **Haut** et **Bas** pour réorganiser l'ordre des items ajoutés après les avoir sélectionnés.

8 Cliquer sur le bouton **OK** pour revenir à la feuille d'édition.
S'il s'agit d'une **case à cocher**, des lignes de commandes similaires à celles-ci sont insérées dans le document :

```
Quelle activité pratiquez-vous la plus souvent ?
<INPUT TYPE="checkbox" NAME="loisir" VALUE="Sport">Sport<BR>
<INPUT TYPE="checkbox" NAME="loisir" VALUE="Cinéma" CHECKED>
Cinéma<BR>
<INPUT TYPE="checkbox" NAME="loisir" VALUE="Théâtre">Théâtre<BR>
<INPUT TYPE="checkbox" NAME="loisir" VALUE="Lecture">Lecture<BR>
```

Dans cet exemple, le nom identificateur Loisir a été donné à toutes les cases de la zone du formulaire. C'est ce nom qui distingue cette zone des autres qu'il pourrait y avoir sur le même formulaire.

L'attribut CHECKED signifie que la boîte de marquage sera cochée par défaut. Dans le cas d'une case à cocher, l'attribut CHECKED peut être affecté à une seule ou à plusieurs valeurs, puisqu'il s'agit de choix multiples.

Quelle activité pratiquez-vous la plus souvent ?
☐ Sport
☑ Cinéma
☐ Théâtre
☐ Lecture

À quelle catégorie d'âge appartenez-vous ?
○ - 25 ans
○ 26 à 35 ans
○ 36 à 45 ans
○ 46 ans +

Case à cocher   Case radio

Insérer un contrôle Boîte liste ou Boîte liste déroulante

1 Sur la feuille d'édition, se positionner où le contrôle doit être inséré, à l'intérieur des balises <FORM> et </FORM>.

2 Cliquer sur le bouton **Boîte liste** [icon] ou **Boîte liste déroulante** [icon] de l'onglet **Formulaires**.
La boîte de dialogue **Éléments du formulaire** apparaît.

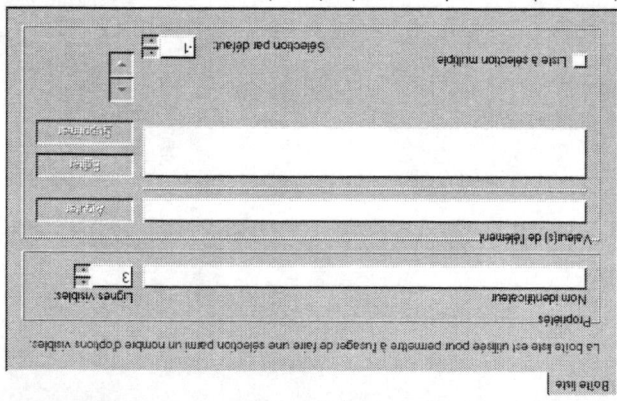

3 Inscrire le nom du contrôle dans la zone **Nom identificateur**.
Celui-ci servira à identifier le contrôle, notamment lors de l'utilisation de scripts.

4 Dans la zone **Lignes visibles**, saisir le nombre de lignes que la zone affichera sur le formulaire.
Si le nombre de valeurs ajoutées à la liste dépasse l'espace disponible, une barre de défilement apparaît.
Cette option n'est pas disponible pour une liste déroulante.

5 Dans la zone **Valeur(s) de l'élément**, inscrire un à la fois les éléments de la liste et cliquer sur le bouton **Ajouter** pour ajouter chaque valeur dans la zone inférieure de la boîte de dialogue.

6 Dans la zone **Sélection par défaut**, spécifier le choix de l'option qui doit être sélectionné par défaut.
Le nombre doit correspondre à l'ordre de l'option dans la séquence.

7 Utiliser les flèches **Haut** et **Bas** pour réorganiser l'ordre des items ajoutés.

8 Cliquer sur le bouton **OK** pour revenir à la feuille d'édition.

S'il s'agit d'un contrôle **Boîte liste**, des lignes de commandes similaires à celles-ci sont insérées dans le document :

```
Dans quel domaine d'activités travaillez-vous?<BR><
SELECT NAME="domaine" SIZE="3">
<OPTION VALUE="Arts">Arts</OPTION>
<OPTION VALUE="Communication">Communication</OPTION>
<OPTION VALUE="Economie" SELECTED>Economie</OPTION>
<OPTION VALUE="Informatique">Informatique</OPTION>
</SELECT>
```

L'attribut SELECTED signifie que l'option sera sélectionnée par défaut dans la liste. Cet attribut ne peut être affecté qu'une seule fois.

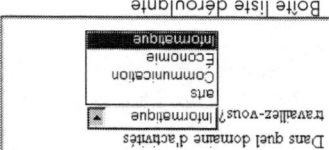

Boîte liste déroulante

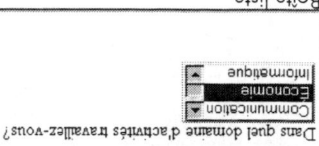

Boîte liste

Insérer un contrôle Boîte texte ou Boîte mot de passe

1 Sur la feuille d'édition, se positionner où le contrôle doit être inséré, à l'intérieur des balises <FORM> et </FORM>.

2 Cliquer sur le bouton **Boîte texte** ![bouton] ou **Boîte mot passe** ![bouton] de l'onglet **Formulaires**.
La boîte de dialogue **Éléments du formulaire** apparaît.

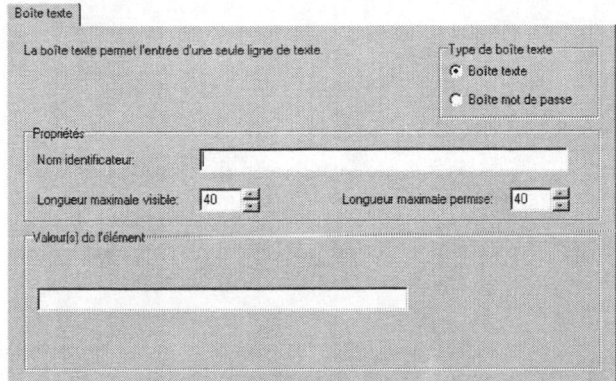

3 Au besoin, choisir le type de boîte de texte dans la zone **Type de boîte de texte**.

4 Inscrire le nom du contrôle dans la zone **Nom identificateur**.
Celui-ci servira à identifier le contrôle, notamment lors de l'utilisation de scripts.

5 Dans le champ **Longueur maximale visible**, préciser le nombre de caractères pour limiter la largeur du contrôle.
Ce champ limite la taille du contrôle à l'affichage mais ne restreint pas le nombre de caractères que l'utilisateur peut y inscrire.

6 Dans le champ **Longueur maximale permise**, préciser le nombre de caractères maximum autorisés lors de la saisie.
Ce champ limite le nombre de caractères que l'utilisateur peut inscrire dans le contrôle.

7 Pour afficher un texte par défaut dans le champ, le saisir dans le champ **Valeur(s) de l'élément**.

8 Cliquer sur le bouton **OK** pour revenir à la feuille d'édition.
S'il s'agit d'une **boîte texte**, une ligne de commandes similaire à celle-ci est insérée :

```
Vos coordonnées :
<INPUT TYPE="text" NAME="nom" SIZE="40" MAXLENGTH="40"
VALUE="Nom"><br>
<INPUT TYPE="text" NAME="prenom" SIZE="40" MAXLENGTH="40"
VALUE="Prénom"><br>
<INPUT TYPE="text" NAME="courriel" SIZE="40" MAXLENGTH="40"
VALUE="Courrier électronique">
```

L'attribut VALUE limite le nombre de caractères autorisés lors de la saisie; l'attribut MAXLENGTH définit la taille du contrôle à l'affichage.

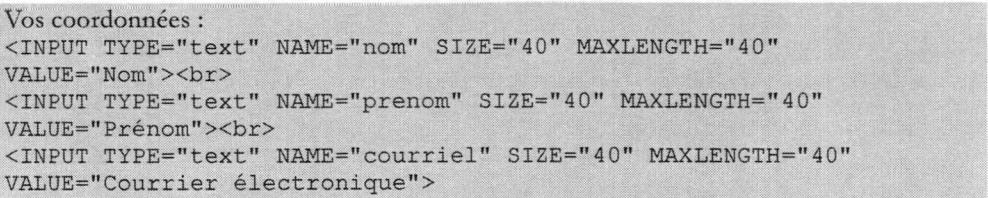

Boîte Texte

Boîte mot de passe

Cette commande permet au concepteur de préparer un espace pour la saisie d'un mot de passe. La validation de ce mot de passe requiert l'utilisation d'un script. Un script simple peut être ajouté à l'en-tête du document HTML et l'appel de ce script doit se faire dans le contrôle du formulaire.

Cette protection est toutefois minime et assure davantage la discrétion que la sécurité.

Valider le mot de passe d'une boîte mot de passe

1 Insérer le contrôle de type **Mot de passe** tel que défini à la procédure *Insérer un contrôle Boîte texte ou Boîte mot de passe* à la page 151.

2 Dans l'en-tête du document, insérer le script qui permettra la validation du mot de passe.

Par exemple :

```
<script language="JavaScript">
<!-- Begin
function validationPswd() {
  if
  ((document.pswdForm.pswd.value ==
  null) ||
  (document.pswdForm.pswd.value ==
  ''))
  alert('Veuillez saisir le mot
  de passe.');
  else if
  (document.pswdForm.pswd.value !=
  '123')
  alert('Mot de passe non
  valide');
  else this.location.href = "../
  index.html';
  }
// End -->
</script>
```

Début du script placé en en-tête et nom de la fonction validationPswd (qui sera utilisée ultérieurement dans le contrôle du formulaire.

Commandes de validation du mot de passe qui appelle le document pswdForm (le nom du formulaire).

La première condition entraîne l'affichage d'un message si le champ de mot de passe est vide.

La seconde condition implique une imbrication de fonction amenant une autre condition (else if). La première condition de l'événement imbriqué entraîne l'affichage d'un message si la valeur spécifiée au champ de mot de passe est différente du mot de passe identifié ici (123). Autrement (else) cela signifie que le mot de passe est valide, ce qui entraîne l'affichage du document spécifié à l'URL.

3 Dans la ligne de code du contrôle Mot de passe, insérer l'événement JavaScript qui doit exécuter le programme placé dans l'en-tête :

```
<input type="password" name="pswd" size="24"
maxLength="40" onchange="validationPswd()" >
```

Dans lequel, lorsque l'utilisateur appuie sur la touche TAB du clavier pour passer au champ suivant (onchange), on appelle l'exécution de la fonction validationPswd.

L'événement choisi ici, onchange, fonctionne avec la touche de tabulation. La touche Retour du clavier n'entraîne aucune réaction. Pour associer l'action au clic de la souris, choisir l'événement onClick, par exemple si un bouton est utilisé pour valider la valeur d'un champ. Se référer à l'exemple montré à la procédure *Insérer un contrôle Bouton (bouton simple, recommencer, soumettre)* à la page 154.

Ce script représente un mode de sécurité minimum puisque le mot de passe apparaît dans les lignes de code. Pour un niveau de sécurité plus élevé, le concepteur aura avantage à utiliser un script externe, JavaScript, CGI ou autre; ou mieux, à une série de mots de passe personnalisés pour chaque visiteur à l'aide d'une base de données. À ce moment, une requête ASP est sans doute plus appropriée.

Insérer un contrôle Boîte texte multiligne

1 Sur la feuille d'édition, se positionner où le contrôle doit être inséré, à l'intérieur des balises <FORM> et </FORM>.

2 Cliquer sur le bouton **Boîte texte multiligne** 🔡 de l'onglet **Formulaires**.
La boîte de dialogue **Éléments du formulaire** apparaît.

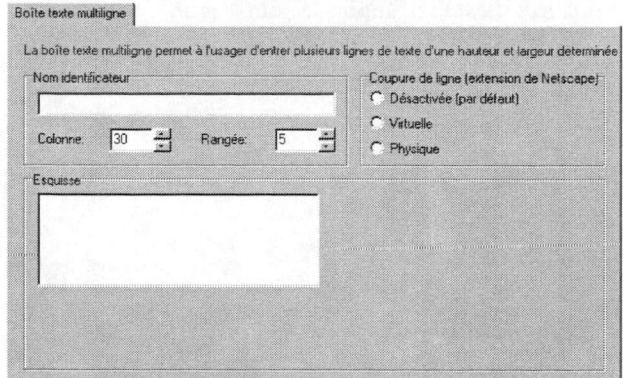

3 Inscrire le nom du contrôle dans la zone **Nom identificateur**.
Celui-ci servira à identifier le contrôle, notamment lors de l'utilisation d'un script.

4 Dans le champ **Colonne**, spécifier le nombre de caractères pour limiter la largeur du contrôle.
Cet attribut limite la largeur du contrôle à l'affichage, mais ne limite pas le nombre de caractères pouvant être saisis dans le champ.

5 Dans le champ **Rangée**, préciser le nombre de lignes à afficher au navigateur.
Cet attribut limite la hauteur du contrôle à l'affichage, mais ne limite pas le nombre de caractères pouvant être saisis dans le champ.

6 Dans la zone **Coupure de ligne**, choisir le comportement de la barre de défilement au navigateur.
• **Désactivée** : empêche les barres de défilement.
Le texte est saisi sur une seule ligne et une barre de défilement horizontale s'affiche au besoin.
• **Virtuelle** : affiche les barres de défilement lorsque nécessaire.
Le texte est automatiquement affiché sur la ligne suivante s'il n'y a plus d'espace sur la largeur de la zone. Le cas échéant, une barre de défilement verticale permet de visualiser le texte masqué.
• **Physique** : affiche toujours la barre de défilement.
Le comportement de la valeur `physical` est le même que pour `virtual`.
L'option **Désactiver** est compatible avec tous les navigateurs.

7 Pour afficher un message par défaut dans le contrôle, saisir le texte voulu dans la zone **Esquisse**.

8 Cliquer sur le bouton **OK** pour revenir à la feuille d'édition.
Une ligne de commandes similaire à celle-ci est insérée dans le document :

```
<TEXTAREA NAME="commentaire" COLS=40 ROWS=5 WRAP="virtual">
```

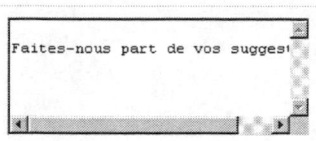

Boîte Texte multiligne

Insérer un contrôle Bouton (bouton simple, recommencer, soumettre)

Le bouton **Bouton** n'est associé à aucune action particulière. Il peut être utilisé avec un script interne et externe pour exécuter un programme.

Les boutons **Soumettre** (submit) et **Recommencer** (reset) utilisent des valeurs prédéfinies dans le code HTML pour renvoyer les résultats d'un formulaire par courrier électronique. Le premier permet de soumettre les résultats d'un formulaire. Il est très important que l'action post soit adéquatement définie sur la feuille de formulaire (se référer à la section *La création d'une feuille de formulaire à la page 146*). Le bouton **Recommencer** permet à l'utilisateur de réinitialiser le formulaire, c'est-à-dire de lui redonner ses valeurs par défaut.

1 Sur la feuille d'édition, se positionner où le contrôle doit être inséré, à l'intérieur des balises <FORM> et </FORM>.

2 Cliquer sur le bouton **Bouton** , **Bouton recommencer** ou **Bouton soumettre** de l'onglet **Formulaires.**

La boîte de dialogue **Éléments du formulaire apparaît.**

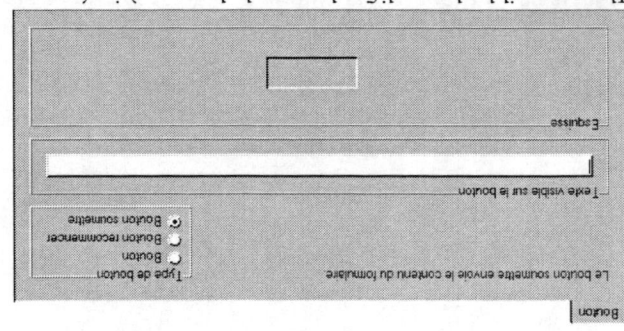

Il est possible de modifier le type de bouton à insérer en modifiant l'option de la zone **Type de bouton.**

3 Dans la zone **Texte visible sur le bouton**, saisir le texte qui doit apparaître sur le bouton. Cette information est obligatoire.

4 Cliquer sur le bouton **OK** pour revenir à la feuille d'édition.

S'il s'agit d'un bouton **soumettre**, WebExpert insère la ligne de commandes :

`<INPUT TYPE="submit" VALUE="texte">`

Le type Submit définissant l'action du bouton.
Si un appel du script est nécessaire, il doit être défini dans la balise de l'élément INPUT à l'aide de l'événement onClick :

`<input type="button" value="Ok" onClick="validationPswd()">`

Bouton d'action associé à un champ de formulaire de type Mot de passe   Boutons Submit et Reset
Le script utilisé en exemple à la procédure
Valider le mot de passe d'une boîte mot
de passe à la page 152 peut être associé
avec ce bouton.

Entrez votre mot de passe : | Ok |

Envoyer   Recommencez

Insérer un contrôle caché

Les contrôles cachés exercent des fonctions spécifiques sur une feuille de formulaire et ne sont pas visibles lorsque le document est affiché dans la fenêtre du navigateur. Ils peuvent être utiles à plusieurs occasions, par exemple pour recueillir de l'information sur le visiteur ou pour préciser des informations nécessaires à l'exécution d'un script interne ou externe.

L'exemple d'un formulaire qui contient plusieurs champs obligatoires est intéressant. Un programme externe, un CGI par exemple, peut venir chercher cette information à l'intérieur du formulaire pour valider la rectitude des informations spécifiées sur le formulaire. Si des champs sont omis, un message d'erreur est renvoyé à l'utilisateur.

1 Sur la feuille d'édition, se positionner où le contrôle doit être inséré, à l'intérieur des balises `<FORM>` et `</FORM>`.

2 Cliquer sur le bouton **Entrée cachée** , de l'onglet **Formulaires**.
La boîte de dialogue **Éléments du formulaire** apparaît.

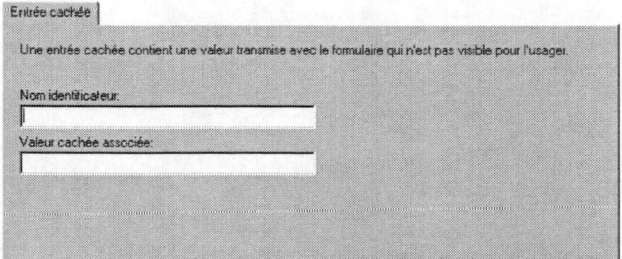

3 Inscrire le nom du contrôle dans la zone **Nom identificateur**.
Celui-ci servira à identifier le contrôle, notamment lors de l'exécution du script.

4 Dans le champ **Valeur cachée associée**, saisir les informations.
Par exemple, saisir le nom identificateur de chacun des champs obligatoires du formulaire.
Chaque valeur inscrite doit être séparée par une virgule (,) et aucun espace ne doit être inséré.

5 Cliquer sur le bouton **OK** pour revenir à la feuille d'édition.
WebExpert insère une ligne de commandes semblable à la suivante :

```
<INPUT TYPE="hidden" NAME="champrequis"
VALUE="nom,prenom,courriel">
<INPUT TYPE="submit" VALUE="texte">.
```

Modifier un contrôle de formulaire

La feuille de formulaire, ainsi que tous les contrôles qu'elle contient, peuvent être modifiés de deux manières :

1 Sur la feuille d'édition.
Cette méthode permet l'insertion d'événements JavaScript et l'insertion d'attributs qui ne sont pas disponibles dans les boîtes de dialogue.

2 À l'aide de la commande **Propriétés de la balise:** du menu contextuel obtenu sur l'élément à modifier.
Cette commande permet d'afficher les propriétés de la feuille et des contrôles à partir de la boîte de dialogue.

Les éléments HMTL des formulaires et des contrôles

Les formulaires et les contrôles utilisent des éléments HTML qui définissent le comportement de base de l'objet en lui appliquant l'apparence appropriée. Certains éléments exécutent une action, par exemple le bouton SUBMIT qui permet d'envoyer les résultats du formulaire. Ce sont essentiellement les attributs qui définissent ce type d'action. Pour l'exécution de commandes plus complexes, il est nécessaire d'avoir recours à des scripts, internes ou externes.

Consulter la section *Les éléments pour la définition des formulaires* à la page 217.

- Les formulaires et les contrôles de formulaires utilisent les éléments suivants :

FORM, INPUT, BUTTON, FIELDSET, LEGEND, LABEL, OPTION, TEXTAREA

12

L'assistance à l'édition des langages

L'assistance à l'édition des commandes HTML – La génération et l'insertion des langages de scripting : Les JavaScript, Les scripts prédéfinis, Le générateur de script ASP, Le générateur de script WML, L'insertion d'un applet Java

L'assistance à l'édition des commandes HTML

La plupart des commandes HTML sont disponibles à partir des outils de la barre à onglets. Il s'agit ici des commandes les plus usuelles et relativement simples à insérer et à éditer.

WebExpert permet une utilisation plus experte des éléments HTML, notamment à l'aide des outils suivants :

- Le générateur de commandes **HTML en bref** qui facilite l'insertion des lignes de commandes complexes.
- L'outil de finition de code qui permet de repérer l'élément HTML le plus approprié.
- L'Inspecteur de code, de la fenêtre des outils, donne ensuite accès aux propriétés, aux événements et aux règles CSS pouvant être associés à cet élément. Se référer à la section *La fenêtre des outils* à la page 184.
- Les programmeurs plus expérimentés, quant à eux, utiliseront l'éditeur de références pour personnaliser les fichiers de références des langages de programmation qu'ils utilisent. Se référer à la section *L'Éditeur de références* à la page 171.

Utiliser le générateur de commandes HTML

1 Sur la feuille d'édition, se positionner où la balise HTML doit être insérée.
2 Cliquer sur le bouton **Liste des commandes HTML** ⬦ de l'onglet **Spécialisés**.
La fenêtre **Commandes HTML en bref** apparaît.

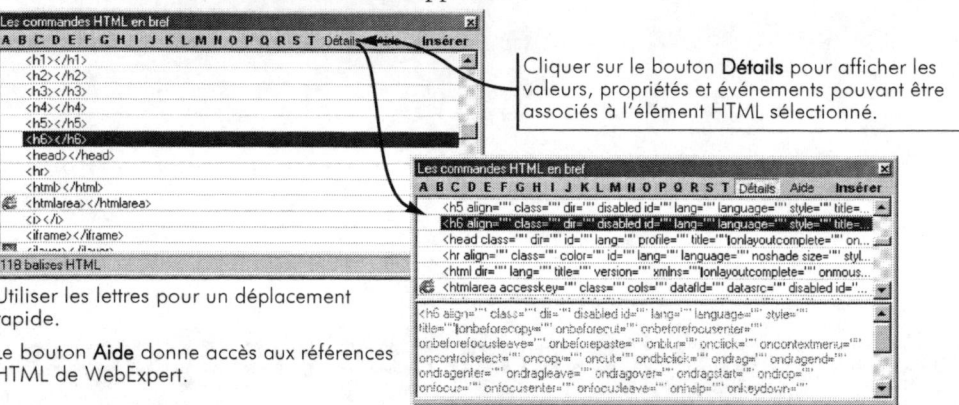

Cliquer sur le bouton **Détails** pour afficher les valeurs, propriétés et événements pouvant être associés à l'élément HTML sélectionné.

Utiliser les lettres pour un déplacement rapide.

Le bouton **Aide** donne accès aux références HTML de WebExpert.

3 Sélectionner la commande voulue.
4 Cliquer sur le bouton **Insérer** pour ajouter la ligne de commandes au document.
5 L'ensemble des propriétés et valeurs pouvant être associés à la commande sélectionnée est inséré sur la feuille d'édition.

```
<basefont class="" color="" disabled face="" id="" lang="" size=""
onlayoutcomplete="" onmouseenter="" onmouseleave=""
onreadystatechange=""></basefont>
```

6 De retour à la feuille d'édition, adapter la ligne de commandes au document en retirant les éléments superflus.

Modifier les lignes de commandes sur la feuille d'édition

À l'insertion d'une ligne de commandes, certains éléments sont accompagnés des attributs ou des propriétés qui peuvent y être associés; d'autres doivent être complétés. Le concepteur doit donc :
- Supprimer les attributs qui ne correspondent pas au traitement à donner à l'élément.
  Par exemple, pour utiliser des puces de type carré : TYPE=[disc|circle|square], il faut retirer les attributs disc et circle = TYPE=square.
- Compléter la commande en ajoutant l'élément (propriété, valeur, événement) approprié.
  Par exemple, pour compléter l'événement JavaScript onClick=, saisir le nom de la fonction JavaScript à exécuter.

Si des valeurs prédéfinies peuvent ête associées à un élément, WebExpert les affiche entre crochets [ ]. Bien que les navigateurs puissent interpréter adéquatement la commande en présence des crochets, il est préférable de les retirer.
Appuyer sur la touche **F1** du clavier alors qu'une ligne de commandes est sélectionnée pour afficher l'aide contextuelle.
Il est possible de travailler en laissant la fenêtre **Les commandes HTML en bref** toujours affichée et basculer vers la feuille d'édition pour travailler le contenu du document.

L'outil de finition du code

L'outil de finition du code permet d'avoir un accès rapide, à partir de la feuille d'édition, à la liste des éléments HTML. L'outil de finition du code s'active à l'aide du bouton ⊞ de la mini barre ou à l'aide des Préférence générales de WebExpert; cette dernière méthode permet également de définir son délai d'activation.

Activer l'outil de finition du code

1 Dans le menu **Outils**, exécuter la commande **Préférences générales**.

2 Cliquer sur le menu **Contenu du code**.

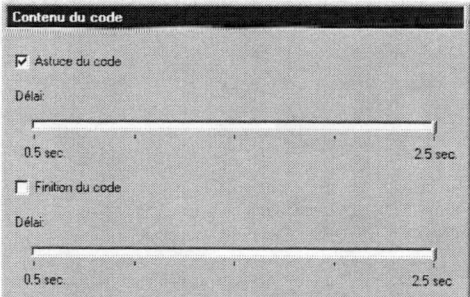

3 Activer la case **Finition du code**.

4 Utiliser l'indicateur pour spécifier le délai d'activation de l'outil sur la feuille d'édition

Utiliser l'outil de finition du code

1 Sur la feuille d'édition, débuter la rédaction de la balise avec le marqueur d'ouverture (crochet <).

2 Appuyer simultanément sur les touches du clavier Ctrl+Espace.

• Saisir la première lettre de l'élément permet de se positionner sur cette lettre dans la liste déroulante. La liste déroulante des éléments HTML s'affiche.

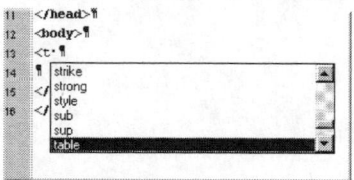

3 Sélectionner l'élément voulu en cliquant dessus.

4 Compléter la rédaction du code.

Utiliser l'Inspecteur de code pour connaître les propriétés, événements et règles CSS pouvant être associés à l'élément inséré (se référer à la section *L'Inspecteur de code* à la page 185).

La génération et l'insertion des langages de scripting

Les JavaScript

Consulter la section *Le JavaScript* à la page 34 pour connaître la structure de base du JavaScript et du JScript.

Insérer un fichier JavaScript externe

1 Cliquer sur le bouton **Définition d'un Script** ☑ de l'onglet **Spécialisés**.

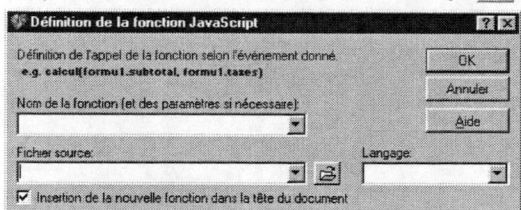

2 Dans la zone **Fichier Source**, saisir l'adresse du fichier contenant le script à exécuter. L'adresse doit être relative.

3 Dans la zone **Version**, choisir la version JavaScript utilisée par le script.

Cette information est importante pour utiliser le bon interpréteur de code.

4 Valider la pertinence d'insérer le script dans la tête du document et, au besoin, désactiver la case.

Il est recommandé de conserver cette position afin de permettre au navigateur de lire le script avant toute chose.

5 Cliquer sur le bouton **OK** pour revenir à la feuille d'édition.

Dans l'en-tête du document, des lignes de commandes similaires à celles-ci sont insérées :

```
<SCRIPT LANGUAGE="JavaScript1.3" SRC="password.js"></SCRIPT>
</HEAD>
```

Générer un script à l'aide du générateur

1 Cliquer sur le bouton **Définition d'un Script** de l'onglet **Spécialisés**.

La boîte de dialogue **Définition de la fonction JavaScript** apparaît.

2 Dans la zone **Nom de la fonction**, saisir un nom pour identifier la fonction du script.

Ce nom sera ultérieurement utilisé pour l'appel du script.

3 Dans la zone **Version**, choisir la version JavaScript utilisée par le script.

Cette information est importante pour utiliser le bon interpréteur de code.

4 Valider la pertinence d'insérer le script dans la tête du document et, au besoin, désactiver la case.

Il est recommandé de conserver cette position afin de permettre au navigateur de lire le script avant toute chose.

Sur la feuille d'édition, des lignes de commande similaires aux suivantes sont insérées :

```
<script language="JavaScript">
<!début du script
function NomDeLaFonction()
}
// Fin du script -->
</script>
```

5 Se positionner à l'intérieur de la fonction script à l'endroit où doit s'insérer la commande.

Par exemple,

```
<script language="JavaScript">
<!début du script
function NomDeLaFonction()
Le script doit être inséré ici
}
</script>
```

La génération d'une instruction JavaScript peut s'effectuer à l'intérieur du document HTML ou sur un document JavaScript (.js) créé à partir de WebExpert.

6 Cliquer sur le bouton **Liste des commandes JavaScript** de l'onglet **Spécialisés**.

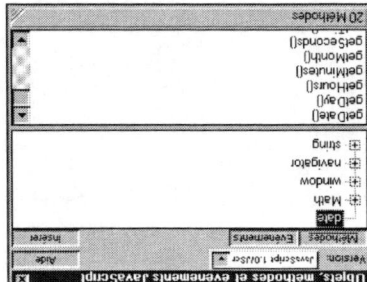

Si la définition du bureau WebExpert est **Ancré**, le générateur de script apparaît sur la fenêtre des outils, à la gauche de la feuille d'édition.

7 Dans la liste **Version**, choisir la version du script utilisée.

Les objets, méthodes et événements listés correspondent à la version sélectionnée.

8 Choisir l'objet de la commande à définir.

La liste des méthodes ou des événements correspondante s'affiche dans le volet inférieur. L'objet peut être inséré sans qu'une méthode ou un événement n'y soit associé. Toutefois, il est nécessaire d'ajoindre manuellement au code les deux parenthèses qui reçoivent habituellement la méthode ou l'événement.

```
date()
```

• Cliquer sur les signes **+** ou **-** pour afficher ou masquer les objets.

9 Cliquer sur le bouton correspondant à la définition de l'objet, **Méthodes** ou **Événements**.

La liste des éléments correspondant apparaît dans le volet inférieur.

10 Sélectionner l'élément voulu et cliquer sur le bouton **Insérer**.

La commande composée s'insère au point d'insertion sur la feuille d'édition. La fenêtre des objets script reste affichée en superposition. Cliquer sur la case de fermeture pour la fermer, ou cliquer à nouveau sur le bouton **Liste des commandes JavaScript** 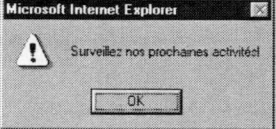.

11 Au besoin, compléter la composition de la fonction sur la feuille d'édition.

Par exemple :
Pour demander l'affichage automatique d'un message au chargement du document :
• La version 1.3 de JavaScript est sélectionnée,
• L'objet `Window` est sélectionné,
• La méthode `alert(message)` est insérée dans le document.
  La ligne de code suivante est insérée :
```
    window.alert(message)
```
• Modifier le texte entre parenthèses par le texte à faire afficher dans la boîte de message. Le texte doit être placé entre guillemets pour indiquer qu'il s'agit d'un texte utilisateur et non d'un code de programmation.
```
    window.alert("Surveillez nos prochaines activités!")
```
Lorsque le navigateur charge le document HMTL, le message apparaît automatiquement.

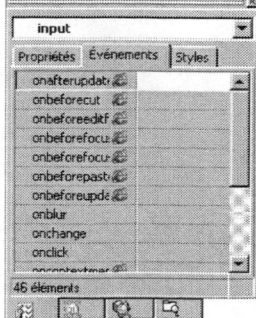

Affecter un événement script à l'aide de l'Inspecteur de code

Un événement script peut être attribué à une balise HTML sans passer par une programmation laborieuse pour ajouter un effet particulier. L'événement s'insère directement dans la balise d'ouverture.

L'Inspecteur de code de la fenêtre des outils rend beaucoup plus facile ce type de travail.

Se référer à la section *L'Inspecteur de code* à la page 185 pour plus de détails.

1 Se positionner sur la balise d'ouverture de l'élément HTML auquel l'effet doit être ajouté.

2 Sur la fenêtre des outils, afficher le contenu de l'onglet **Événements**.

Le nom de l'élément HTML en modification est affiché dans le champ de la liste déroulante.

On peut modifier l'élément utilisé en sélectionnant le nouveau dans la liste déroulante.

3 Cliquer sur la seconde colonne de l'événement à associer à la balise.

4 Saisir le nom de l'événement et, au besoin, ses valeurs dans le champ de saisie.

• Pour afficher une fenêtre d'édition, cliquer sur le bouton ▦ situé à l'extrémité du champ de saisie et saisir le texte dans la zone.

L'événement et ses arguments (valeurs) s'ajoutent immédiatement à la fin de la balise éditée.

```
<input type="text" name="pswd" size="24" maxlength="40"
 onchange="validationPswd()" >
```

Les scripts prédéfinis

WebExpert propose un grand nombre de scripts prédéfinis utilisant le JScript, le JavaScript ou les possibilités offertes par le DHTML. Un assistant permet leur insertion rapide et rend plus facile la définition des paramètres. Ces scripts sont classés sous cinq catégories :

Catégorie	Description
Effets spéciaux de texte	Effets appliqués sur des éléments textuels : bannière, clignotement, etc.
Effets spéciaux graphiques	Effets appliqués sur des images et autres types d'éléments graphiques : transition, alternance, rotation, etc.
Utilitaires	Outils d'analyse et traitements de données : date, compteurs de visite, etc.
Menus	Menus avec effets dynamiques : défilement, types de menu dynamique, etc.
Calculs mathématiques	Outils de calculs mathématiques : calcul d'amortissement ou d'intérêts, nombre de jours dans un intervalle, etc.

Insérer un script prédéfini

1 Sur l'onglet **Scripts**, cliquer sur le bouton de commande correspondant au type de script voulu.

Chaque bouton mène à la même boîte de dialogue, mais le dossier sélectionné diffère selon la catégorie choisie.

La boîte de dialogue **Sélectionner un script** apparaît.

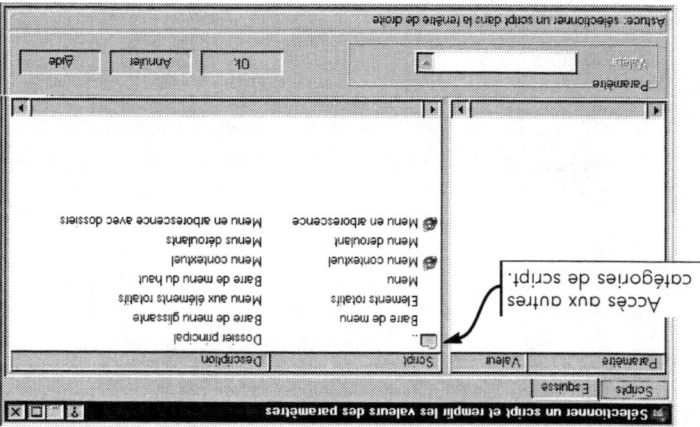

Accès aux autres catégories de script.

Astuce: sélectionner un script dans la fenêtre de droite

2 Cliquer sur le nom du script à insérer.

La définition des propriétés du script, ses paramètres et ses valeurs apparaissent dans le volet gauche de la fenêtre. Une icône identifie le type valeurs pouvant être associées à un paramètre et un exemple de contenu est visible à la colonne **Valeur**.

12 Données numériques	abl Données textuelles
🌐 Lien externe vers un document ou vers le Web	### Couleur hexadécimale
Ajouter item Ajout d'un nouvel item	Effacer item Retrait d'un item

3 Sélectionner le paramètre à modifier dans la boîte de dialogue **Sélectionner un script**.

Au bas de la boîte de dialogue, la liste déroulante **Valeur** affiche la valeur associée au paramètre.

Au besoin, une icône apparaît à la droite de la liste pour donner accès aux outils nécessaires à la définition de la valeur (boîte d'ouverture de fichiers, palette de couleurs, etc.)

4 Saisir directement la valeur voulue dans le champ de saisie ou la sélectionner dans la liste.

- Saisir une valeur textuelle directement dans la zone.
- Cliquer sur l'icône d'ouverture du dossier pour explorer le poste de travail.
- Saisir l'URL du lien dans la zone.
- Cliquer sur l'icône des couleurs pour afficher la palette de couleurs.

Les modifications apportées sont automatiquement visibles sous la colonne valeur.

5 Cliquer sur le bouton **OK** pour revenir à la feuille d'édition.

S'il s'agit d'une barre de menu, WebExpert insère dans l'en-tête du document la feuille de style interne suivante :

```
<STYLE TYPE="text/css">
<!--
BODY {
 margin-top:0; margin-left:0; margin-right:0;
}
.lien {
 position: relative; top: -5; color: #FFFFFF; font-size: 8pt; font-
family: verdana; font-weight: bold; letter-spacing: -1pt; text-
decoration: none;
}
.divise {
 position: relative; top: -3; color: #C0C0C0; background: #000000;
font-size: 12pt;
}
-->
</STYLE>
```

Toujours dans l'en-tête du document, le script JavaScript suivant est inséré :

```
<SCRIPT LANGUAGE="JavaScript">
<!-- begin script
function netie(net, ie) {
 if ((navigator.appVersion.substring(0,3) >= net &&
navigator.appName == 'Netscape' && net != -1) ||
(navigator.appVersion.substring(0,3) >= ie &&
navigator.appName.substring(0,9) == 'Microsoft' && ie != -1))
 return true;
else return false;
}
// end script -->
</SCRIPT>
```

Au point d'insertion du script DHTML, dans le corps du document, des lignes de commandes similaires à celles-ci sont insérées :

```
<SPAN CLASS="divise"> |</SPAN>
<A HREF="url0" CLASS="lien" onMouseOver="netle(-
1,4)?this.style.color='#FF0000':null;" onmouseout="netle(-
1,4)?this.style.color='#FFFFFF':null;">caption0</A>
<SPAN CLASS="divise">|</SPAN>
```

> Les scripts DHTML ne peuvent être modifiés à l'aide de la boîte de dialogue. Toute modification subséquente devra s'effectuer directement sur la feuille d'édition.

Le générateur de script ASP

WebExpert propose le générateur de script ASP pour faciliter la préparation du document.

La fenêtre du générateur est divisée en deux volets : celui de gauche permet la sélection des éléments principaux; celui de droite affiche la liste des objets appartenant à l'élément sélectionné dans le volet gauche.

> Consulter la section *Les scripts ASP* à la page 36 pour connaître la structure de base du code ASP.

Le volet gauche de la fenêtre **Générateur de script ASP** affiche l'arborescence des groupes d'objets ASP disponibles; des icônes identifient chaque niveau d'élément.

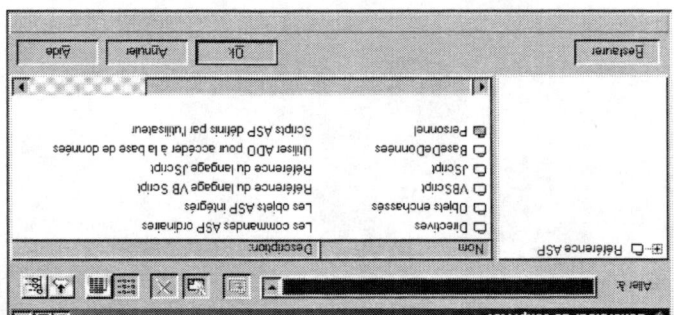

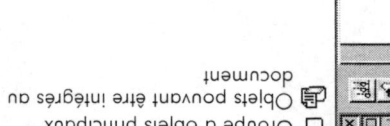

Insérer une commande ASP à l'aide du générateur

1 Sur la feuille d'édition du document ASP, se positionner là où le script doit être inséré.

2 Sur l'onglet **Spécialisés**, cliquer sur le bouton **Insérer une commande ASP** [icône].

La fenêtre **Générateur de script ASP** apparaît.

3 Double-cliquer sur le groupe de directives ou d'opérateurs voulu pour accéder à leurs objets. La disposition des éléments se modifie sur la fenêtre. Les groupes d'éléments sont transférés dans le volet gauche et les objets appartenant aux éléments sont listés sur le volet droit. Par exemple, en double-cliquant sur l'objet VBScript :

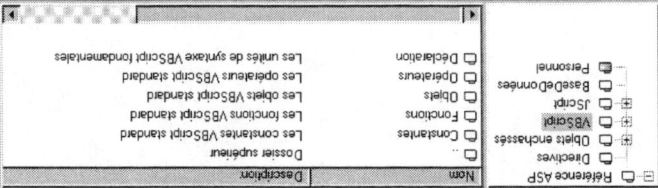

4 Sur le volet droit de l'affichage, double-cliquer sur le sous-groupe de l'objet sélectionné pour afficher les sous-objets.

5 Double-cliquer sur l'objet à insérer dans le document.

La boîte de dialogue **Constructeur d'expressions** apparaît. Les options de cette boîte de dialogue sont différents selon l'objet demandé.

Par exemple, pour l'objet If...Then...Else...End if du groupe **VBScript>Déclaration** :

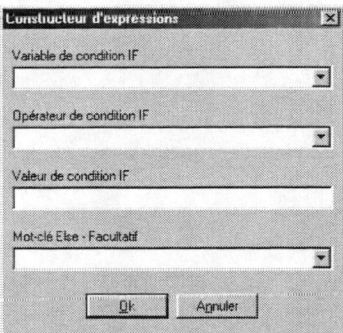

Les listes déroulantes donnent accès aux variables, opérateurs et valeurs prédéfinis pour l'objet en édition; les champs de saisie permettent la saisie d'une définition personnalisée.

6 Spécifier les informations obligatoires et, au besoin, celles optionnelles et cliquer sur le bouton **OK**.

La ligne de commande est immédiatement insérée sur la feuille d'édition.

```
<%If request.form("pass") = toto Then
' apostrophe précédé les remarques
' si le visiteur a tapé "toto" dans le formulaire
' alors la page normale s'affiche
%>
Placez ici le contenu de votre page...
Else
' sinon, le formulaire s'affiche
%>
```

7 Enregistrer le document en lui donnant l'extension fichier .asp.

Le générateur de script WML

WebExpert propose le générateur de script WML pour faciliter la préparation du document et l'intégration des balises.

> Consulter la section *Les scripts WML* à la page 40 pour connaître la structure de base du code WML.

Créer un document WML et insérer des balises à l'aide du générateur

1 Dans le menu **Fichier**, exécuter la commande **Nouveau** et sélectionner le type de fichier WML. WebExpert crée une nouvelle feuille de travail. L'en-tête du document est automatiquement rédigée. L'espace pour la première carte est prévu.

```
<?xml version="1.0" encoding="iso-8859-1"?>
<!-- Date de création: 02-01-12 -->
<wml>
<card>

</card>
</wml>
```

2 Se positionner au tout début du document pour insérer l'en-tête du prologue.

- Sur l'onglet **Spécialisés**, cliquer sur le bouton **Insérer une balise WML** [icon].

La fenêtre **Générateur de balise WML** apparaît.

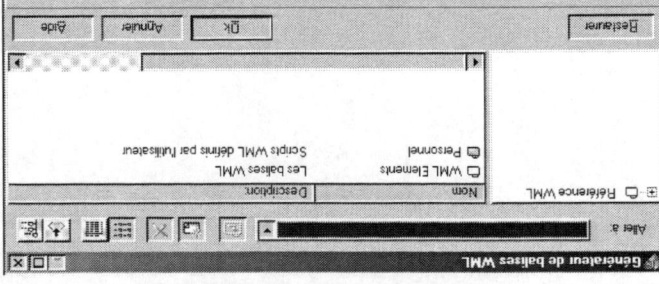

- Dans le volet droit de la fenêtre, double-cliquer sur **WML Elements** pour afficher son contenu.
- Double-cliquer sur l'instruction **Document Prologue** pour l'insérer sur la feuille d'édition.

L'instruction est insérée là où le pointeur était initialement positionné.

```
<?xml version="1.0"?>
<!DOCTYPE wml PUBLIC "-//WAPFORUM//DTD WML 1.2//EN"
"http://www.wapforum.org/DTD/wml_1.2.xml">
```

Après l'insertion de cette instruction, il est nécessaire de supprimer manuellement le doublon suivant sur la feuille d'édition :

```
<?xml version="1.0"?>
```

Il est préférable de conserver la seconde ligne de code puisqu'elle spécifie l'encodage du document.

3 Composer une première carte.

- Se positionner à l'intérieur des balises `<card>` `</card>`.
- Cliquer sur le bouton **Insérer une balise WML** [icon] de l'onglet **Spécialisés**.
- Sur la fenêtre du générateur de balise, sélectionner l'élément à construire sous **WML Eléments**.

La boîte de dialogue **Constructeur d'expressions** apparaît.

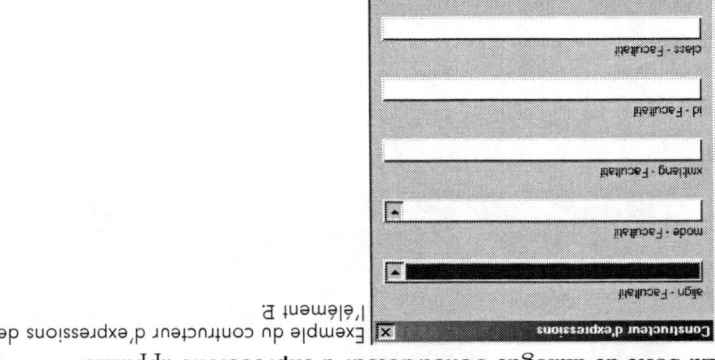

Exemple du contructeur d'expressions de l'élément E.

- Sélectionner l'une des options prédéfinies dans les listes déroulantes ou saisir l'information demandée dans les champs de saisie.
- Cliquer sur le bouton **OK** pour insérer l'élément sur la feuille d'édition.
- Réafficher le générateur de script pour chaque ligne de code à composer.

```
<card>
<p align="center" mode="wrap" id="para1"></p>
</card>
```

4 Créer les autres cartes du document.

Pour créer une nouvelle carte, il est nécessaire d'inscrire les balises `<card> </card>` manuellement sur la feuille d'édition, là où la carte doit apparaître.

- Utiliser le générateur de balises pour créer les lignes de codes ou les saisir directement sur la feuille d'édition.

L'insertion d'un applet Java

Tous les fichiers nécessaires à l'exécution de l'applet Java, le fichier compilé `.class`, les fichiers images, etc. doivent être classés dans le répertoire du site.

> Travailler avec un projet peut faciliter le regroupement de fichiers et de dossiers (se référer à la section *Le Gestionnaire de projet* à la page 81).
> Consulter la section *Les applets Java* à la page 42 pour connaître les principes à la base des applets Java.

Insérer un applet Java

1 Enregistrer votre document HTML.

2 Cliquer sur le bouton **Insérer un Applet Java** de l'onglet **Spécialisés**.
La boîte de dialogue **Applet Java** apparaît.

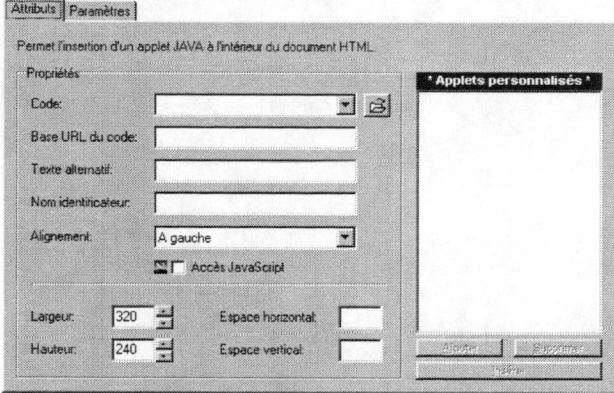

3 Dans la zone **Code**, spécifier l'adresse du fichier de programme `.class`.
Ce fichier doit avoir une adresse relative. Elle ne peut être absolue.
Si le document n'a jamais été enregistré, un message apparaît obligeant à le faire à cette étape.

4 Au besoin, identifier l'URL du fichier de contrôle dans le champ **Base URL du code**.

5 Dans le champ de saisie **Texte alternatif**, saisir un texte pour identifier l'applet.
Ce texte sera entre autres utilisé dans le cas où l'applet ne serait pas interprété par le navigateur.

6 Dans le champ de saisie **Nom identificateur**, saisir un nom pour identifier l'applet.
Cette information pourra être réutilisée avec un script ou un autre programme.

7 Dans la liste **Alignement**, choisir l'alignement vertical de l'applet sur la page.

8 Activer la case **Netscape** pour autoriser l'interprétation des JavaScripts par le navigateur.
Cette option n'est nécessaire qu'à l'occasion où un JavaScript est associé à l'applet.

9 Préciser la taille de l'applet dans les champs appropriés et son positionnement par rapport au coin supérieur gauche de la fenêtre du navigateur.

10 Définir les paramètres de l'applet tel selon les étapes de la procédure suivante.

11 Cliquer sur le bouton **OK** pour revenir à la feuille d'édition.

Des lignes de commandes similaires à celles-ci sont insérées dans le document :

```
<applet code="menu.class" name="archive" alt="Naviguer dans les
archives de notre site" width="320" height="240">
<param name="menu1" value="Actualités">
<param name="color1" value="red">
<param name="url1" value="www.nouvelle.com/actualite.html">
<param name="menu2" value="Sports">
<param name="color2" value="red">
<param name="url2" value="www.nouvelle.com/sport.html">
</applet>
```

Modifier les paramètres de l'applet

1 Dans la boîte de dialogue **Applet Java**, afficher le contenu de l'onglet **Paramètres**.

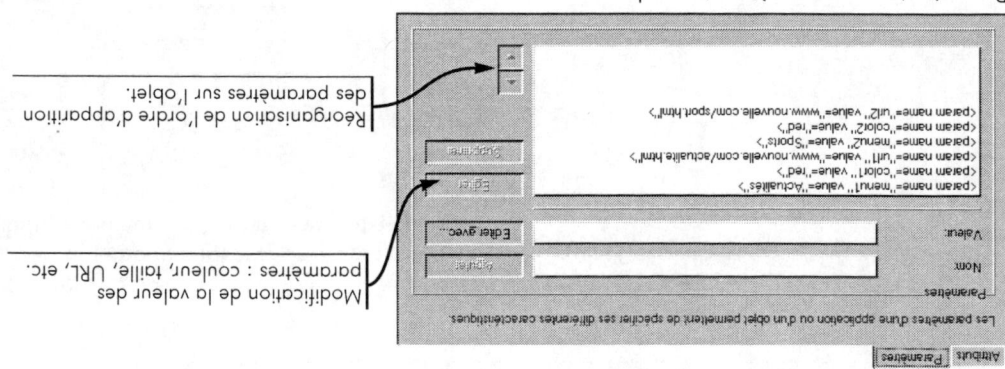

Modification de la valeur des paramètres : couleur, taille, URL, etc.

Réorganisation de l'ordre d'apparition des paramètres sur l'objet.

2 Pour ajouter un paramètre et sa valeur :

- Dans le champ de saisie **Nom**, saisir le nom du paramètre.
  Le nom du paramètre doit avoir été défini dans le fichier du programme .class.
- Dans le champ de saisie **Valeur**, saisir la valeur correspondant au paramètre à ajouter.
  Les valeurs pouvant être associées au paramètre dépendent de la programmation de l'applet.
  Une fois les deux champs complétés, le bouton **Ajouter** devient actif.
- Cliquer sur le bouton **Ajouter** pour ajouter le paramètre à la liste.
  La ligne du paramètre s'ajoute au bas de la liste. Au besoin, utiliser les flèches pour réorganiser l'ordre.

3 Pour modifier la valeur d'un paramètre,

- Dans la liste, cliquer sur le paramètre à modifier.
- Cliquer sur le bouton **Éditer** devenu actif.
  Un sous-menu apparaît.
- Choisir la commande appropriée.
- **Éditer du texte** fait apparaître une boîte de dialogue permettant de modifier les valeurs textuelles de l'applet.
  Cette option permet de préciser un texte à afficher ou de modifier une URL.
- **Éditer une couleur** fait apparaître la palette de couleurs permettant de sélectionner ou de personnaliser une couleur.
- **Insérer un fichier** fait apparaître la boîte de dialogue **Ouvrir fichier(s)**, permettant de définir un lien externe.

Ajouter un applet à la liste

Il est possible d'ajouter un applet à la liste des applets pour le réutiliser sur d'autres pages.

1   Dérouler le menu contextuel sur l'élément APPLET de la balise d'ouverture de l'applet à ajouter et exécuter la commande **Propriétés de la balise: APPLET**.

   • Pour ajouter une applet qui ne fait pas partie du document courant, cliquer sur le bouton **Insérer un Applet Java** 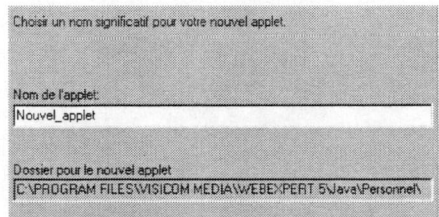 de l'onglet **Spécialisés** et spécifier l'URL de l'applet à ajouter dans le champ **Code**.

2   Sur l'onglet **Paramètres**, définir les attributs, les paramètres et les valeurs de l'applet à utiliser par défaut.

3   Afficher à nouveau le contenu de l'onglet **Attributs**.

4   Cliquer sur le bouton **Ajouter** situé au bas de la zone **Applet personnalisés**.

Ceci entraîne l'ouverture de l'Assistant à la création d'applet.

5   Dans la zone **Nom de l'applet**, saisir un nom identificateur.

La zone **Dossier** pour le nouvel applet affiche le chemin d'accès. Ce champ est non modifiable.

   • Cliquer sur le bouton **Suivant** pour passer à la prochaine étape; cliquer sur le bouton **Précédent** pour revenir à une étape antérieure.

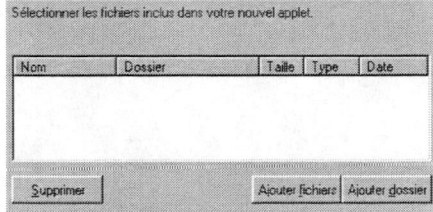

6   Ajouter les fichiers et dossiers associés à l'applet.

   • Cliquer sur le bouton **Ajouter fichiers** pour sélectionner des fichiers.

Ces fichiers peuvent être de type .class, .html, .gif, .jpg ou d'autres types de fichiers, selon le fonctionnement de l'applet. Au besoin, modifier le type de fichier à visualiser dans la boîte de dialogue **Ouvrir fichier(s)**.

   • Cliquer sur le bouton **Ajouter dossier** pour sélectionner tout le contenu d'un dossier.

Une fois les fichiers et les dossiers ajoutés, le bouton **Supprimer** s'ajoute à la boîte de dialogue.

7   Pour retirer un fichier ou un dossier de la liste, le sélectionner et cliquer sur le bouton **Supprimer**.

8   Cliquer sur le bouton **Fin** pour terminer; cliquer sur le bouton **Précédent** pour revenir à une étape antérieure.

Les fichiers sont copiés dans les répertoires de WebExpert et l'applet est maintenant disponible dans la liste **Applets personnalisés**.

13

La manipulation des éléments du code

L'Éditeur de références – L'optimisation du document – L'Inspecteur de code – L'Explorateur de code – L'Explorateur graphique

L'Éditeur de références

Dans tout travail de conception, il y a des redondances de certaines tâches lorsqu'il s'agit de personnaliser un environnement de travail. La conception de pages Web ne fait pas exception à la règle. La possibilité de personnaliser de manière « définitive » l'apparence et le comportement des éléments est un facteur qui permet de gagner beaucoup de temps de conception. Les feuilles de style permettent notamment l'automatisation de certaines mises en forme (se référer au chapitre 10), mais il est nécessaire de lier ces feuilles de style au document et, par la suite, d'appliquer les règles et les classes aux lignes de texte.

Chaque navigateur Internet a son propre fichier de référence des codes intégrés à sa programmation. C'est pourquoi les pages Web ne trouvent aucune difficulté à être lue, et c'est pourquoi, d'un navigateur à l'autre, l'interprétation des codes diffère.

L'Éditeur de références permet au concepteur d'éditer ses propres fichiers de référence afin de définir des comportements et des apparences particuliers. Il permet notamment l'édition des références HTML et de leurs attributs et des autres langages de programmation utilisés : ASP, CSS, JavaScript, PHP, SSI, WML et XML. Il permet également de créer de nouvelles références et d'en supprimer.

Chaque référence est composée de plusieurs éléments :

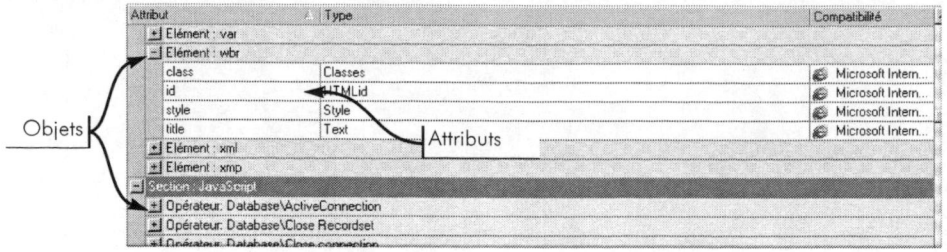

- les **objets** : code de référence (éléments HTML, règles CSS, etc.)
- les **attributs** : apparence de l'élément,
- les **types** : comportement de l'élément,
- la **compatibilité** : comportement dans l'environnement de navigation. Cette information n'est qu'indicative.

La commande **Annuler** n'est pas disponible dans l'Éditeur de références.
L'édition des références peut être particulièrement intéressante dans un environnement Intranet sur un serveur dédié car cela facilite l'interprétation des codes.
Les fichiers de références de WebExpert se trouvent dans le répertoire du logiciel (Program Files\Visicom Media\WebExpert4\ref). Ils portent l'extension fichier .ref.
Avant d'utiliser un fichier de références personnel, il est nécessaire de s'informer du fonctionnement du serveur d'hébergement de site et de ses possibilités.

Afficher l'Éditeur de références

1 Dans le menu **Syntaxe**, sélectionner l'option **Editeur de références**.
La fenêtre Éditeur de références apparaît.

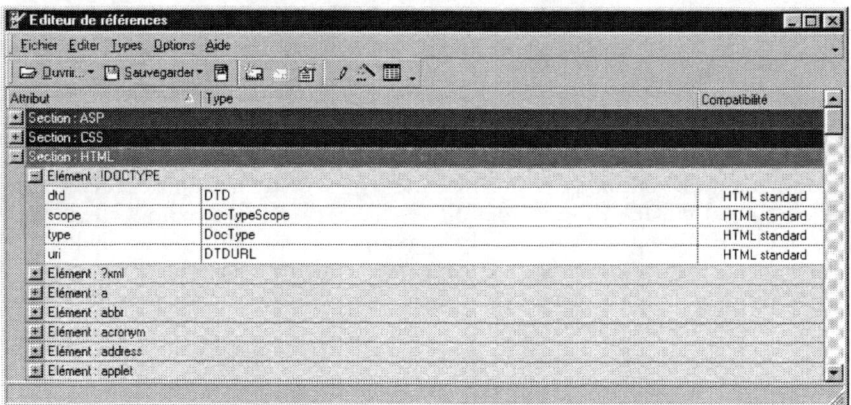

Manipuler l'affichage de l'Éditeur de références

Avec sa barre d'outils et sa barre de menus, l'Éditeur de références se comporte comme une application autonome.

Les informations sont classées alphabétiquement par section, chacune étant représentée par une couleur différente. Une arborescence permet de consulter les niveaux et sous-niveaux de chaque élément.

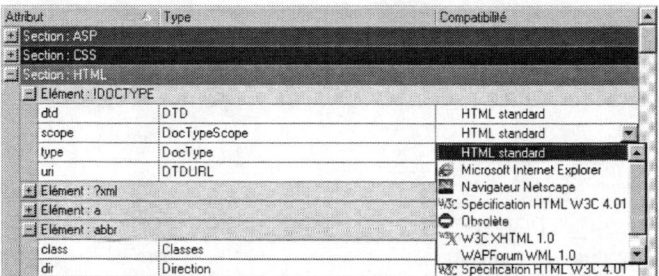

- Cliquer sur le signe **+** (plus) pour afficher le contenu de la section ou du code de référence.
- Cliquer sur le signe **-** (moins) pour masquer le contenu de la section ou du code de référence.
- Cliquer sur un champ de saisie pour éditer le contenu.
- Utiliser le menu contextuel pour avoir accès aux commandes correspondantes.
- Utiliser la barre des menus ou la barre d'outils pour accéder à la totalité des commandes.

Modifier les couleurs de l'affichage

1 Dans le menu **Options** de l'Éditeur de références, exécuter la commande **Sections colorées**. La présence d'un crochet indique l'activation des sections colorées; son absence amène un affichage uniformément gris.

L'édition des références

Ouvrir un fichier de références

1 Afficher l'Éditeur de références.
2 Dans le menu **Fichier**, dérouler la liste de la commande **Ouvrir**.
3 Choisir le type de fichier de références à ouvrir.

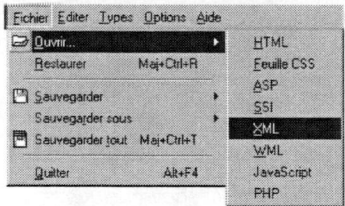

La fenêtre **Ouvrir** apparaît.
4 Sélectionner le fichier voulu et cliquer sur le bouton **Ouvrir**.
- Pour modifier le type de fichier de références à ouvrir, le sélectionner dans la liste de la zone **Type**. WebExpert n'affiche que les fichiers correspondant au type sélectionné.

Enregistrer les modifications dans un fichier de références

1 Dans le menu **Fichier** de l'Éditeur de références, dérouler la liste de la commande **Sauvegarder**.

2 Choisir le type de fichier de références à enregistrer.
L'enregistrement se fait automatiquement.

> La commande **Enregistrer sous** permet d'enregistrer le fichier de références sous un autre nom.

Enregistrer les modifications pour tous les fichiers de références

1 Dans le menu **Fichier** de l'Éditeur de références, exécuter la commande **Sauvegarder tout**.
L'enregistrement se fait automatiquement.

Ajouter un objet

Le code de référence est représenté par les lignes principales sous chacune des catégories.

1 Dans le menu **Éditer** de l'Éditeur de références, dérouler la liste de la commande **Ajouter**.

2 Choisir le type de la référence à ajouter.
Une boîte de dialogue apparaît. Celle-ci prend une apparence différente selon le type de références demandé.

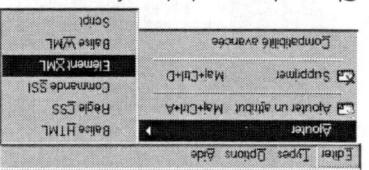

3 Dans le champ de saisie, saisir le nom de l'élément.
S'il s'agit de l'ajout d'un élément HTML, il est nécessaire de préciser l'état des balises d'ouverture et de fermeture. Dans les autres cas, seule la saisie du nom est demandée.

4 Cliquer sur le bouton **OK**.
Sous la catégorie du code créé, une zone est aménagée pour recevoir le premier attribut de la nouvelle référence. La liste des références est classée par ordre alphabétique.

Ajouter des attributs à un objet

1 Sur l'Éditeur de références, se positionner sur une ligne qui appartient à la référence à laquelle l'attribut doit être associé.

2 Dans le menu **Éditer**, exécuter la commande **Ajouter un attribut**.
Une ligne vide s'ajoute au-dessus du point d'insertion.

3 Dans la colonne **Attribut**, saisir le nom de l'attribut à ajouter.
Consulter les références WebExpert correspondant au type de code sous le menu **Aide**.

4 Cliquer sur le champ de saisie de la colonne **Type** et, dans la liste déroulante, choisir le type associé à l'attribut.
La définition du type peut être plus détaillée. Se référer à la section *Les types de références* à la page 177.

5 Cliquer sur le champ de saisie de la colonne **Compatibilité** et, dans la liste déroulante, choisir l'environnement de navigation approprié. En cas d'incertitude, choisir **N/A**.
Une fois les informations complétées, la liste des attributs est reclassée par ordre alphabétique.

Supprimer un attribut ou un code de rérérence

1 Se positionner sur l'attribut ou le code à supprimer.

2 Dans le menu **Éditer**, cliquer sur l'option **Supprimer**.

Un message de confirmation apparaît.

3 Cliquer sur le bouton **Oui** pour supprimer le code sélectionné.

• Cliquer sur le bouton **Non** pour annuler l'opération.

Restaurer les fichiers

Restaurer les fichiers permet de réappliquer les valeurs par défaut de WebExpert et entraîne l'annulation de toutes les modifications qui y auraient été apportées.

1 Dans le menu **Fichier**, exécuter la commande **Restaurer**.

Un message de confirmation apparaît.

2 Cliquer sur le bouton **Oui** pour accepter la suppression des modifications apportées.

La boîte de dialogue **Enregistrer sous** apparaît. Ceci permet la sauvegarde des références personnalisées dans un nouveau fichier.

Tous les fichiers de références reprennent les valeurs par défaut de WebExpert. Tout changement aux fichiers, ajout, suppression ou modification, disparaît.

Les propriétés des références

Au-delà du nom de leurs éléments et de leur attribut, chaque référence a des propriétés pour lesquelles plusieurs valeurs peuvent être définies. La fenêtre de l'éditeur de références peut être transformée pour afficher les options correspondant à chacun des codes.

> Les propriétés ne peuvent pas être définies sur les règles CSS et les commandes SSI. Si l'un de ces éléments est sélectionné, le volet des propriétés des éléments reste masqué même si la commande est active. Le volet réapparaît sitôt qu'une propriété peut être définie.
>
> Se référer à la section *La composition d'un document* à la page 25 pour connaître la structure des éléments et attributs HTML ou se référer aux références HTML de WebExpert sous le menu **Aide**.

Modifier les propriétés d'un élément HTML

Selon le type de référence en édition ou la classe de l'élément, un opérateur ou une opérande, la fenêtre des propriétés se présente différemment.

1 Cliquer sur la ligne contenant le code à modifier.

2 Dans le menu **Options** de l'Éditeur de références, exécuter **Afficher les propriétés**.

Le volet des propriétés apparaît sur la droite de l'affichage de l'Éditeur de références.

3 Effectuer les modifications nécessaires.

Se référer aux tableaux ci-après.

Pour les opérateurs des commandes ASP et les événements Javascript.

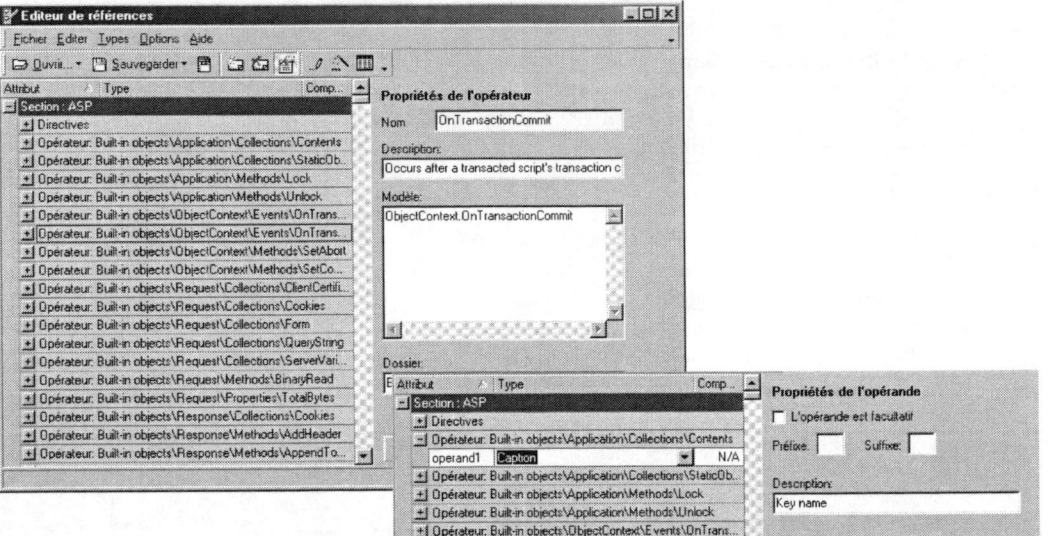

Propriétés de l'opérateur	L'opérateur est l'élément principal de la commande ASP ou de l'événement JavaScript. L'opérateur identifie le type d'action qui doit être exécuté.
Nom	Le nom de l'opérateur, ou de la fonction, sert à faire son appel à l'intérieur d'un script.
Description	La description est uniquement indicative.
Modèle	Modèle de code utilisé pour définir la fonction de l'opérateur.
Propriétés de l'opérande	L'opérande est utilisée pour définir le comportement de l'opérateur. Si le code le permet, l'opérande peut être facultative.

Pour les éléments HTML, WML, PHP, XML

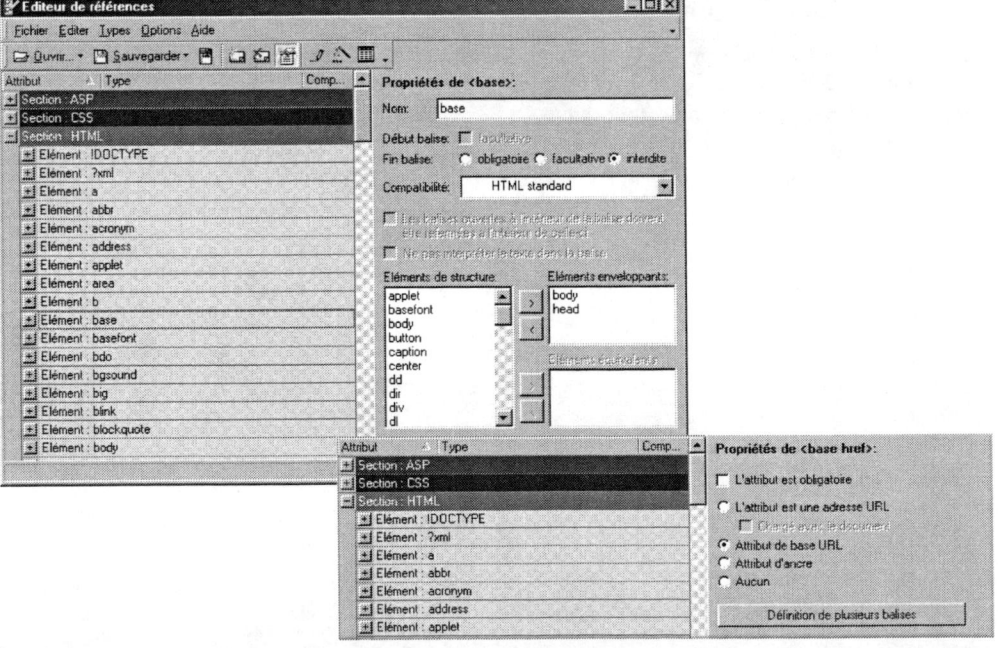

Propriétés de l'élément	L'élément permet de définir le type d'action ou de traitement à appliquer sur un contenu visé. Lorsque l'élément est inséré entre deux crochets < >, on l'appelle *balise*.
Nom	Le nom de l'élément utilisé pour la rédaction de la balise.
Début et fin de balise	La balise de fermeture peut être optionnelle. Elle contient toujours une barre oblique, par exemple </H1>. Avec l'utilisation des feuilles de style et des autres langages de programmation, il est recommandé de forcer la fermeture des balises.
Compatibilité	Niveau de compatibilité de l'élément avec les standards propres à chacun des navigateurs.
Les balises ouvertes...	Force le respect de l'ordre d'ouverture dans la fermeture des balises. Le respect de l'organisation permet une meilleure reconnaissance de la structure du code, par conséquent une meilleure interprétation du code.
Ne pas interpréter...	Précise le mode d'interprétation du texte se trouvant à l'intérieur d'une balise. Par exemple, la balise commentaire <!-- > force une non interprétation du texte.
Éléments de structure	Éléments qui définissent la structure d'un document HTML. Par exemple l'élément BODY qui détermine le corps du document, ou la balise DIV qui définit un bloc de texte. Cet élément de structure sera interprété comme étant la balise « parent », c'est-à-dire celle contenant les propriétés de mise en forme et de comportements initiaux.
Éléments enveloppants	Éléments parents qui contiennent les éléments de structure. BODY est l'élément enveloppant de toutes les balises qui se trouvent dans le corps d'un document HTML. DIV peut aussi être un élément « enveloppé » par un autre élément de structure, UL, par exemple qui sert à identifier une liste à puce.
Éléments équivalents	Éléments enveloppants qui ne peuvent être considérés comme un élément parent.
Propriétés de l'élément	Les propriétés servent à définir une apparence ou un comportement particulier à un élément. Les propriétés d'un élément se définissent par la qualité de ses attributs.
Définition de plusieurs balises	Les propriétés en édition peuvent être utilisées par un autre élément. Ce bouton donne accès à la liste des éléments pouvant être associés aux nouveaux paramètres.

Les types de références

Les types de références servent à valider l'intégrité des données associées à un élément en précisant une valeur particulière. On peut faire le parallèle ici avec la validation des champs d'une base de données. WebExpert utilise d'ailleurs sensiblement les mêmes types : texte, liste, numérique, URL, objet, référence d'objet, fonction, tableaux, union, combinaison, fiches, date et heure.

La liste des types de références se présente sous la forme d'une fenêtre d'application. L'édition des types peut se faire directement à partir de cet affichage ou sur l'affichage de l'Éditeur de références.

Modifier un type de références

1 Dans le menu **Types** de la fenêtre de l'Éditeur de références, exécuter la commande **Afficher les types**.

L'affichage **Liste de types** apparaît.

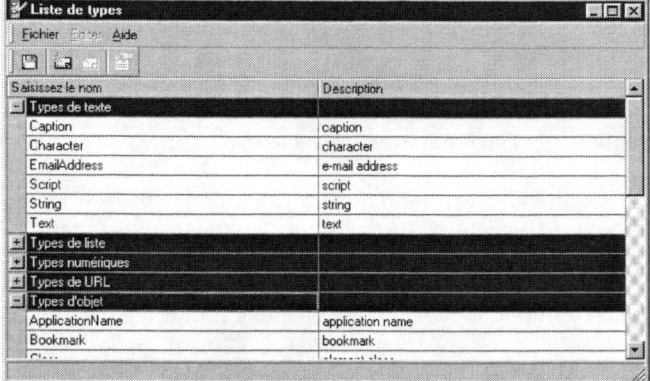

2 Sélectionner le type à modifier.

On peut également éditer un type à partir de l'Éditeur de références à l'aide de la commande **Éditer le type** du menu **Types**.

3 Dans le menu **Editer** de la fenêtre **Liste de type**, exécuter la commande **Afficher les propriétés**.

Une boîte de dialogue apparaît. L'onglet central de la boîte de dialogue est différent selon le type en édition.

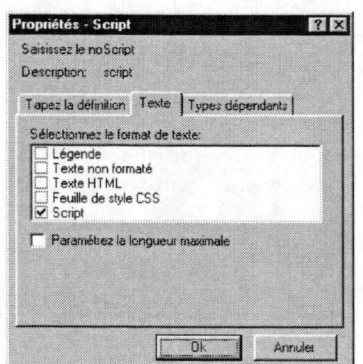

4 Effectuer les modifications appropriées en utilisant les options des différents onglets.

Par défaut, WebExpert affiche l'onglet central. Ce dernier porte le nom de la catégorie de type en édition. Il permet de définir les informations qui préciseront les valeurs de ce type.

5 Modifier les options sur les autres onglets de la boîte de dialogue.

• **Tapez la définition** : donne accès à un choix de type de validation de données.

Les informations de l'onglet central s'actualise en fonction de la nature du type.

• **Type de dépendants** : permet d'associer un dépendant au type en édition.

Les dépendants représentent les éléments, les propriétés, les événements, etc. qui affectent le type en édition.

6 Cliquer sur le bouton **OK** pour terminer.

Créer un nouveau type

1 Dans le menu **Éditer** de la fenêtre **Liste de types**, exécuter la commande **Nouveau type**.

On peut également éditer un type à partir de l'Éditeur de références à l'aide de la commande **Nouveau type** du menu **Types**.

2 À la première étape de l'assistant, saisir un nom identificateur et une description du type en création.

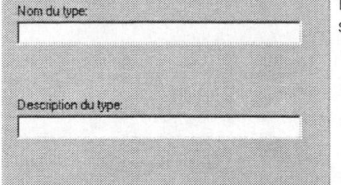
L'utilisation des espaces et des symboles n'est pas autorisée.

3 Cliquer sur le bouton **Suivant** pour afficher la seconde étape et choisir le type de données.

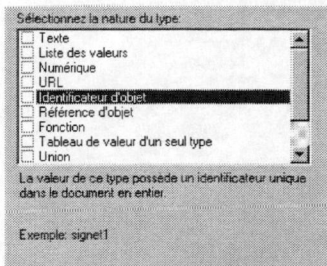
Cette étape correspond au premier onglet de la boîte de dialogue des propriétés du type.

• Cliquer sur le bouton **Suivant** pour passer à l'étape suivante ou sur le bouton **Précédent** pour revenir à une étape précédente.

Le bouton **Suivant** n'est disponible que si les données ont été complétées à la présente étape de l'Assistant.

4 Préciser le format approprié pour représenter les informations correspondant au type en création.

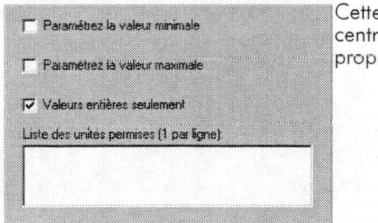
Cette étape correspond à l'onglet central de la boîte de dialogue des propriétés du type.

• Cliquer sur le bouton **Terminer** pour compléter la procédure ou sur le bouton **Précédent** pour revenir à une étape antérieure.

Supprimer un type

1 Sur la fenêtre **Liste de types**, se positionner sur le type à supprimer.

2 Dans le menu **Editer**, exécuter la commande **Supprimer**.

Une boîte de confirmation apparaît.

3 Cliquer sur le bouton **Oui** pour exécuter la suppression.

• Cliquer sur le bouton **Non** pour annuler l'opération.

Enregistrer les modifications de la liste des types

1 Afficher la fenêtre **Liste de types**.

2 Dans le menu **Fichier**, exécuter la commande **Sauvegarder**.

L'optimisation du document

Constitué de plusieurs langages et d'objets de différente nature, un document HTML peut vite devenir lourd à gérer et désagréable à consulter par le concepteur et, en bout de ligne, par le visiteur. Les commandes d'optimisation du code proposées par WebExpert permettent de nettoyer le document, pour en augmenter la clarté et le rendre plus souple à l'utilisation. Elles permettent également la conversion des caractères et la conversion d'un document initialement conçu en HTML vers le format XHTML.

L'optimisation du document peut se faire sur un document à la fois ou sur plusieurs documents sélectionnés.

La fenêtre de l'Optimiseur de code

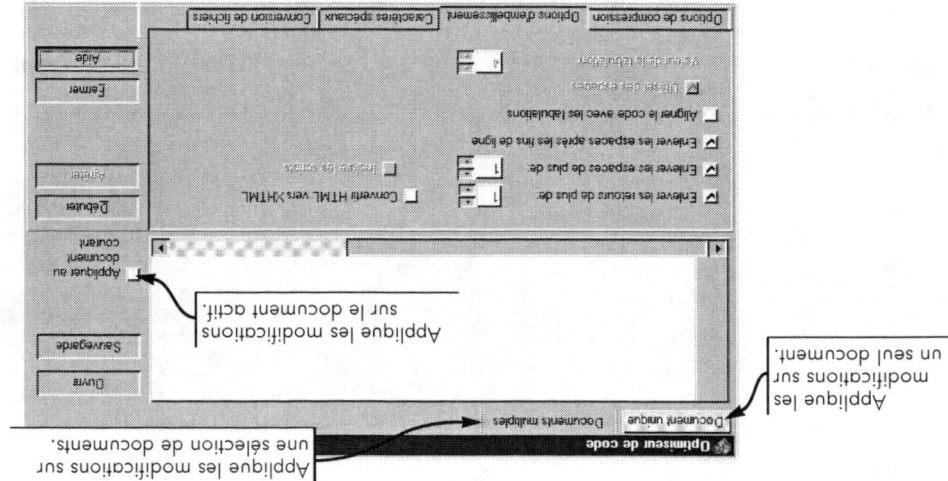

Applique les modifications sur une sélection de documents.

Applique les modifications sur le document actif.

Applique les modifications sur un seul document.

La partie supérieure de la fenêtre est différente selon que l'opération est exécutée sur un document unique ou sur plusieurs documents.

La fenêtre de l'Optimiseur de code est composée de quatre onglets dédiés chacun à un type de traitement :

- le nettoyage du document de caractère superflus,
- la conversion du document en format XHTML,
- la conversion des caractères spéciaux,
- et la modification de l'apparence des caractères dans le document.

Lors de son exécution, la commande d'optimisation des documents exécute toutes les options définies sur les onglets. Ces options s'appliquent uniquement à l'apparence du document sur la feuille d'édition.

Optimiser un document

1 Dans le menu **Outils**, exécuter la commande **Optimisation du code**.
La fenêtre **Optimiseur de code** apparaît.

2 Définir le document sur lequel l'opération d'optimisation doit s'exécuter.
- Activer la case **Appliquer au document courant** pour optimiser le document actif.
La zone supérieure de la fenêtre devient grise.
- Cliquer sur le bouton **Document unique** et sur le bouton **Ouvrir** pour sélectionner le document à optimiser dans la fenêtre **Ouvrir fichier(s)**.

La zone supérieure de la fenêtre affiche les lignes de codes du document.

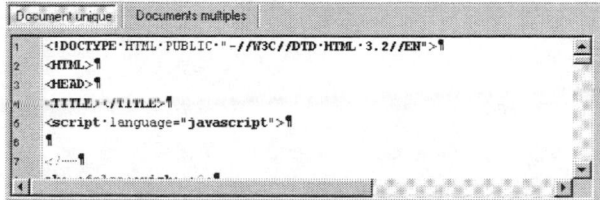

3 Définir les options d'optimisation sur les différents onglets.

4 Cliquer sur le bouton **Débuter** pour excuter la commande.

Optimiser plusieurs documents

1 Exécuter la commande **Optimisation du code** du menu **Afficher**.
La fenêtre **Optimiseur de code** apparaît.

2 Cliquer sur le bouton **Documents multiples**.
La zone supérieure de la fenêtre se transforme.

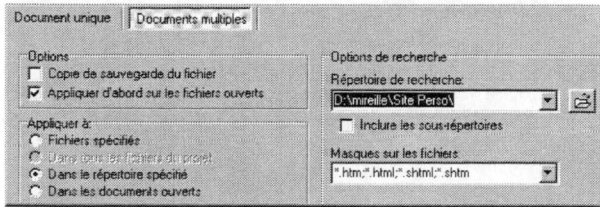

• Pour conserver une copie des fichiers originaux avant leur optimisation, activer la case **Copie de sauvegarde du fichier**.
Le fichier de sauvegarde est enregistré dans le répertoire courant et porte l'extension `.html.bak`.
• Pour définir un ordre de priorité sur les fichiers ouverts, activer la case **Appliquer d'abord sur les fichiers ouverts**.

3 Choisir les fichiers à optimiser.
La zone **Options de recherche** s'actualise à l'option choisie dans la zone **Appliquer à**.

Fichiers spécifiés	• L'optimisation ne s'applique qu'à la sélection de fichiers. • Cliquer sur le bouton **Ajouter** pour sélectionner les fichiers voulus à l'aide de la boîte de dialogue **Ouvrir fichier(s)**.

Dans tous les fichiers du projet   Cette option est active uniquement si un projet est ouvert. L'optimisation s'applique sur l'ensemble des fichiers que contient le projet.

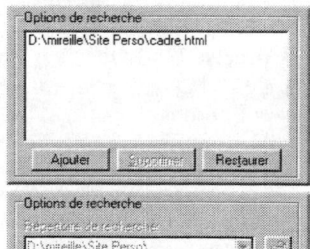

Dans le répertoire spécifié
• L'optimisation s'applique à tous les fichiers présents dans un répertoire.
• Activer la case **Inclure les sous-répertoires** pour forcer la reconnaissance de tout le contenu.
• Dans la liste **Masques sur les fichiers**, sélectionner la série d'extensions fichier pour limiter l'optimisation à ces types.

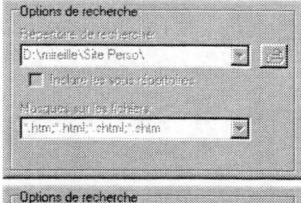

Dans les documents ouverts   L'optimisation ne s'applique qu'au fichier actuellement ouvert avec WebExpert. Aucune option supplémentaire n'est disponible.

4 Définir les options d'optimisation sur les différents onglets.

5 Cliquer sur le bouton **Débuter** pour exécuter la commande.

L'utilisation de l'Optimiseur de code

Supprimer les éléments inutiles dans un document

1 Afficher la fenêtre de l'Optimiseur de code et sélectionner le ou les document à convertir.

2 Afficher le contenu de l'onglet **Options de compression**.

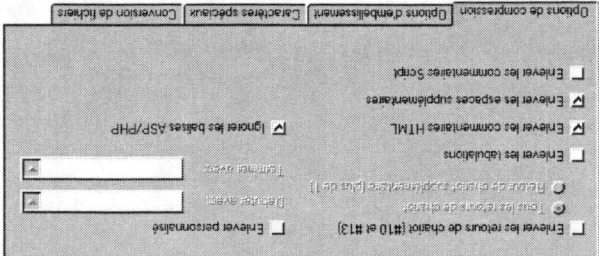

3 Ajouter un crochet dans la case de l'option voulue.

• L'option **Enlever personnalisé** permet de supprimer des lignes de codes identifiées par une balise en particulier. Il est possible par exemple de supprimer du document toutes les lignes utilisant la balise <H1> en une seule opération.

• L'option **Ignorer les balises ASP/PHP** permet d'éviter la modification de ces codes de programmation.

Supprimer des blocs de texte dans le document

1 Afficher la fenêtre de l'Optimiseur de code et sélectionner le ou les document à convertir.

2 Afficher le contenu de l'onglet **Options de compression**.

3 Activer la case **Enlever personnalisé**.

Les champs adjacents s'activent.

4 Dans le champ **Débuter avec**, inscrire la syntaxe qui identifie la balise à supprimer telle qu'elle apparaît sur le document.

Par exemple, pour retirer une image, saisir le début de la balise `<img src="image.gif"` (sans préciser ici la fin de la balise).

5 Dans le champ **Terminer avec**, inscrire les caractères qui marquent la fin du bloc d'information à supprimer.

Pour continuer avec le même exemple, saisir `/>`.

> Dans cet exemple, toute les images portant le nom "image.gif" seront supprimées du document; la conversion ne touchera pas les autres images.
> Cette commande retire également le texte contenu dans les lignes de code.

Modifier l'apparence des lignes de code

1 Afficher la fenêtre de l'Optimiseur de code et sélectionner le ou les document à convertir.

2 Afficher le contenu de l'onglet **Options d'embellissement**.

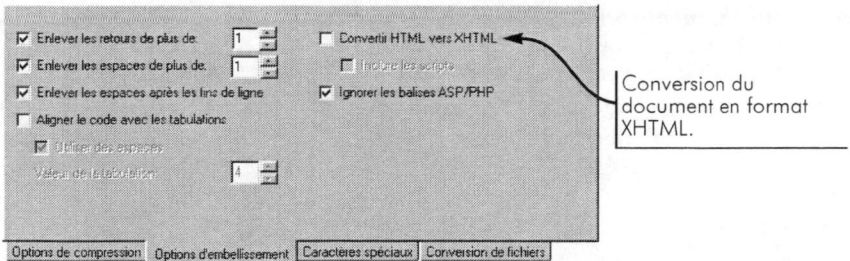

Conversion du document en format XHTML.

3 Ajouter un crochet dans la case de l'option voulue.

L'option **Ignorer les balises ASP/PHP** permet d'éviter la modification de ces codes de programmation.

Convertir un document HTML vers le format XHTML

1 Afficher la fenêtre de l'Optimiseur de code et sélectionner le ou les document à convertir.

2 Afficher le contenu de l'onglet **Options d'embellissement**.

3 Activer la case **Convertir HTML vers XHTML**.

   • Pour convertir les scripts du document, activer la case adjacente maintenant devenue active.

Convertir les caractères normaux

Certains navigateurs ou serveurs Web peuvent avoir du mal à interpréter les caractères accentués ou les symboles. Ainsi, pour favoriser une interprétation optimale des documents, il peut s'avérer nécessaire de convertir le document.

Les caractères spéciaux ont une syntaxe relativement complexe (par exemple é pour le caractère é). WebExpert permet au concepteur de compléter son document en langage standard et de convertir les caractères par la suite. On peut revenir aux caractères normaux en utilisant la même commande de conversion.

1 Afficher la fenêtre de l'Optimiseur de code et sélectionner le ou les document à convertir.

2 Afficher le contenu de l'onglet **Caractères spéciaux**.

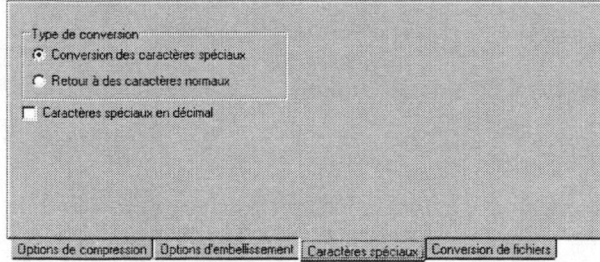

3 Activer l'option correspondant au type de conversion voulu.

Convertir les attributs d'un document

Cet onglet permet de modifier en une seule opération la casse des caractères et l'orientation des séparateurs. Seul les attributs inclus à l'intérieur des balises sont touchés par ces modifications.

Par exemple, pour reconnaître facilement les images insérées dans le document, (src="image.gif") l'attribut src est ajouté à la liste **Attributs à vérifier**. Après l'exécution de l'optimisation, la valeur de l'attribut src sera inscrite en majuscule, SRC="IMAGE.GIF".

1 Afficher la fenêtre de l'Optimiseur de code et sélectionner le ou les document à convertir.

2 Afficher le contenu de l'onglet **Conversion de fichiers**.

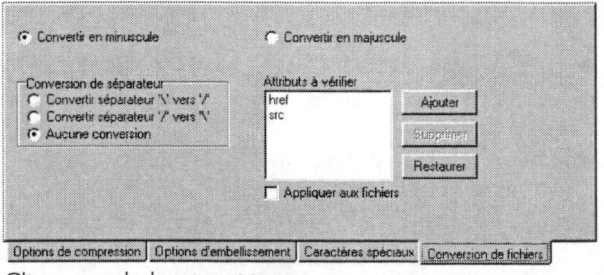

3 Cliquer sur le bouton **Ajouter**.

La boîte de dialogue **Ajouter un attribut** apparaît.

4 Dans le champ de saisie, inscrire l'attribut à ajouter dans la liste et cliquer sur le bouton **OK**.

L'attribut est ajouté à la liste **Attributs à vérifier**. L'optimisation des fichiers n'affectera que les attributs spécifiés ici.

> Attention à la conversion des barres obliques (/ \). Respecter les standards de rédaction des codes pour leur utilisation.
> • La barre oblique standard / est utilisée pour marquer la fin d'une balise et marque le chemin d'accès des fichiers lors de la définition des liens URL.
> • La barre oblique inversée \ est utilisée pour marquer l'accès à un fichier sur un disque local.

La fenêtre des outils

La fenêtre des outils est ancrée à la gauche de l'affichage de WebExpert. Par défaut, elle contient quatre onglets :

• L'**Inspecteur de code**, qui permet l'analyse et la modification des codes utilisés dans le document.

• L'**Explorateur de code**, qui affiche les éléments du code utilisés (événements, propriétés, attributs, etc.)

• L'**Explorateur graphique**, qui affiche graphiquement les liaisons entre les objets et les documents.

• Le **Gestionnaire de fichiers**, qui permet la navigation sur les unités de travail et la gestion des dossiers et des fichiers (se référer à la section *Le Gestionnaire de fichiers* à la page 79).

La fenêtre des outils peut être déplacée et agrandie pour permettre une meilleur exploration des codes. Il est également possible d'y ajouter d'autres onglets.

Déplacer la fenêtre des outils

1 Cliquer sur la poignée de déplacement de la fenêtre des outils.

2 En maintenant le bouton gauche de la souris enfoncé, glisser la fenêtre à l'endroit voulu.

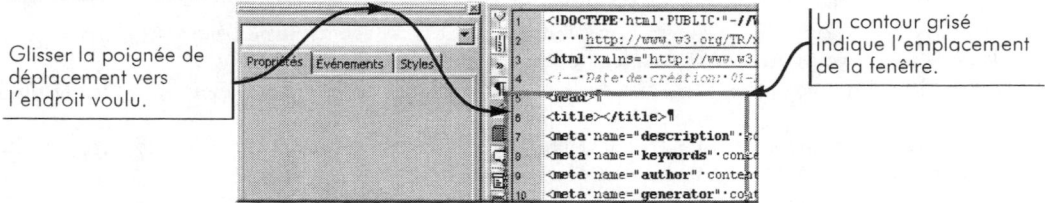

Glisser la poignée de déplacement vers l'endroit voulu.

Un contour grisé indique l'emplacement de la fenêtre.

La fenêtre des outils est maintenant flottante. Elle peut être redimensionnée et déplacée selon les méthodes habituelles.

- Pour ancrer à nouveau la fenêtre des outils, cliquer et glisser la barre de titre sur l'une des bordures de l'affichage de WebExpert. Le trait gris indique l'emplacement de l'ancrage.

Déplacer un seul onglet

1 Au bas de la fenêtre des outils, cliquer sur l'onglet à déplacer.

2 En maintenant le bouton gauche de la souris enfoncé, glisser le volet à l'endroit voulu.

Un contour grisé indique l'emplacement de la fenêtre.

Ajouter un onglet à la fenêtre des outils

Les fenêtres des commandes JavaScript et HTML peuvent être ajoutées sur la fenêtre des outils. Le gestionnaire de projet peut aussi être ajouté sur la zone avec un bureau de type **Ancré**.

1 Cliquer sur la barre de titre de la fenêtre à ajouter.

2 En maintenant le bouton gauche de la souris enfoncé, glisser la fenêtre sur la barre de déplacement de la fenêtre des outils.

L'onglet de la fenêtre s'ajoute au bas de la fenêtre.

L'Inspecteur de code

L'Inspecteur de code a deux utilités : celle de permettre l'analyse de la composition des attributs et des propriétés d'une ligne de commandes; celle d'en permettre la modification.

L'Inspecteur de code utilise les marqueurs définis dans les fichiers de références utilisés par WebExpert. L'Éditeur de références permet de modifier ces paramètres (se référer à la section *L'Éditeur de références* à la page 171).

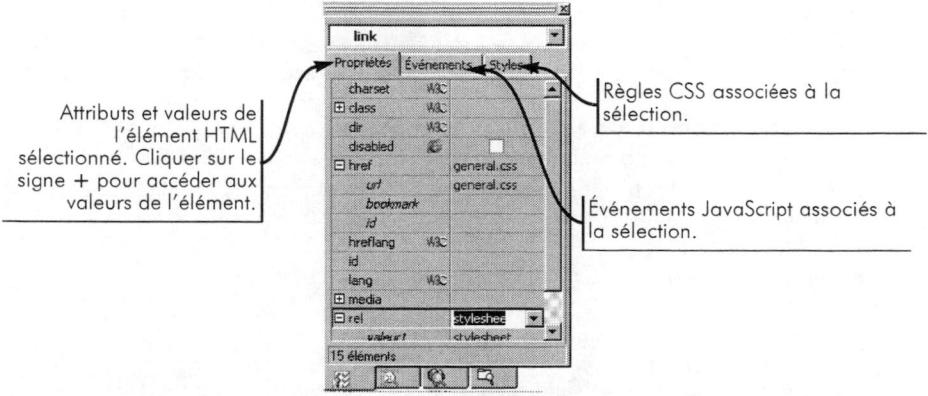

Attributs et valeurs de l'élément HTML sélectionné. Cliquer sur le signe + pour accéder aux valeurs de l'élément.

Règles CSS associées à la sélection.

Événements JavaScript associés à la sélection.

L'affichage de l'Inspecteur de code

La fenêtre de l'Inspecteur de code affiche les objets contenus dans le document actif.

- Sur la partie supérieure, trois onglets permettent de consulter, lorsque disponibles, les événements, les propriétés ainsi que les styles correspondant à l'objet sélectionné (éléments HTML, fonctions JavaScript, Règles CSS).
- Sur la feuille d'édition, cliquer sur le nom d'un élément. La définition de l'élément s'affiche dans les champs correspondants de la fenêtre de l'Inspecteur.
- L'information affichée correspond aux valeurs et propriétés de l'élément sélectionné sur la feuille d'édition.
   Aucune information ne s'affiche sur une balise HTML de fermeture puisque aucune propriété ou aucun attribut particulier ne peut lui être affecté.

Utiliser l'Inspecteur de code pour modifier les éléments du document

1 Cliquer sur l'onglet **Inspecteur de code** 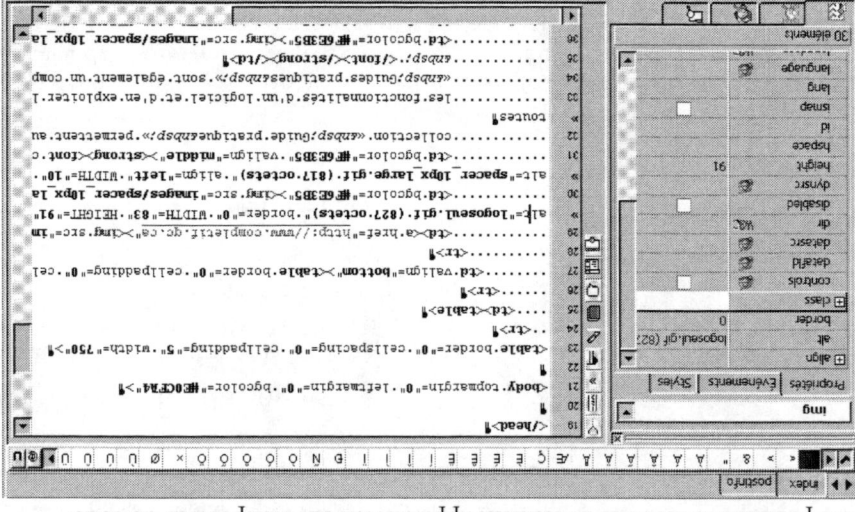 de la fenêtre des outils.
   Si la fenêtre n'est pas affichée, l'affichage de l'Inspecteur de code peut être demandé à l'aide des commandes du menu **Afficher**.

2 Sur la feuille d'édition, se positionner sur l'élément à explorer.
   Les paramètres associés à l'élément apparaissent sur l'Inspecteur de code.

- Cliquer sur le signe **+** de la liste des propriétés pour afficher les valeurs associées à un paramètre.

3 Cliquer sur l'onglet qui correspond au paramètre à modifier :
- **Propriétés** : pour ajouter un attribut à l'élément ou en modifier la valeur.
- **Événements** : pour associer un événement JavaScript (se référer à la section *Le JavaScript* à la page 34).
- **Style** : pour associer des paramètres particuliers aux règles de style (se référer au chapitre 10).

4 Cliquer sur le champ correspondant au paramètre à modifier et effectuer la modification voulue.

|83| Permet d'incrémenter progressivement ou de décroître progressivement une valeur numérique.
   La valeur peut être aussi être saisie directement dans le champ.

Affiche une liste de choix.
   La valeur peut être aussi être saisie directement dans le champ.

Champ de saisie pour une valeur textuelle.
   … affiche la boîte de dialogue correspondante;
   ▲ affiche une liste de choix.
   La valeur peut être aussi être saisie directement dans le champ.

Case à option correspondant aux valeurs **Vrai** ou **Faux**; **Oui** ou **Non**.

Champ de saisie pour une valeur textuelle.

Champ de saisie pour une valeur textuelle ou accès à la boîte de dialogue correspondante (⋯).

Obtenir de l'aide sur les éléments de l'Inspecteur de code

Pour supporter le concepteur dans l'élaboration de son document HTML, WebExpert a élaboré un système de références sur plusieurs des langages utilisés. Il est possible à tout moment d'obtenir une aide contextuelle qui fournira la définition d'un élément ou d'une fonction en particulier.

1 Cliquer sur l'élément à consulter sur la fenêtre de l'Inspecteur de code.

2 Appuyer sur la touche **F1** du clavier.

La fenêtre des rubriques d'aide affiche le fichier des références HTML.

L'Explorateur de code

L'Explorateur de code présente, sous forme d'une arborescence, la liste des codes utilisés à l'intérieur d'un document. Cette fenêtre affiche graphiquement, sous forme de nœuds et de feuilles, différents types d'objets : les liens internes et externes ainsi que les images liées au document. Le concepteur peut créer ses propres feuilles et noeuds de manière à observer les éléments intégrés à ses documents, par exemple des fonctions Javascript et VBScript.

L'affichage de l'Explorateur de code

L'Explorateur de code est constitué d'une arborescence de **Nœuds** et de **Feuilles** qui permet d'analyser le contenu du document actif.

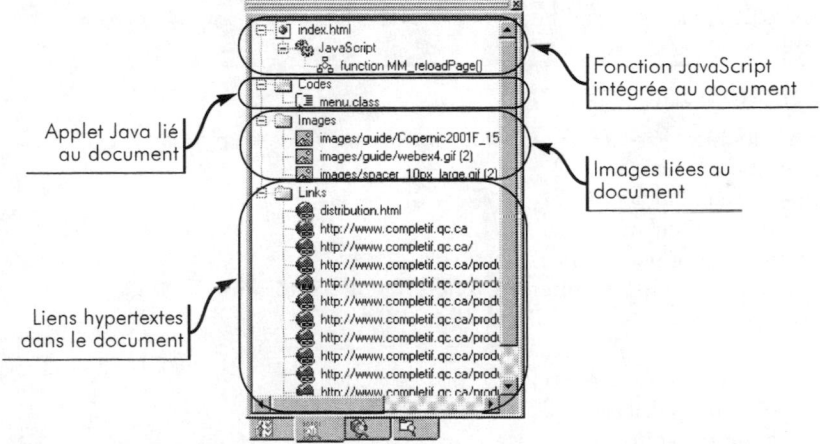

Le menu contextuel déroulé sur la fenêtre de l'Explorateur de code donne accès aux commandes d'utilisation.

- Le nom du document actif est affiché en tête d'arborescence.
- Les **Nœuds** sont représentés graphiquement par une icône de dossier. Il s'agit des catégories d'éléments utilisés. Par défaut, WebExpert présente plusieurs noeuds, par exemple les fonctions JavaScript, les liens hypertextes, les fichiers de programmation externes (comme les fichiers `.class` pour les applets Java), etc. L'affichage des noeuds sur la fenêtre varie selon la composition des documents.
- Les **Feuilles** sont représentées par une icône représentative de leur utilité. Chacune est classée sous la catégorie à laquelle elle fait référence. Le nom de l'objet (nom de fichier, nom de lien ou propriétés utilisées) affiché à côté de l'icône permet de l'identifier. L'affichage d'un nombre entre parenthèses au bout de la ligne représente le nombre d'occurrences de l'objet dans le document actif.

Atteindre la position d'un code sur la feuille d'édition

1 Cliquer sur l'onglet **Explorateur de code** 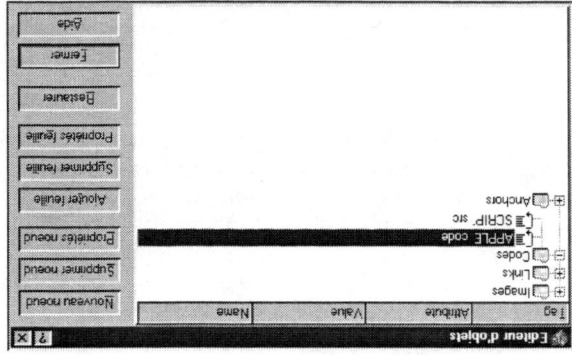 de la fenêtre d'exploration.

Si la fenêtre n'est pas affichée, l'affichage de l'Explorateur de code peut être demandé à l'aide des commandes du menu **Afficher.**

2 Sur l'Explorateur de code, double-cliquer sur la ligne du code à atteindre.

Un nombre écrit entre parenthèses au bout d'une ligne indique le nombre d'occurrences de l'objet correspondant. Par exemple, images/spacer_10px_large.gif (2) : cette image se trouve deux fois dans le document.

3 Cliquer autant de fois que nécessaire pour atteindre la ligne de commandes voulue.

L'analyse du document avec l'Explorateur de code

Certains éléments du document peuvent être manipulés directement à partir de l'Explorateur de code, par exemple le nom d'un lien - ou d'une feuille. Si le nom d'un objet est modifié ici, la modification se répercute à chaque occurrence trouvée sur la feuille d'édition. Toutefois, si la destination interne n'existe pas, le lien sera invalide.

Par exemple, si un fichier image est renommé, cette modification s'effectue à l'intérieur du document HTML, mais non dans les fichiers du dossier. Il est par conséquent nécessaire de modifier le nom du fichier dans la structure des dossiers du site.

WebExpert permet également d'ajouter des nœuds et des feuilles pour pouvoir visualiser tous les objets correspondant à un critère donné avec l'Explorateur de code, et effectuer une analyse plus pointilleuse.

> En plus d'afficher graphiquement les liaisons entre les nœuds, les feuilles et les fichiers liés au document actif, l'Explorateur graphique donne accès aux commandes d'édition des nœuds et de feuilles.

Modifier le nom d'un élément

1 Dérouler le menu contextuel sur l'élément à renommer de la fenêtre de l'Explorateur de code.

Par exemple, le nom d'une image.

2 Exécuter la commande **Renommer.**

Le nom de la feuille se met en surbrillance.

3 Saisir le nouveau nom en prêtant attention au chemin d'accès.

Toutes les lignes de la feuille d'édition contenant cette référence seront modifiées.

Créer un nouvel objet

1 Dérouler le menu contextuel sur la fenêtre de l'Explorateur de code.

2 Exécuter la commande **Éditeur d'objets.**

La fenêtre **Éditeur d'objets** apparaît.

3 Cliquer sur le bouton **Nouveau nœud**.
La boîte de dialogue **Propriétés de l'objet** apparaît.

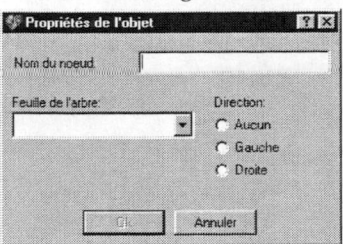

4 Dans la zone **Nom du nœud**, saisir un nom pour identifier la catégorie à laquelle appartient le nœud.

5 Dans la zone **Feuille de l'arbre**, dérouler la liste pour choisir une icône pour représenter l'objet.

6 Indiquer la direction voulue.
La direction correspond à l'emplacement du nom du nœud.

7 Cliquer sur le bouton **OK** pour revenir à la fenêtre **Editeur d'objets**.

> Le nœud apparaît dans la structure de l'Éditeur d'objets mais n'apparaît pas dans l'Explorateur de code car aucune feuille n'y est encore associée : les nœuds ne sont affichés qu'à la condition qu'un contenu soit existant. Se référer à la section *L'Explorateur graphique* à la page 190.

Ajouter une feuille

1 Dans la fenêtre **Editeur d'objets**, sélectionner le nœud auquel appartiendra la nouvelle feuille.

2 Cliquer sur le bouton **Ajouter feuille**.
La boîte de dialogue **Elément et attribut** apparaît.

3 Dérouler la liste **Elément** pour sélectionner l'élément HTML qui correspond à la nouvelle feuille.
Par exemple, l'élément H4.

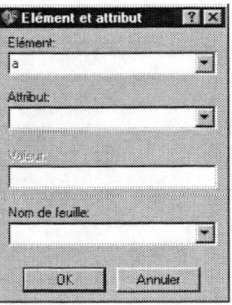

4 Dérouler la liste **Attribut** pour sélectionner l'attribut associé à l'élément.
Par exemple, l'attribut CLASS pour rechercher une classe de style associée à l'élément H4.

5 Dans le champ **Valeur,** spécifier la valeur de l'attribut pour n'afficher que les lignes répondant à ce critère sur l'Explorateur de code.
La valeur de l'attribut est optionnelle.

6 Dans le champ de saisie **Nom de feuille**, identifier la feuille.
Par défaut, l'explorateur affiche le nom de l'élément HTML correspondant.
Le nom de la feuille permet d'afficher une information plus explicite.

7 Cliquer sur le bouton **OK**.

8 Au besoin, ajouter d'autres feuilles à l'objet en respectant les étapes précédentes.

9 Cliquer sur le bouton **Fermer** pour revenir à la boîte de dialogue **Editeur d'objets**.
La feuille est maintenant ajoutée à l'intérieur du nœud. Dans la fenêtre de l'Explorateur de code, les lignes de commandes contenant ces objets sont affichées.

Modifier une feuille ou un nœud

1 Dans la fenêtre **Editeur d'objets**, sélectionner le nœud ou la feuille à modifier.

2 Cliquer sur le bouton approprié : **Propriétés nœud** ou **Propriétés feuille**.
La boîte de dialogue **Propriétés de l'objet** apparaît.

3 Effectuer les modifications et cliquer sur le bouton **OK**.

Supprimer une feuille ou un nœud

1 Dans la fenêtre **Éditeur d'objets**, sélectionner le nœud ou la feuille à supprimer.
2 Cliquer sur le bouton approprié : **Supprimer nœud** ou **Supprimer feuille.**
Une boîte de confirmation apparaît.
3 Cliquer sur le bouton **Oui** pour exécuter la suppression.
• Cliquer sur le bouton **Non** pour annuler l'opération.

Rétablir les propriétés de l'Explorateur de code

1 Dans la fenêtre **Éditeur d'objets**, cliquer sur bouton **Restaurer.**

Ceci a pour effet de rétablir les valeurs par défaut de WebXpert pour l'ensemble des nœuds et des feuilles de l'Explorateur de code. Si des nœuds ou des feuilles ont été préalablement modifiés, supprimés ou créés, ces modifications seront perdues.

Sauvegarder le contenu de l'Explorateur de code

1 Dérouler le menu contextuel sur un nœud ou une feuille de l'Explorateur de code.
2 Dans la liste du menu, exécuter la commande **Sauvegarder le contenu.**
La fenêtre **Sauvegarder un fichier** apparaît. WebXpert propose d'enregistrer le contenu en format .txt sous le même nom que celui du document HTML. Ce document peut être récupéré avec n'importe quel traitement de texte.
3 Enregistrer le document.

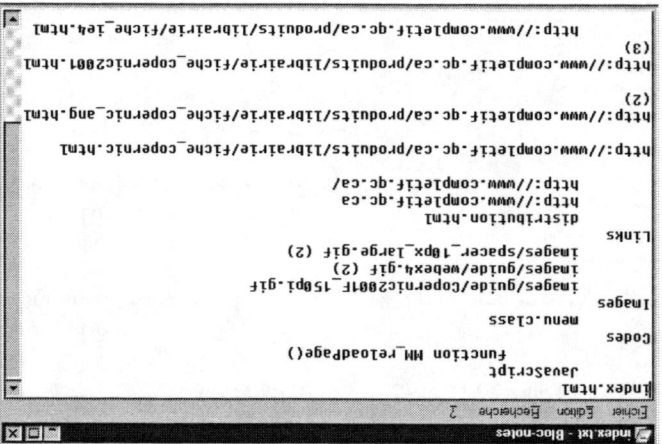

L'Explorateur graphique

L'Explorateur graphique donne un aperçu graphique des liaisons entre les nœuds, les feuilles et les fichiers liés au document actif. La fenêtre de l'explorateur graphique permet ainsi d'identifier rapidement les liens rompus. Il permet en outre d'atteindre la ligne de code contenant une liaison.

> L'Explorateur de code permet aussi la définition des nœuds et des feuilles et les affiche sous forme d'arborescence. Se référer à la section *L'Explorateur de code* à la page 187.

L'affichage de l'Explorateur graphique.Les liens affichés sur l'Explorateur graphique correspondent aux liens inclus dans le document actif ainsi que les nœuds et les feuilles définis.Le document actif est affiché au centre du graphique.

- Le type des objets liés (images, fichiers externes) est identifiable à l'aide de l'iconographie.
- L'affichage des liens valides est représenté par un trait bleu.
- L'affichage des liens rompus est représenté par un trait rouge.
- Utiliser les boutons **Avant** ou **Arrière** pour basculer d'un document à l'autre. La fonctionnalité de ce bouton n'est active que sur les documents consultés et l'ordre d'affichage dépend de l'ordre de consultation. Les documents doivent être ouverts.
- Double-cliquer sur l'icône d'un fichier pour accéder à la ligne de code correspondante.

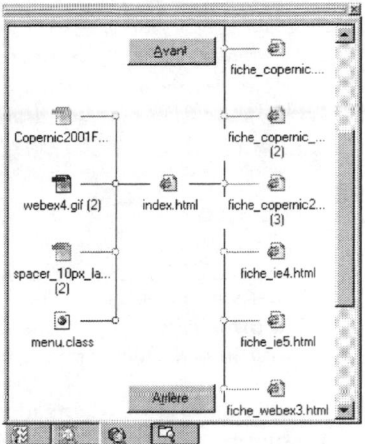

Atteindre une ligne de codes sur la feuille d'édition

1 Cliquer sur l'onglet **Explorateur graphique** de la fenêtre d'exploration.
Si la fenêtre n'est pas affichée, l'affichage de l'Explorateur graphique peut être demandé à l'aide des commandes du menu **Afficher**.

2 Double-cliquer sur l'icône du code à atteindre.
Le nombre entre parenthèses qui accompagne le nom de l'objet indique le nombre d'occurences de l'objet dans le document.
• Cliquer une première fois sur l'icône pour atteindre la première occurence.
• Double-cliquer à nouveau pour passer à l'occurence suivante.

Imprimer le document actif

L'impression du document à l'aide des commandes de l'Explorateur graphique permet l'impression des lignes de code. Pour obtenir une impression du document mis en forme, utiliser les commandes du navigateur.

1 Cliquer sur le document actif sur la fenêtre de l'Explorateur graphique.
2 Dérouler le menu contextuel et exécuter la commande **Imprimer**.
La boîte de dialogue **Impression** apparaît.
3 Au besoin, modifier la configuration de l'imprimante et lancer l'impression.

Ouvrir un document lié

1 Cliquer sur le document à ouvrir sur la fenêtre de l'Explorateur graphique.
2 Dérouler le menu contextuel et exécuter la commande **Ouvrir Document**.
Au besoin, WebExpert lance l'application associée et affiche le document. Pour choisir le logiciel associé, WebExpert réfère aux associations de fichier définies dans les options de dossier de Windows.

La gestion des liens avec l'Explorateur graphique

En plus de permettre la visualisation graphique des liaisons entre les fichiers liés à un document, l'Explorateur graphique permet de gérer ces liaisons de deux manières :
- en supprimant la référence et le fichier source,
- en renommant une référence.

Supprimer les liaisons entre les fichiers

1 Sur la fenêtre de l'Explorateur graphique, cliquer sur l'icône de la référence à supprimer.

2 Dérouler le menu contextuel sur l'icône et exécuter la commande **Supprimer.**
La boîte de dialogue **Confirmer la suppression de la référence** apparaît.

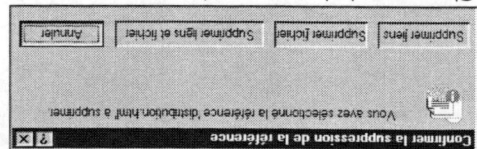

3 Cliquer sur le bouton voulu :

- **Supprimer liens** : pour ne supprimer que la liaison entre le fichier et le document actif.
- **Supprimer fichier** : pour supprimer le fichier référencé et conserver la liaison à l'intérieur du document actif.
  Il est impossible de demander la suppression de fichiers enregistrés sur le Web.
  La suppression du fichier référencé supprime définitivement du poste de travail. Cette option peut entraîner une rupture de lien à l'intérieur de votre document.
- **Supprimer liens et fichier** : pour supprimer à la fois le fichier référencé et la liaison à l'intérieur du document actif.
- **Annuler** : pour annuler l'opération en cours.

Renommer un fichier lié

En renommant un fichier lié, WebExpert renomme la référence pour toutes ses occurences dans le document actif. Le fichier n'est toutefois pas renommé sur le poste de travail. Cette option peut entraîner une rupture de lien à l'intérieur des documents.
Cette option est particulièrement intéressante pour modifier en une seule opération le nom ou l'adresse d'une référence.

1 Sur la fenêtre de l'Explorateur graphique, cliquer sur l'icône de la référence à renommer.

2 Dérouler le menu contextuel sur l'icône et exécuter la commande **Renommer.**
Un message de confirmation apparaît.

3 Cliquer sur le bouton **Oui.**

Rechercher les liens rompus

1 Dérouler le menu contextuel sur la fenêtre de l'Explorateur graphique.

2 Exécuter la commande **Afficher les liens morts.**
La fenêtre **Afficher les liens morts** apparaît.

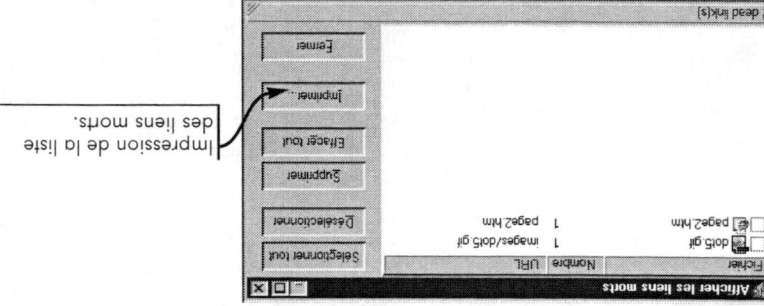

Impression de la liste des liens morts.

La barre d'état de la fenêtre affiche le total de liens morts recensés dans le document. La liste énumère le nom des fichiers dont la référence est rompue, le nombre d'occurences de ce lien dans le document actif et l'adresse.
La gestion des liens morts avec l'Explorateur graphique, ne vérifie pas la validité des liens vers Internet et le Web. Utiliser les fonctionnalités de vérification des liens en ligne vues à la section *La vérification des liens en ligne à la page 196.*

3 Sélectionner les références à supprimer :
- Ajouter un crochet dans la case pour ne sélectionner que cette référence.
- Cliquer sur le bouton **Sélectionner tout** pour sélectionner tous les liens rompus.
- Cliquer sur le bouton **Désélectionner** pour annuler toute sélection qui aurait été faite.

4 Supprimer les références :
- Cliquer sur le bouton **Supprimer** pour supprimer les références sélectionnées.
- Cliquer sur le bouton **Effacer tout** pour supprimer la totalité des liens morts.

5 Cliquer sur le bouton **Fermer** pour revenir à la feuille d'édition.

14

La gestion du site et la diffusion des documents

La préparation des fichiers et des dossiers pour leur diffusion – La vérification des liens en ligne – L'évaluation des documents – La diffusion des documents sur un site FTP – L'indexation du site – L'analyse du rendement du site

La préparation des fichiers et des dossiers pour leur diffusion

Les pages Web sont maintenant conçues. Les documents sont soit statiques, soit dynamiques. Dans ce dernier cas, les objets sont programmés et intégrés ou liés aux pages. Les pages ont évidemment été testées avec le navigateur interne au fur et à mesure de leur élaboration; et avec le navigateur externe pour une plus grande assurance de leur fonctionnement et, surtout, de leur compatibilité.

Sont-elles prêtes à être diffusées ?

- Les liens externes sont-ils tous valides ?
- Les documents répondent-ils au profil du public visé en terme de performance et de présentation ?
- Les documents sont-ils préparés correctement pour satisfaire à un bon référencement et une bonne indexation par les moteurs de recherche ?

WebExpert intègre plusieurs outils qui permettent au concepteur de vérifier les documents, de les évaluer et de les diffuser.

Concernant les étapes préalables à la conception et à la diffusion du site Web, se référer à la section *La préparation au travail de conception* à la page 45.

La vérification des liens en ligne

Vérité connue de tous, Internet et le Web sont des réseaux en constante évolution. Des milliers de nouveaux documents sont publiés chaque jour; des milliers d'autres disparaissent; souvent au grand découragement des concepteurs qui se retrouvent souvent avec des liens rompus.

Le premier problème ne peut se résoudre que par une veille technologique rigoureuse et efficace. Concernant le second, la disparition de documents causant des ruptures de liaison, des outils peuvent assister le concepteur. La commande de vérification des liens en ligne de WebExpert permet d'effectuer ce travail très efficacement. Le vérificateur s'attarde sur les liens hypertextes, mais également sur les autres types de liaisons qui peuvent être contenues dans le document : vers les fichiers images, les fichiers scripts externes (JavaScript, CSS, ...).

L'Explorateur graphique permet aussi de valider l'intégrité des liens en se concentrant sur ceux internes à un site ou à un document, et vers d'autres documents du même site (se référer à *L'Explorateur graphique* à la page 190). L'outil de vérification des documents ou des projets permet également d'identifier certains problèmes de liaison et de les repérer (se référer à la section *La vérification des documents* à la page 73).

Les préférences de la vérification des liens en ligne

Définir les préférences de vérification

1 Exécuter la commande **Vérifier les liens en ligne** du menu **Syntaxe**.

2 Cliquer sur le bouton **Options**.
La boîte de dialogue **Préférences de vérification** apparaît.

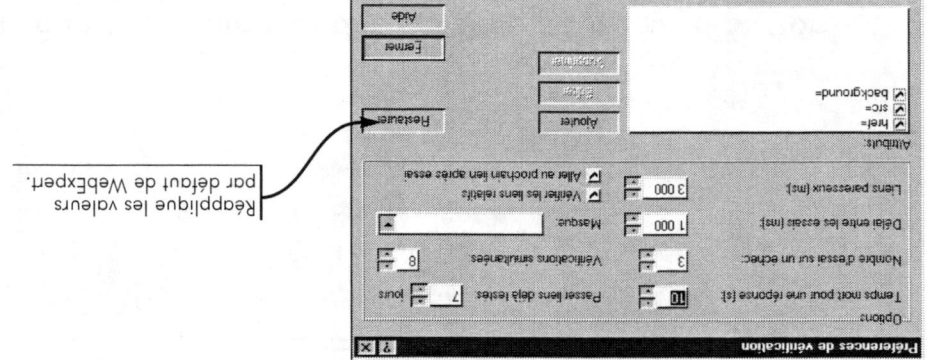

Réapplique les valeurs par défaut de WebExpert.

3 Dans la zone **Options**, spécifier les options de comportement du vérificateur :

- **Temps mort pour une réponse(s)** : permet de définir le délai d'attente avant que le vérificateur ne reçoive la réponse de l'adresse contactée. Passé ce délai, le lien est considéré invalide.
Le délai spécifié ici doit être en secondes.

- **Nombre d'essai sur un échec** : limite le nombre de fois que le vérificateur effectue des essais de connexion.

- **Délai entre les essais (ms)** : limite le délai entre chacun des essais, jusqu'au maximum spécifié à l'option précédente.

- **Liens paresseux (ms)** : limite le délai d'attente au moment de la connexion pour les liens qui ne répondent pas assez rapidement.
Le délai indiqué ici doit être en millisecondes.

- **Passer liens déjà testés** : définit la durée entre chaque vérification du même lien appartenant au même document pour exécuter une nouvelle vérification.
Le délai indiqué ici doit être en millisecondes.

- **Vérifications simultanées** : nombre maximal de vérifications que WebExpert effectue en même temps.
Plus le nombre est élevé, plus le temps de vérification risque d'être long.

- **Masque** : limite la vérification aux types de fichier choisis dans la liste déroulante.
- **Vérifier les liens relatifs** : accepte la vérification des liens relatifs, par exemple ceux qui pointent vers une adresse locale.
- **Aller au prochain lien après essai** : fonctionne conjointement avec l'option **Nombre d'essai sur un échec** pour accélérer le passage au prochain lien à vérifier.

4 Dans la zone **Attributs**, ajouter les attributs pour étendre la vérification des liens.

La vérification des liens en ligne ne s'applique qu'aux attributs spécifiés ici. Seuls les attributs dont la valeur est constituée d'une URL sont nécessaires à définir, par exemple `src="SRC="../moveobj.js"`.

- Cliquer sur le bouton **Ajouter**.
- Dans le champ de saisie de la boîte de dialogue **Ajouter un attribut**, saisir le nom de l'attribut, suivi du signe égal, et cliquer sur le bouton **OK**.

Par exemple `HREF=`.

L'addresse est maintenant ajoutée à la liste **Attributs**. Il est possible de la supprimer à l'aide du bouton **Supprimer**, après l'avoir sélectionnée.

5 Cliquer sur le bouton **Fermer** pour enregistrer les nouvelles préférences et revenir à la fenêtre **Vérificateur de liens**.

Vérifier l'intégrité des liens externes du document

1 Exécuter la commande **Vérifier les liens en ligne** du menu **Syntaxe**.

La flèche donne la possibilité d'exécuter la vérification sur une sélection de document, le document courant ou les documents appartenant à un projet. Dans ce dernier cas, le projet à vérifier doit être ouvert.

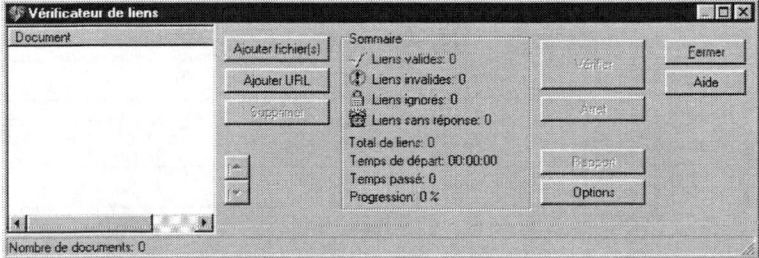

2 Cliquer sur le bouton **Ajouter fichier(s)** pour sélectionner le fichier contenant les liaisons à vérifier.
- Cliquer sur le bouton **Ajouter URL** pour ajouter une adresse à valider.

Les fichiers sélectionnés et les URL s'ajoutent dans la liste **Document**. Au besoin, utiliser les flèches montante et descendante pour modifier l'ordre d'exécution des vérifications.

Si la commande a été demandée sur le fichier courant ou sur les fichiers d'un projet, les URL sont déjà inscrites dans la liste **Document**.

3 Au besoin, cliquer sur le bouton **Options** pour définir les préférences de la vérification.

4 Cliquer sur le bouton **Vérifier** pour lancer la vérification.

En tout temps, le processus de vérification peut être interrompu à l'aide du bouton **Arrêt**.

Une zone s'ajoute à la boîte de dialogue pour afficher la liste des vérifications effectuées et le résultat.

La boîte de dialogue s'agrandit vers le bas pour afficher la liste des fichiers vérifiés et les résultats.

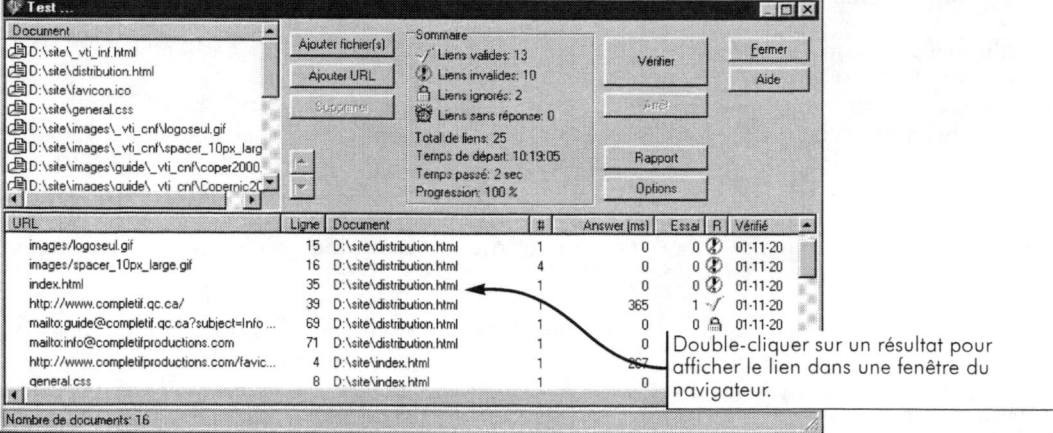

Double-cliquer sur un résultat pour afficher le lien dans une fenêtre du navigateur.

Utiliser le menu contextuel pour accéder aux commandes de la fenêtre des résultats.

Lire les résultats de la vérification

La liste des résultats de la vérification des liens en ligne utilise une série d'icônes qui facilitent l'interprétation des résultats. Cette liste est présentée sous forme de tableau qui permet une meilleure lecture.

Colonne	Description
URL	Adresse du lien vérifié et nom du document.
Ligne	Numéro de la ligne à l'intérieur du document où se trouve le lien pour la première fois, pour éventuellement faciliter le repérage du lien rompu.
Document	Adresse et nom du document qui contient les liens vérifiés.
#	Nombre de fois que l'adresse vérifiée se retrouve dans le document. Cette option peut être modifiée dans les préférences de la vérification.
Réponse(ms)	Temps écoulé pour la vérification. Le temps se mesure en millisecondes. Cette option peut être modifiée dans les préférences de la vérification.
Essai	Nombre d'essais effectués avant d'atteindre le résultat.
R	La partie supérieure de la fenêtre permet d'obtenir un récapitulatif de ces résultats : Résultat de la vérification représenté par une icône : ✓ Liens valides ⊘ Liens invalides 🔒 Liens qui n'ont pas pu être vérifiés ⊗ Liens qui n'ont pas pu être vérifiés car le délai d'attente était dépassé.
Vérifié	Date à laquelle la vérification a été effectuée.

Obtenir le rapport de vérification

1 Une fois la vérification des liens en ligne terminée et les résultats affichés au bas de la fenêtre, cliquer sur le bouton **Rapport**.

Une fenêtre se superpose à l'écran.

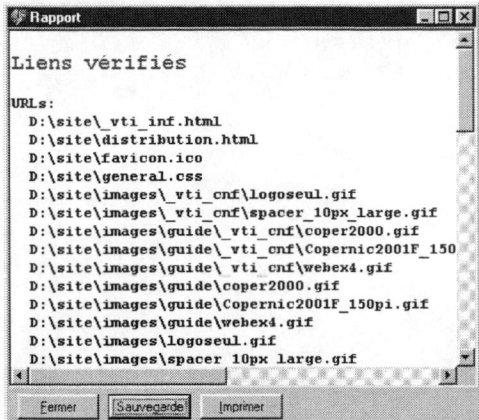

2 Cliquer sur le bouton **Sauvegarder** pour enregistrer le rapport sur le poste de travail.

• Cliquer sur le bouton **Imprimer** pour lancer l'impression du document sur l'imprimante définie par défaut.

3 Cliquer sur le bouton **Fermer** pour fermer la fenêtre **Rapport**.

L'évaluation des documents

Outre la vérification du code HTML et l'intégrité des liens, WebExpert permet également d'effectuer l'évaluation de la performance du document en indiquant :

• le poids du document HTML seul,
• le poids du document, en tenant compte des liens,
• la vitesse de transfert, en tenant compte de la rapidité des différents modems.
• le recensement des erreurs dans le document et l'invalidité des liens.

Si des erreurs et des liens invalides étaient présents, il sera alors nécessaire d'exécuter une vérification du document pour en connaître les détails.

> Se référer aux sections *La vérification des documents* à la page 73 et *La vérification des liens en ligne* à la page 196.

Exécuter l'évaluation d'un document

1 Cliquer sur le bouton **Evaluer le document** 🔲 de la barre d'outils **Standard**.

• Exécuter la commande **Evaluer tous les fichiers ouverts** du menu **Syntaxe** pour évaluer tous les fichiers actuellement ouverts.

L'examen du document démarre automatiquement. Une boîte de statistiques se superpose à l'affichage. La liste des erreurs, leur description et leur emplacement s'affichent dans un nouveau volet du navigateur interne de WebExpert.

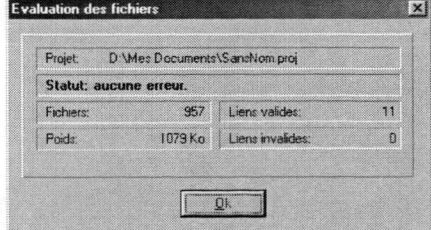

Exécuter l'évaluation d'un projet

Le projet doit être ouvert avant l'exécution de la commande.

1 Dans le menu **Syntaxe**, exécuter la commande sur le bouton **Évaluation du projet [NomProjet.proj]**. L'examen du projet démarre automatiquement. Une boîte de statistiques se superpose à l'affichage. La liste des documents indiquant leur nom, leur poids initial et leur poids une fois téléchargés s'affiche dans un nouveau volet du navigateur interne de WebExpert.

Nom du fichier	Poids document	Poids chargement	Tous les liens	Vitesse 28K/56K/ISDN
_vti_inf.html	2 Ko	2 Ko	31 Ko	1/1/1 sec
distribution.html	4 Ko	5 Ko	38 Ko	2/1/1 sec
general.css	2 Ko	2 Ko	38 Ko	1/1/1 sec
logoseul.gif	1 Ko	1 Ko	38 Ko	1/1/1 sec
spacer_10px_large.gif	1 Ko	1 Ko	38 Ko	1/1/1 sec
coper2000.gif	1 Ko	1 Ko	38 Ko	1/1/1 sec
Copernic2001F_150ni.gif	1 Ko			

Double-cliquer sur un fichier de contenu (HTML, CSS, ASP, etc.) pour l'afficher sur la feuille d'édition. Les fichiers images ne peuvent être ouverts.

2 Double-cliquer sur un avertissement pour atteindre le document correspondant.

Lire les résultats d'évaluation

Les résultats sont présentés sous forme de tableau et donnent une bonne évaluation des documents dans leur état initial et en téléchargement. Deux icônes permettent d'identifier en un coup d'oeil si des erreurs ont été détectées pendant l'opération.

💡	Une erreur a été détectée dans le document.
💡	Le document ne comporte pas d'erreur.
Nom du fichier	Nom du fichier évalué.
Poids du document	Taille initiale du document.
Poids chargement	Taille du document lorsqu'il se télécharge au navigateur. La différence avec la taille initiale est les éléments qui sont mis en mémoire pour le chargement efficace du document.
Tous les liens	Taille du document une fois que tous les éléments liés sont affichés (script, image, etc.)
Vitesse	Estimation du temps de téléchargement avec une connexion de 56kilo octets par seconde.

La diffusion des documents sur un site FTP

Un site FTP est l'espace d'hébergement des pages Web, ou d'un site. Cet espace peut être géré sur un serveur dédié, par exemple dans une grande entreprise, ou chez un fournisseur de services Internet. Dans ce dernier cas, c'est le fournisseur qui a la responsabilité de gérer et de configurer le serveur.

Une fois conçus, vérifiés et validés, les documents sont prêts à être transférés sur le serveur. Certains fournisseurs permettent le transfert des documents à partir d'un navigateur Internet. Cette méthode a l'avantage d'être simple, mais empêche certaines souplesses de manipulation.

Un logiciel FTP est davantage intéressant pour le concepteur qui désire manipuler aisément les fichiers et les dossiers sur le serveur.

Les logiciels FTP

Acronyme de *File Transfer Protocol*, FTP est un protocole de communication qui uniformise le langage serveur permettant ainsi à deux machines utilisant des codes différents de communiquer entre elles. Le protocole FTP est dédié au transport de fichiers.

Un logiciel FTP est un logiciel client (installé en local sur un ordinateur) qui fonctionne dans un environnement client/serveur. Il permet d'échanger des fichiers, d'un ordinateur local vers un serveur, ou le contraire. Généralement, les logiciels FTP permettent la gestion des fichiers et des dossiers.

Le module FTP de WebExpert

Pour faciliter le travail de gestion des documents hébergés sur un serveur, WebExpert intègre à son interface la version légère d'un logiciel FTP. Ce module permet au concepteur d'avoir un accès rapide à un serveur FTP pour y récupérer un fichier, ou pour enregistrer des documents ou un projet.

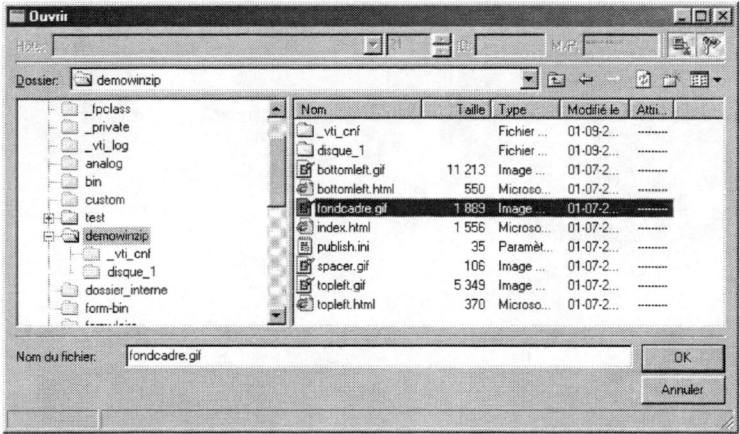

La fenêtre du module FTP se présente sous la forme d'un explorateur.

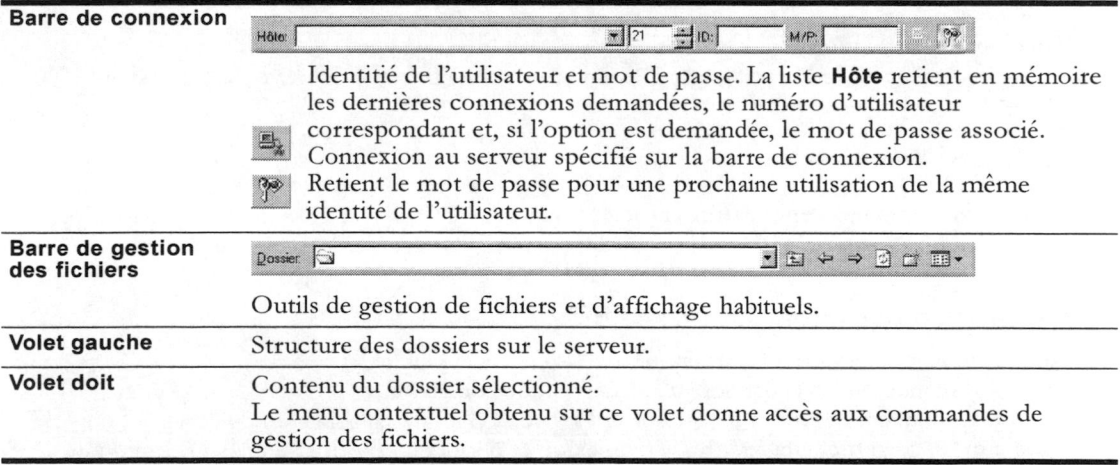

Barre de connexion	Identitié de l'utilisateur et mot de passe. La liste **Hôte** retient en mémoire les dernières connexions demandées, le numéro d'utilisateur correspondant et, si l'option est demandée, le mot de passe associé. Connexion au serveur spécifié sur la barre de connexion. Retient le mot de passe pour une prochaine utilisation de la même identité de l'utilisateur.
Barre de gestion des fichiers	Outils de gestion de fichiers et d'affichage habituels.
Volet gauche	Structure des dossiers sur le serveur.
Volet doit	Contenu du dossier sélectionné. Le menu contextuel obtenu sur ce volet donne accès aux commandes de gestion des fichiers.

Pour profiter de toutes les possibilités de gestion de dossiers et de fichiers, l'utilisation d'un logiciel FTP est plus avantageuse. Visicom Média, le développeur de WebExpert, propose une version d'essaie de leur logiciel FTP Expert, disponible à l'URL `http://www.visic.com/ftpexpert/`

Ouvrir un document à partir d'un site FTP

1 Dans le menu **Fichier**, exécuter la commande **Ouvrir d'une adresse FTP**.
La fenêtre de connexion apparaît.

2 Dans le champ **Hôte**, spécifier l'adresse FTP où doit être enregistré le fichier.
Par exemple http:\\www.nomdusite.com ou ftp:\\nomdusite.nomduserveur.com
Au besoin, modifier le port de communication.
Généralement, une connexion FTP utilise un port 21 tel que proposé. Ce protocole est également utilisé pour les connexions HTTP effectuées via un logiciel FTP.

3 Dans le champ **ID**, saisir le nom de l'utilisateur.

4 Dans le champ **M/P**, spécifier le mot de passe.
• Cliquer sur le bouton **Enregistrer mot de passe** pour que WebExpert le place en mémoire pour une prochaine connexion.
Pour un FTP anonyme (ANONYMUS), ces deux dernières informations n'ont pas à être spécifiées.

5 Cliquer sur le bouton **Connecter** .
Utiliser le bouton **Connecter** pour activer ou désactiver les champs d'identification.
Les volets d'exploration de la fenêtre deviennent actifs.

6 Cliquer sur le bouton **Connecter**.
Une fois la connexion effectuée, les volets d'exploration de la fenêtre affichent la structure de dossier du site identifié.

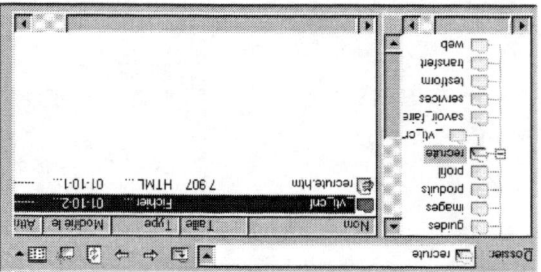

7 Sélectionner le fichier à ouvrir en cliquant sur lui.
Les noms de fichier sont des liens hypertextes. Aussi, le fichier sélectionné s'ouvre immédiatement après un seul clic.
Effectuer les corrections sur le fichier et enregistrer la mise à jour.
• Utiliser la commande **Enregistrer** ou **Enregistrer sous** du menu **Fichier** pour enregistrer le fichier en local.
• Utiliser la commande **Enregistrer sur le FTP** pour enregistrer les modifications sur le serveur en utilisant la dernière connexion.
Le logiciel FTP utilise les derniers paramètres de connexion.
• Utiliser la commande **Enregistrer sur le FTP sous** pour afficher la boîte de connexion.
Cette option est recommandée pour avoir l'assurance d'enregistrer le fichier sur le bon serveur. Elle permet en outre le changement du nom du fichier.

Enregistrer un document sur un site FTP

1 Exécuter la commande **Sauvegarder sur le FTP** du menu **Fichier**.
Cette commande utilise la dernière identification de connexion.
• Utiliser la commande **Sauvegarder sur le FTP sous** pour modifier le nom du fichier.
Cette commande affiche la fenêtre de connexion et permet de spécifier une identification de connexion et de naviguer dans les dossiers du serveur.

2 Dans le champ **Hôte**, spécifier l'adresse FTP où doit être enregistré le fichier.

3 Au besoin, modifier le port de communication.
Généralement, une connexion FTP utilise un port 21 tel que proposé.

4 Dans le champ **ID**, saisir le nom de l'utilisateur.

5 Dans le champ **M/P**, spécifier le mot de passe.
- Cliquer sur le bouton **Enregistrer mot de passe** 🔑 pour que WebExpert le place en mémoire pour une prochaine connexion.

Pour un FTP anonyme (ANONYMUS), ces deux dernières informations n'ont pas à être spécifiées.

6 Cliquer sur le bouton **Connecter** 🖥.

Utiliser le bouton **Connecter** pour activer ou désactiver les champs d'identification.

Les volets d'exploration de la fenêtre deviennent actifs.

7 Valider le nom du fichier proposé dans le champ **Nom du fichier**.

La barre d'état indique l'état de la connexion et, éventuellement, l'échec de la connexion. Lorsque la connexion est établie, les volets d'exploration affichent l'arborescence des dossiers du site.

8 Choisir l'emplacement de sauvegarde et cliquer sur le bouton **OK**.

Le document reste ouvert. Si le nom du document a été modifié, c'est ce dernier qui est actif sur la fenêtre de WebExpert. Dans tout les cas, le document actif est celui qui se trouve sur le serveur FTP.

Enregistrer un projet sur un site FTP

1 Afficher le projet dans la fenêtre du Gestionnaire de projet.

Au besoin, se référer à la section *Le Gestionnaire de projet* à la page 81.

2 Cliquer sur le bouton 🔲 de la barre d'outils du gestionnaire.

La boîte de dialogue suivante apparaît.

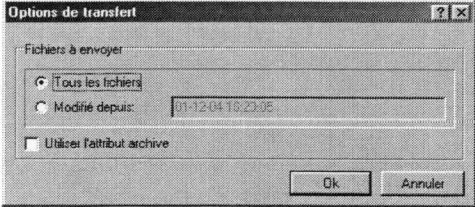

3 Spécifier les fichiers à transférer :
- **Tous les fichiers** : pour transférer tous les fichiers appartenant au projet actif, sans distinction.
- **Modifié depuis** : pour ne transférer que les fichiers ayant été modifiés depuis la date spécifiée dans le champ adjacent.

4 Cliquer sur le bouton **Ok**.

La fenêtre de connexion apparaît.

5 Spécifier les informations de connexion tel que vu aux procédures précédentes et transférer les fichiers.

La sécurité sur un serveur FTP

Le serveur d'hébergement est configuré par défaut de manière à permettre ou restreindre les manipulations et les accès aux dossiers. Par exemple, un serveur FTP n'autorise généralement pas l'affichage de la liste des fichiers : si un fichier portant le nom *index.html* est présent dans le répertoire demandé, c'est la page Web qui s'affiche au navigateur; si aucun fichier d'accueil n'est présent, le visiteur recevera un message d'erreur. Ceci n'empêche toutefois pas le visiteur connaissant le nom précis d'une page de demander son affichage.

En plus de la sécurité minimale configurée par le gestionnaire du serveur (le fournisseur de services Internet), le concepteur peut appliquer certains attributs aux fichiers et dossiers de son espace FTP.

> Consulter le responsable du serveur (service technique de l'entreprise ou fournisseur de services Internet) pour connaître les restrictions qui s'appliquent.

Développer avec WebExpert 5

Définir les droits sur les éléments du serveur FTP

1 Se connecter au serveur FTP et afficher la structure des dossiers du serveur.

2 Dérouler le menu contextuel sur le dossier ou le fichier sur lequel les droits doivent être définis et exécuter la commande **Propriétés**.

La boîte de dialogue **Propriétés** apparaît.

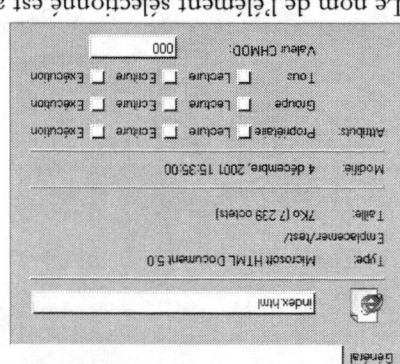

Le nom de l'élément sélectionné est affiché dans le champ de saisie. Il est possible de renommer l'élément en modifiant ce nom.

3 Dans la zone **Attributs**, activer les options voulues pour chaque catégorie d'utilisateur.

Les catégories d'utilisateur **Propriétaire, Groupe, Tous** sont autorisées ou non par le gestionnaire du serveur.

- **Lecture** : autorise la visualisation du document.
- **Écriture** : autorise la modification du document. Par exemple pour remplir les champs d'un formulaire.
- **Exécution** : autorise l'exécution d'un programme (portant l'extension .exe) ou d'un script.

4 Cliquer sur le bouton **OK** pour fermer la boîte de dialogue et appliquer les modifications.

L'indexation du site

Aujourd'hui on dénombre plus de 50 millions de documents uniquement sur le Web. Cette masse de documents rend les résultats de recherche parfois peu pertinents et complique le travail du concepteur qui veut rendre son site le plus visible possible.

L'objectif d'un site Web est pourtant d'être visité et consulté. Ceci implique un problème de taille : une fois diffusé, le nouveau site risque n'en est qu'un de plus dans une importante masse de documents sur le Web et risque de s'y perdre.

Voici très brièvement quelques principes de base à retenir. Pour des informations complémentaires, se référer à la résaugraphie présentée en annexe.

Le fonctionnement des moteurs de recherche

Il faut comprendre que lorsqu'une recherche se fait par l'intermédiaire d'un moteur de recherche, ou d'un annuaire, on ne fait pas réellement une recherche sur Internet. En fait, la recherche s'effectue à l'intérieur de la base de données des pages recensées par le moteur, classées par mots clés. De plus, les moteurs n'indexent pas toutes les pages Web présentes sur Internet. Certains moteurs sont limités à une région géographique, à une langue, à un thème, etc.

L'important pour la personne qui veut effectuer une recherche efficace, et pour le concepteur qui veut que ses documents ressortent dans les résultats, est de bien comprendre la manière dont les pages sont indexées par les moteurs. En effet, la qualité des recherches dépend grandement de la qualité de l'indexation.

> Certains moteurs de recherche sont programmés pour passer en revue (*scanner*) l'entièreté du contenu présent sur le Web à fréquence régulière. Toutefois, pour limiter le nombre de documents indexés, ces engins exercent une discrimination sur certains éléments d'un site : nombre de liens pointant vers l'externe, nombre de liens externes pointant vers ce site (indice de popularité), absence de pages à cadre.
>
> Avant de travailler à l'indexation de son site, le concepteur aura avantage à consulter les ouvrages ou les sites spécialisés. Notamment, les sites *Abondance* (en France) (http://www.abondance.com/) et *Sam Canada* (http://www.samcanada.com/) qui proposent des articles intéressants.

Les modes d'indexation

Plusieurs moyens peuvent être déployés pour augmenter la visibilité d'un document sur le Web. Mais il ne suffit pas d'utiliser l'un ou l'autre de ces moyens, plutôt de la jumeler pour renforcer l'opération de référencement. Les plus connus sont :

- **L'ajout de mots-clés dans l'en-tête du document.**
  Au moment de l'élaboration des objectifs du site, le concepteur du site, tout au moins le concepteur du contenu, a pu isoler une liste de termes qui définissent clairement les documents et leurs objectifs. Ces mots peuvent être ajoutés aux balises META de l'en-tête des documents (se référer à la section *La définition de l'en-tête d'une page* à la page 55).

- **L'utilisation d'un robot** (fichier robots.txt classé à racine du site sur le serveur).
  Ce fichier est semblable à une petite routine (programme) envoyant des informations aux moteurs de recherche qui balaient l'information sur le Web. Le fichier définit le comportement du moteur sur le site hôte, en fournissant une liste de mots clés ou en restreignant l'accès à certaines sections du site.

> Se référer sur le site *Abondance* pour savoir comment fonctionnent les robots :
> http://www.abondance.com/docs/robots.html

- **L'ajout d'un site sur les répertoires spécialisés.**
  Plusieurs sites répertoires sur Internet permettent aux concepteurs d'indexer gratuitement leur site. Ce type de référencement est assez laborieux car chaque site répertoire doit être visité et le site doit y être ajouté un à un. Toutefois, si le répertoire en question est spécialisé dans le même domaine, le taux de succès du référencement peut être intéressant.

> On peut effectuer un référencement gratuit sur les moteurs de recherche les plus populaires aux URL suivantes :
> - http://www.abondance.com/audit/referencement.html
> - http://www.referenceur.com/

L'analyse du rendement du site

Si l'objectif du site Web est de répondre à des besoins précis, le concepteur devra garder un oeil sur les visiteurs et leurs habitudes. Il sera notamment intéressé à connaître :

- L'installation technique générale des visiteurs : plate-forme - (acIntosh ou PC), navigateur utilisé (Internet Explorer, Netscape - AOL, ou autre), résolution d'écran (800x600, 1024x768), nombre de couleurs (256, 16 bits, 24 bits, etc.), vitesse de connexion (connexion model à 56 ko ou modem cable).
- Le nombre de visites obtenues et la répartition de ces visites selon la date, l'heure de la journée, la région géographique d'origine, etc.
- Les sections du site les plus fréquentées, et plus spécifiquement les documents les plus demandés.
- Les documents qui posent des problèmes à certaines occasions (liens rompus ponctuellement, lourdeur d'affichage, etc.)
- Certains des outils d'analyse permettent également d'identifier la source des visiteurs (à partir d'un autre site, à partir d'un moteur de recherche) et ainsi de mieux cibler son référencement.

Les outils statistiques sont dotés de capacités impressionnantes pour dresser un profil assez exact des visiteurs et de leurs habitudes. L'analyse des statistiques permet au développeur de rendre son site plus performant en évaluant l'atteinte des objectifs et, le cas échéant, en lui fournissant des outils supplémentaires pour enrichir ses pages.

Plusieurs sites Web proposent des outils qui permettent d'évaluer le profil des visiteurs. Sans doute l'un des plus populaires actuellement : Xiti (http://www.xiti.com/).

Liste des éléments HTML

La conception de documents HTML dynamiques demande au concepteur de connaître, voire de maîtriser, une quantité impressionnante de langages de programmation, du plus simple au plus complexe. Le code HTML demeure, encore aujourd'hui, à la base de tout développement de ce type de document.

La présente section dresse la liste des éléments HTML compatibles avec les deux navigateurs les plus populaires : Internet Explorer et Netscape. Cette liste devrait permettre au concepteur de repérer l'élément le plus approprié à l'effet ou au traitement qu'il veut donner à son contenu; ce qui facilitera la recherche des éléments ou objets qui peuvent lui être associés.

Plusieurs éléments HTML donnent au texte une apparence très similaire, parfois identique; d'autres éléments semblent n'avoir aucun effet sur la mise en forme du texte.

Pourtant chaque élément a son utilité qui permet d'identifier et de distinguer les niveaux d'information à l'intérieur d'un document. Les éléments peuvent être utilisés par des programmes externes et trouvent toute leur pertinence si le document est rédigé avec un langage dynamique tel que le XML et le XHTML.

Les éléments HTML se répartissent en différentes catégories :

- **Les éléments de premier niveau** : type de document, en-tête, corps du document, cadres. Les éléments de premier niveau définissent la structure même du document.
- **Les éléments d'en-tête** : adresse de référence, mots-clés, description du document, appel de scripts, etc. Les éléments d'en-tête sont ce qu'on appelle des méta-informations qui facilitent la communication entre le document, le serveur, et le navigateur.
- **Les éléments de structure** (en-tête, marque de paragraphe ou de ligne, etc.) Ces éléments délimitent les blocs et les niveaux d'information à l'intérieur du document.
- **Les éléments intralignes**, qui modifient les phrases ou un groupe de caractères précis. Ces éléments sont utilisés soit pour modifier l'apparence du texte, soit pour délimiter un bloc de texte à l'intérieur d'un paragraphe (d'où le nom intraligne) en l'isolant à l'aide des balises.

Les éléments de la structure principale

Élément	Description	Exemple
<!-- -->	Insertion d'un commentaire qui n'est pas visible au navigateur. Éléments non définis.	`<!-- Créé le 12 décembre 2001 -->`
!DOCTYPE	Identification de la version du langage HTML utilisée dans le document courant.	`<!DOCTYPE HTML PUBLIC "-//W3C// DTD HTML 4.01 Strict//EN">`
BODY	Définit le corps du document dans la structure.	`<BODY>Contenu de la page </BODY>`
FRAMESET	Définit une page à cadre.	`<FRAMESET COLS="50%,*">`

HEAD	Marque le début et la fin de l'en-tête d'un document.	`<HEAD>`
		`<META http-equiv="Content-Type" content="text/html; charset=iso-8859-1">`
		`<TITLE></TITLE>`
		`<META NAME="keywords" CONTENT="">`
		`</HEAD>`

HTML	Marque le début et la fin d'un document HTML. L'élément identifie également que le document utilise le langage HTML.	`<HTML>`
		`<HEAD>En-tête du document </HEAD>`
		`<BODY>Contenu du document </BODY>`
		`</HTML>`

STYLE	Annonce l'utilisation d'une feuille de style interne dans le document. L'élément STYLE doit être inséré dans l'en-tête (HEAD). STYLE peut aussi être un attribut, par exemple utilisé avec l'élément SPAN.	`<STYLE TYPE="text/css">`
		`<!--`
		`définition des styles`
		`-->`
		`</STYLE>`

TITLE	Titre du document. Ce titre apparaît dans la barre de titre du navigateur. L'élément TITLE doit obligatoirement être inséré dans les balises d'en-tête (HEAD).	`<HEAD>`
		`<TITLE>Titre du document</TITLE>`
		`<META NAME="keywords" CONTENT="mot1,mot2">`
		`</HEAD>`

Les éléments d'en-tête

Élément	Description	Exemple
BASE	Spécifie une adresse de base vers laquelle le navigateur se dirige en cas de rupture de lien.	`<BASE HREF="www.domaine.com">`

HEAD	Élément de la structure principale qui marque le début et la fin de l'en-tête du document.	`<HEAD>`
		`<META HTTP-ÉQUIV="...">`
		`<TITLE></TITLE>`
		`<META NAME="keywords" CONTENT="">`
		`</HEAD>`

LINK	Établit un lien entre le document courant et un document externe.	`<LINK REL="stylesheet" TYPE="text/css" HREF="messtyles.css">`

Élément	Description	Exemple

META	Transmet des informations sur le document au serveur et au navigateur. L'élément META est notamment utilisé pour renfermer les mots-clés d'indexation. L'élément META ne peut être utilisé qu'à l'intérieur des balises de l'élément HEAD.	`<HEAD>`
		`  <META HTTP-EQUIV="...">`
		`  <TITLE></TITLE>`
		`  <META NAME="keywords"`
		`CONTENT="">`
		`</HEAD>`

SCRIPT	Annonce l'utilisation d'un script et identifie l'interpréteur du script. Lorsque l'élément SCRIPT est exécuté côté client (par le navigateur), il devient un élément intraligne.	`<SCRIPT LANGUAGE="JavaScript">` ... `</SCRIPT>`

Les éléments de structure du document (bloc de texte)

La plupart des éléments utilisés pour définir les propriétés de paragraphe sont des éléments de définition de bloc. Les éléments utilisés pour la mise en forme des paragraphes permettent de modifier l'apparence générale du bloc de texte, par exemple avec une mise en retrait, d'aligner le texte ou d'établir des listes.

Élément	Description	Exemple
ADDRESS	Définit un bloc de texte dans la structure du document et applique un caractère italique. L'élément ADDRESS prend une apparence identique à celle des éléments I, CITE, DFN et EM.	`<ADDRESS>Texte</ADDRESS>`
BLOCKQUOTE	Applique sur un paragraphe une mise en retrait du texte équivalente sur la gauche et sur la droite.	`<BLOCKQUOTE>Texte en retrait` `</BLOCKQUOTE>`
CENTER	Centre les paragraphes de texte.	`<CENTER>Texte centré</CENTER>`
DIV	Définit un bloc de texte dans la structure du document. L'élément DIV peut contenir plusieurs autres éléments de structure tel que P, LI, etc.	`<DIV>Section dans le document` `  <P>Cette section peut contenir ` `  d'autres éléments de structure</P>` `</DIV>`

DIR	Annonce une liste répertoire. Cet élément donne à la liste l'apparence d'une liste à puces (liste non-ordonnée - UL). L'élément DIR est utilisé avec l'élément LI.	`<DIR>`
		`  <LI>Premier item</LI>`
		`  <LI>Second item</LI>`
		`  <LI>...</LI>`
		`</DIR>`

DL
  DD
  DT
	Marque le début et la fin d'une liste à défition. Cet élément est utilisé avec les éléments DD et DT.
	DD identifie un paragraphe appartenant au niveau principal d'une liste à définition. L'élément DT marque le début et la fin d'une séquence de caractères appartenant au niveau secondaire d'une liste à définition (DL).
		`<DL>`
		`  <DD>Mot</DD>`
		`  <DT>Définition</DT>`
		`</DL>`

Élément	Description	Exemple
EMBED	Emboîtement d'objets dans le document (par exemple un objet Flash) devant être pris en charge par des applications externes.	`<EMBED SRC="fichier.swf"></EMBED>`

FIELDSET LEGEND	Définit un bloc de texte comme un champ de formulaire et lui applique un encadrement. Cet élément est principalement utilisé pour définir une zone sur un formulaire (FORM) FIELDSET peut être utilisé avec l'élément LEGEND qui est son titre. LEGEND doit être le premier élément introduit dans la balise FIELDSET.	`<FIELDSET>`
		`<LEGEND>Légende de la zone</LEGEND>`
		`Texte de la zone encadrée`
		`</FIELDSET>`

H1 H2 H3... H6	Niveau de titre, de 1 à 6. Plus le nombre du niveau est grand, plus le caractère du titre est petit. Hx est une balise de structure.	`<H2>Titre d'une section du texte</H2>`
HR	Ligne horizontale.	`<HR WIDTH="75%">`

LI	Marque les éléments d'une liste. LI est utilisé avec l'un des éléments suivants : DIR, UL, OL, MENU.	`<UL TYPE="square">`
		`<LI>Premier item</LI>`
		`<LI>Second item</LI>`
		`</UL>`

MENU	Définit une liste d'éléments de texte présentée sous forme de liste non ordonnée.	`<MENU>`
		`<LI>Premier item</LI>`
		`<LI>Second item</LI>`
		`<LI>...`
		`</MENU>`

NOFRAMES	NOFRAMES est utilisé sur une page à cadres. L'élément contient des informations textuelles qui s'affichent si un navigateur n'interprète pas les pages à cadres. Le contenu de la balise <NOFRAMES> doit être encadré des balises <BODY> pour être visualisé.	`<FRAMESET COLS="50%,*">`
		`<FRAME NAME="nom1" SRC="fichier1.html">`
		`<FRAME NAME="nom2" SRC="fichier2.html">`
		`<NOFRAMES>`
		`<BODY>`
		`<P>Cette page utilise des cadres et votre navigateur ne peut les visualiser.</P>`
		`</BODY>`
		`</NOFRAMES>`
		`</FRAMESET>`

NOSCRIPT	NOSCRIPT est utilisé pour donner des informations textuelles qui s'affichent si un navigateur n'interprète pas les scripts. Le contenu de la balise <NOSCRIPT> doit être encadré des balises <BODY> pour être visualisé.	`<SCRIPT type="text/tcl">`
		`...`
		`</SCRIPT>`
		`<NOSCRIPT>`
		`<P>Votre navigateur n'interprète pas ce script,`
		`<A href="..\noscript.html">cliquez ici</A>`
		`</NOSCRIPT>`

Élément	Description	Exemple

OL	Bloc de texte défini par une liste ordonnée (numérique). L'élément OL doit être utilisé avec l'élément LI qui délimite chaque élément de la liste.	`<OL>`
		`  <LI>Premier item</LI>`
		`  <LI>Second item</LI>`
		`  <LI>...</LI>`
		`</OL>`

P	Élément de structure servant à délimiter un paragraphe. L'élément P est le style par défaut des paragraphes du document.	`<P>Texte du document</P>`
PRE	Style paragraphe qui applique au texte un caractère à espacement fixe (courrier) et respecte chaque espacement et retour de paragraphe donné sur la feuille d'édition.	`<PRE WIDTH="120">Texte prédéfini` `</PRE>`

RUBY
RT
	Définit un bloc de texte dans la structure du document et applique un caractère italique. L'élément RUBY est utilisé avec l'élément RT qui identifie visuellement la zone.	`<RUBY>`
		`  Contenu du bloc de texte`
		`    <RT>Identification de la zone</RT>`
		`</RUBY>`

UL	Bloc de texte défini par une liste ordonnée (numérique). L'élément UL doit être utilisé avec l'élément LI qui délimite chaque élément de la liste.	`<UL>`
		`  <LI>Premier item</LI>`
		`  <LI>Second item</LI>`
		`  <LI>...</LI>`
		`</UL>`

Les éléments intralignes des paragraphes

Les éléments intralignes des paragraphes modifient le comportement d'une chaîne de caractères sans entraîner de saut de paragraphe à la suite de la balise de fermeture. Ils sont utilisés pour distinguer un bloc de texte à l'intérieur d'un bloc principal.

Élément	Description	Exemple
A	Marque un lien hypertexte. L'élément A requiert l'utilisation de la propriété HREF (lien hypertexte) ou NAME (marqueur ou signet).	`<A HREF="../INDEX.HTML>Texte</A>`
ACRONYM	La séquence de caractères est un acronyme. Cet élément peut être utilisé avec les correcteurs orthographiques et les synthétiseurs vocaux.	`<ACRONYM>MSN</ACRONYM>`

APPLET	Introduit l'appel d'un programme externe (Applet Java).	`<APPLET CODE="fichier.class">`
		`  <PARAM NAME="parametre1"`
		`VALEUR="valeur1">`
		`</applet>`

AREA	Zone sur une image en coordonnées. AREA est utilisé avec la balise `<MAP...>`.	`<MAP NAME="imagemap">`
		`  <AREA SHAPE="rect"`
		`COORDS="24,60,294,125"`
		`HREF="region.html">`
		`</MAP>`

BR	Insère un saut de ligne (sans espacement avant le paragraphe).	`<P>Texte en continu changement de ligne`

Élément	Description	Exemple
CITE	Identifie une citation en appliquant un effet italique au texte. Il n'y a pas de changement de ligne après la citation. L'élément CITE prend une apparence identique à celle des éléments ADDRESS, I, DFN et EM.	`<CITE>Texte en italique</CITE>` continuité de la ligne
CODE	Identifie un code (élément programmé) par un caractère à espacement fixe (courrier). L'utilisation de CODE est similaire à celle de l'élément SAMP et TT.	`<CODE>Texte</CODE>`
DEL	Identifie la suppression d'un texte dans le document en le barrant. Cet élément a le même comportement que l'élément STRIKE. L'élément DEL est l'opposé de l'élément INS. La fin de la balise ne marque pas de saut de paragraphe.	`<DEL>Texte supprimé</DEL>`
DFN	Identifie la définition d'un terme (ou d'une chaîne de caractères) en lui attribuant un caractère italique. La fin de la balise ne marque pas de saut de paragraphe. L'élément DFN prend une apparence identique à celle des éléments ADDRESS, I, CITE, DFN et EM.	`<DFN>Définition</DFN>`
EM	Donne un effet italique aux caractères. L'élément EM prend une apparence identique à celle des éléments ADDRESS, CITE, DFN et I.	`Texte à mettre en <EM>italique</EM>`
IFRAME	Identifie une zone à cadre unique. Le contenu du cadre étant le document appelé par l'attribut SRC.	`<IFRAME SRC="distribution.html" NAME="iframe"></IFRAME>`
IMG	Image dans le document. IMG est aussi utilisé avec les images en coordonnées (MAP).	`<IMG SRC="Images/logo.gif" ALT="infobulle sur image">`
INS	Souligne les caractères. L'apparence du texte est l'équivalent de l'élément U. L'élément INS est l'opposé de l'élément DEL.	`<INS>Texte inséré</INS>`
MAP	Image en coordonnées. L'attribut NAME est toujours associé à l'élément MAP pour identifier l'image.	`<MAP NAME="imagemap">` `<AREA SHAPE="rect" COORDS="5,3,75,32" HREF="index.html">` `</MAP>`
NOBR	Empêche les coupures de ligne même si la ligne a atteint la fin de la largeur écran. L'utilisation de NOBR risque de faire apparaître une barre de défilement horizontale.	`<NOBR>Texte qui ne doit pas être coupé.</NOBR>`

Élément	Description	Exemple

OBJECT	Insère un objet dans le document. L'élément OBJECT peut être utilisé dans le corps du document (BODY) ou dans l'en-tête (HEAD).	`<OBJECT CLASSID="classedelobjet">`
		
		`</OBJECT>`

PARAM	Définit la valeur initiale des propriétés des éléments APPLET EMBED, et OBJECT.	`<APPLET CODE="fichier.class">`
		`<PARAM NAME="parametre1" VALEUR="valeur1">`
		`</applet>`

SAMP	Identifie un texte qui fait référence à un langage codé et lui attribue un caractère à espacement fixe, légèrement plus petit. L'utilisation de SAMP est similaire à celle de l'élément CODE et TT.	`L'élément<SAMP>samp</SAMP>`
SPAN	Définit un bloc de texte pour le distinguer des autres blocs de texte dans le document. L'élément SPAN peut être utilisé de manière intraligne. Il est surtout utile en association avec les feuilles de style en cascade.	`<SPAN STYLE="display: block">texte</SPAN>`
STRONG	Donne au caractères une apparence gras.	`Texte <STRONG>gras</STRONG>`
SUB	Place les caractères en indice : plus petits et décalés d'un demi-caractère vers le bas.	`Normal<SUB>indice</SUB>`
SUP	Place les caractères en exposant : plus petits et décalés d'un demi-caractère vers le haut.	`Normal<SUP>exposant</SUP>`
VAR	Identifie une variable de programme. Le texte prend une apparence italique.	`Le JavaScript utilise la variable <VAR>Nom</VAR>`

Les éléments de mise en forme des caractères

La mise en forme des caractères s'effectue à l'aide d'éléments intralignes qui permettent d'isoler une chaîne de caractères afin de la distinguer du reste du texte dans un même paragraphe. D'autres éléments HTML permettent simplement de modifier l'apparence des caractères.

Élément	Description	Exemple
B	Caractères gras.	`<B>Texte</B>`
BASEFONT	Précise la police de caractères à utiliser pour visionner le document.	`<BASEFONT FACE="Verdana"></BASEFONT>`
BIG	Augmente la taille des caractères d'un pixel.	`<BIG>Texte</BIG>`
FONT	Élément principal de définition de mise en forme des caractères.	`<FONT FACE="Verdana" SIZE="4" COLOR="#000000">Texte mis en forme</FONT>`
I	Donne un effet italique aux caractères. L'élément I prend une apparence identique à celle des éléments intralignes ADDRESS, CITE, DFN et EM, mais n'a qu'une fonction esthétique.	`<I>Texte</I>`

Élément	Description	Exemple
S	Barre le texte. L'apparence de S est identique aux éléments STRIKE et DEL mais n'a qu'une fonction esthétique.	<S>Texte</S>
SMALL	Réduit la taille de la police de caractères.	Texte normal <SMALL>Texte plus petit</SMALL>
STRIKE	Élément intraligne qui barre le texte. L'apparence de STRIKE est identique aux éléments S et de l'élément intraligne DEL mais n'a qu'une fonction esthétique.	Texte normal <STRIKE>texte barré</STRIKE>
TT	Applique un caractère à espacements fixes. L'apparence du texte est identique à celle des éléments CODE et SAMP, mais purement esthétique.	Texte normal<TT>texte modifié</TT>
U	Applique un caractère souligné. L'apparence du texte est identique à celle de l'élément intraligne INS mais n'a qu'une fonction esthétique.	Texte normal<U> texte souligné</U>

Les éléments pour les images et les objets

Les images et les objets graphiques utilisent peu d'éléments HTML. Ce sont principalement les attributs, les propriétés et les événements scripts associés qui définissent le comportement et l'apparence de ces objets.

Élément	Description	Exemple
IMG	Image dans le document. IMG est aussi utilisé avec les images en coordonnées (MAP).	<IMG SRC="images/logo.gif" ALT="infobulle sur image">
EMBED	Emboîtement d'objets dans le document (par exemple un objet Flash) devant être pris en charge par des applications externes.	<EMBED SRC="fichier.swf"></EMBED>
HR	Ligne horizontale.	<HR WIDTH="75%">
OBJECT	Insère un objet dans le document. L'élément OBJECT peut être utilisé dans le corps du document (BODY) ou dans l'en-tête (HEAD).	<OBJECT CLASSID="classedobjet"> </OBJECT>
PARAM	Définit la valeur initiale des propriétés des éléments APPLET, EMBED et OBJECT.	<APPLET CODE="fichier.class"> <PARAM NAME="parametre1" VALEUR="valeur1"> </applet>

Les éléments pour la définition des liens

Les liens hypertextes, et les images en coordonnées qui utilisent les liens hypertextes, utilisent peu d'éléments. Les liens sont considérés comme des éléments intralignes puisqu'ils n'affectent qu'un bloc à l'intérieur d'un bloc de texte.

Élément	*Description*	*Exemple*
A	Marque un lien hypertexte. L'élément A requiert l'utilisation de la propriété HREF (lien hypertexte) ou NAME (marqueur ou signet).	`<A HREF="../INDEX.HTML>Texte</A>`
AREA	Zone sur une image en coordonnées.	`<AREA SHAPE="rect" COORDS="24,60,294,125" HREF="region.html">`
MAP	Image en coordonnées. L'attribut NAME est toujours associé à l'élément MAP pour identifier l'image.	`<MAP NAME="imagemap"> <AREA SHAPE="rect" COORDS="5,3,75,32" HREF="index.html"> </MAP>`
LINK	Élément d'en-tête. Établit un lien entre le document courant et un document externe.	`<LINK REL="stylesheet" TYPE="text/css" HREF="messtyles.css">`

Les éléments pour la définition des tableaux

Chaque portion du tableau, et le tableau lui-même, ont leurs propres éléments HTML qui définissent leur apparence. Le tableau peut aussi être divisé en niveaux de bloc pour faciliter la manipulation de chaque section et, le cas échéant, faciliter la prise en charge d'un bloc d'informations par un programme externe.

Élément	*Description*	*Exemple*
TABLE	Définit un tableau.	`<TABLE > <TR>Autre ligne <TD>Cellule dans le tableau </TD> </TR> <TR>Autre ligne <TD>Cellule dans le tableau</TD> </TR> </TABLE>`
CAPTION	Description (titre) d'un tableau. Cet élément doit être inséré immédiatement après l'élément TABLE. En visualisation, le titre apparaît en haut du tableau.	`<TABLE> <CAPTION>Description du tableau </CAPTION>`
COL	Identifie les cellules d'un tableau formant une colonne.	`<COL VALIGN="middle">`
COLGROUP	Série de cellules d'un tableau qui forment un groupe.	`<COLGROUP VALIGN="middle">`
TBODY	Identifie les lignes et les colonnes appartenant au corps du tableau. L'élément TBODY peut être utilisé avec les éléments TFOOT et THEAD et peut contenir autant de cellules que nécessaire.	`<TABLE> <TBODY><TR> <TD>Texte dans une cellule du tableau</TD> </TR> </TBODY> </TABLE>`

Élément	Description	Exemple
TD	Cellule dans un tableau.	`<TD><IMG SRC="Images/Logo.gif">Texte</TD>`

THEAD
TFOOT
	Identifie les lignes et colonnes appartenant à l'en-tête (THEAD) ou au pied (TFOOT) du tableau. Peu importe où l'élément est positionné, les cellules de ce groupe se positionnent là où l'élément les conduit.
	Ces éléments peuvent contenir plusieurs rangs (TR) d'un tableau et doivent obligatoirement être accompagné de l'élément TBODY afin d'être distingué du corps du tableau. THEAD et TFOOT peuvent être utilisés seuls ou en ensemble dans un même tableau.
		`<TABLE>`
		`<THEAD><TR>`
		`<TD>Texte d'en-tête`
		`</TD></TR>`
		`</THEAD>`
		`<TBODY><TR>`
		`<TD>Texte dans une cellule/`
		`</TD></TR>`
		`</TBODY>`
		`<TFOOT><TR>`
		`<TD>Texte du pied`
		`</TD></TR>`
		`</TFOOT>`
		`</TABLE>`

TR	Identifie une ligne dans un tableau.	`<TABLE >`
		`<TR>Ligne du tableau`
		`<TD>Cellule dans le tableau</TD>`
		`</TR>`
		`<TR>Autre ligne`
		`<TD>Cellule du tableau</TD>`
		`</TR>`
		`</TABLE>`

Les éléments pour la définition des pages à cadres

Les éléments des pages à cadres peuvent aussi être manipulés par des scripts.

Élément	Description	Exemple
FRAMESET	Élément de structure. Définit une page à cadre.	`<FRAMESET COLS="50%,*">`
FRAME	Définit un cadre individuel sur une page à cadres ou sur une zone de cadres dans un document de type IFRAME.	`<FRAME NAME="gauche" SRC="menu.html">`
IFRAME	Identifie une zone à cadre unique. Le contenu du cadre étant le document appelé par l'attribut SRC. IFRAME est un élément intraligne.	`<IFRAME SRC="distribution.html" NAME="iframe"></IFRAME>`

NOFRAMES	NOFRAMES est utilisé sur une page à cadres. L'élément contient des informations textuelles qui s'affichent si un navigateur n'interprète pas les pages à cadres. Le contenu de la balise <NOFRAMES> doit être encadré des balises <BODY> pour être visualisé. NOFRAMES est un élément de bloc.	`<FRAMESET COLS="50%,*">`
		`<FRAME ...>`
		`<FRAME ...>`
		`<NOFRAMES>`
		`<BODY>`
		`Cette page utilise des cadres et votre navigateur ne peut les visualiser.`
		`</BODY>`
		`</NOFRAMES>`
		`</FRAMESET>`

Les éléments pour la définition des formulaires

Les formulaires et les contrôles utilisent des éléments HTML qui définissent le comportement de base de l'objet en lui appliquant l'apparence appropriée. Certains éléments forcent l'exécution d'une action, par exemple le bouton SUBMIT qui permet d'envoyer les résultats du formulaire. Ce sont essentiellement les attributs qui permettent de définir ce type d'action. Pour l'exécution de commandes plus complexes, il est nécessaire d'avoir recours à des scripts, internes ou externes.

Élément	*Description*	*Exemple*
FORM	Définit une zone de formulaire sur le document.	`<FORM ACTION="http://www.domaine.com/" METHOD="post"></FORM>`

INPUT	Introduit les contrôles de formulaire. INPUT est utilisé avec l'attribut TYPE qui annonce la propriété des contrôles.	`<FORM>`
		`<INPUT TYPE="radio" NAME="identificateur" VALUE="valeur par défaut">`
		`INPUT TYPE="button"`
		`INPUT TYPE="checkbox"`
		`INPUT TYPE="file"`
		`INPUT TYPE="hidden"`
		`INPUT TYPE="image"`
		`INPUT TYPE="password"`
		`INPUT TYPE="radio"`
		`INPUT TYPE="reset"`
		`INPUT TYPE="submit"`
		`INPUT TYPE="text"`

BUTTON	Crée un bouton dans le document. L'élément BUTTON peut être utilisé à l'intérieur d'un formulaire ou en dehors. D'apparence, il est semblable à la propriété BUTTON de l'élément INPUT TYPE (INPUT TYPE="button") à la différence que l'on peut affecter à l'élément BUTTON des attributs et des propriétés.	`<BUTTON NAME="nom" VALUE="submit" TYPE="submit"></BUTTON>`

FIELDSET LEGEND	Définit un bloc de texte comme un champ de formulaire et lui applique un encadrement. Cet élément est principalement utilisé pour définir une zone sur un formulaire (FORM). FIELDSET peut être utilisé avec l'élément LEGEND qui est son titre. LEGEND doit être le premier élément introduit dans la balise FIELDSET.	`<FIELDSET>`
		`  <LEGEND>`Légende de la zone`</LEGEND>`
		` `Texte de la zone encadrée
		`</FIELDSET>`

LABEL	Association d'un nom d'étiquette à un contrôle présent dans le document. Le nom identification de LABEL doit être utilisé dans le même document. Si LABEL est utilisé dans un formulaire, son nom doit être utilisé par un contrôle du même élément FORM. LABEL doit obligatoirement être associé à l'attribut FOR.	`<FORM action="..." method="post">`
		`  <LABEL FOR="prenom">`Prénom`</LABEL>`
		`  <INPUT TYPE="text" NAME="prenom" id="prenom">`
		`  <LABEL FOR="nom">`Nom`</LABEL>`
		`  <INPUT TYPE="text" NAME="nom" ID="nom">`
		`</FORM>`

Élément	*Description*	*Exemple*

OPTION	Utilisé dans un formulaire, l'élément OPTION permet de définir une liste de choix.	`<SELECT NAME="pays">`
		`  <OPTION`
		`VALUE="algerie">Algérie</OPTION>`
		`    <OPTION VALUE="canada">Canada</OPTION>`
		`    <OPTION VALUE="france">France</OPTION>`
		`</SELECT>`

TEXTAREA	Utilisé dans un formulaire, l'élément TEXTAREA sert à définir une zone de texte multiligne.	`<TEXTAREA NAME="zonetexte"`
		`COLS="30" ROWS="5">`Texte affiché par défaut dans la zone
		`</TEXTAREA>`

Les éléments pour les scripts et les programmes externes

Élément	*Description*	*Exemple*

APPLET	Introduit l'appel d'un programme externe (Applet Java).	`<APPLET CODE="fichier.class">`
		`  <PARAM NAME="parametre1"`
		`VALEUR="valeur1">`
		`</applet>`

EMBED	Emboîtement d'objets dans le document (par exemple un objet Flash) devant être pris en charge par des applications externes.	`<EMBED SRC="fichier.swf"></EMBED>`

NOSCRIPT	NOSCRIPT contient des informations textuelles qui s'affichent si un navigateur n'interprète pas les scripts. Le contenu de la balise `<NOSCRIPT>` doit être encadré des balises `<BODY>` pour être visualisé.	`<SCRIPT type="text/tcl">`
		`...`
		`</SCRIPT>`
		`<NOSCRIPT>`
		`  <P>`Votre navigateur n'interprète pas ce script,
		`  <A href="..\nocript.html">`cliquez ici`</A>`
		`</NOSCRIPT>`
		BLOC

OBJECT	Insère un objet dans le document. L'élément OBJECT peut être utilisé dans le corps du document (BODY) ou dans l'en-tête (HEAD).	`<OBJECT CLASSID="classedelobjet">`
		
		`</OBJECT>`

PARAM	Définit la valeur initiale des propriétés des éléments APPLET, EMBED et OBJECT.	`<APPLET CODE="fichier.class">`
		`  <PARAM NAME="parametre1"`
		`VALEUR="valeur1">`
		`</applet>`

SCRIPT	Élément d'en-tête. Annonce l'utilisation d'un script et identifie l'interpréteur du script. Lorsque l'élément SCRIPT est exécuté côté client (par le navigateur), il devient un élément intraligne.	`<SCRIPT LANGUAGE="JavaScript">` ... `</SCRIPT>`

Réseaugraphie

Des dizaines de guides de référence sont disponibles sur le marché, et permettent aux concepteurs de trouver les codes nécessaires à la programmation qu'ils entendent faire. Toutefois, le concepteur qui utilise en interaction plusieurs de ces langages se voit dans l'obligation de monter une bibliothèque imposante de titres.

Internet permet de remédier à ce problème en proposant des références sur chacun des langages utilisés. En outre, la plupart de ces sites Web spécialisés offrent l'important avantage de tenir à jour les fichiers de références, permettant au concepteur d'évoluer au même rythme que les versions.

Références sur la conception de sites Web et les langages utilisés

- **www.bradsoft.com**
  Bradsoft est développeur de l'éditeur de feuilles de style *Top Style*. Cet éditeur permet entre autres de valider la compatibilité des feuilles de style avec plusieurs navigateurs.
- **www.commentcamarche.com**
  Comment ça marche propose une série d'articles, répondant à différents niveaux de connaissance, qui traitent de la micro-informatique. Une importante section est réservée aux outils de conception Web et aux langages de programmation. Un outil de recherche efficace permet de trouver rapidement l'information.
- **guide.ungi.net**
  Le guide en ligne *Un nouveau guide Internet* est l'une des références la plus connue dans le monde d'Internet. Un guide complet qui saura autant répondre aux questions du débutant qu'à celles du programmeur Web voulant utiliser des éléments programmés (JavaScript, DGI, Perl, etc.)
- **inin-wap.avalon.hr/zdravko/wbmpfly.htm**
  Téléchargement d'un module supplémentaire permettant à PhotoShop de convertir les images en format WBMP.
- **msdn.microsoft.com/library/default.asp**
  La librairie MSDN contient une impressionnante banque de références sur les langages compatibles à Internet Explorer : HTML, XML, CSS, JScript, etc.

- **www.teraflops.com/**
  Convertisseur d'images vers le format WBMP pour le développement WML.
- **www.uic.edu/orgs/tei/sgml/teip3sg/SG.htm**
  Une introduction aux principes du code SGML.
- **www.w3.org**
  Organisme de standardisation reconnu internationalement. Le W3C établit des standards Internet favorisant une meilleure interprétation des codes programmés par les navigateurs.
  Sur ce site, le concepteur a accès à des articles et des références sur les langages utilisés pour la conception de document HTML ainsi qu'à certains utilisateurs.
- **www.wapeasier.com/**
- **www.wapforum.org/**
  Sites de références sur le code WML pour le développement WAP. Groupes de discussion, références, outils de développement.
- **www.webdeveloppeur.com**
  Site de références et d'échanges géré par Visicom Média inc. On y trouve des articles et des tutoriels pouvant intéresser les développeurs de pages Web.

Référencement et études de performance

- **www.abondance.com/**
  Site répertoire d'actualités concernant tout ce qu'il faut savoir sur la recherche sur le Web, les principes et les secrets du référencement. À l'URL `www.abondance.com/audit/ referencement.html`, le concepteur a notamment accès à un outil de référencement gratuit qui peut indexer un site sur près de 100 moteurs de recherche parmi les plus populaires.
- **www.referenceur.com/**
  Guides de référencement, et référencement gratuit de site sur près de 300 moteurs de recherche.
- **www.samcanada.com/**
  Spécialistes en référencement. *Sam Canada* donne accès gratuitement à des articles qui traitent du référencement et du fonctionnement des engins de recherche.
- **www.xiti.com/**
  XITI est un robot qui étudie le comportement des visiteurs sur un site Web. Il permet d'obtenir des rapports statistiques très performants.

Hébergement gratuit de documents PHP

- **www.multimania.fr**
  Multimania permet notamment aux développeurs WAP d'héberger leurs pages WML et de les tester.
- *Nexem* : **www.nexen.net**
- *Free.com* : **www.free.com**
- *Chez-com* : **chez.tiscali.fr**

Index